A-Z SH

C

REFERENCE

Motorway	**M1**
A Road	**A61**
Under Construction	
Proposed	
B Road	**B6150**
Dual Carriageway	
One-way Street	→
Traffic flow on A Roads is also indicated by a heavy line on the driver's left.	→
Restricted Access	
Pedestrianized Road	
Track / Footpath	
Residential Walkway	
Railway	Level Crossing, Station, Heritage Sta., Tunnel
Supertram	Stop
The boarding of Supertrams at stops may be limited to a single direction, indicated by the arrow.	
Built-up Area	BURGESS ST.
Local Authority Boundary	·— ·· — ·
National Park Boundary	
Posttown Boundary	
Postcode Boundary	
Within Posttowns	— — — —

Map Continuation 86	Large Scale City Centre 4
Car Park (selected)	▣
Park & Ride	P+▭
Church or Chapel	†
Fire Station	■
Hospital	⊞
House Numbers (A & B Roads only)	5 13
Information Centre	ℹ
National Grid Reference	⁴35
Police Station	▲
Post Office	★
Toilet	▽
with facilities for the Disabled	⬧
Viewpoint	⸎ ☀
Educational Establishment	⌐
Hospital or Hospice	⌐
Industrial Building	⌐
Leisure or Recreational Facility	⌐
Place of Interest	⌐
Public Building	⌐
Shopping Centre or Market	⌐
Other Selected Buildings	⌐

SCALE

Map Pages 6-143 1:18,103	Map Pages 4-5 1:9051
0 ¼ ½ Mile	0 ⅛ ¼ Mile
0 250 500 750 Metres	0 100 200 300 Metres
3½ (8.89 cm) to 1 mile 5.52 cm to 1 km	7 inches (17.78 cm) to 1 mile 11.05 cm to 1 km

Copyright of Geographers' A-Z Map Company Limited

Head Office:
Fairfield Road, Borough Green, Sevenoaks, Kent, TN15 8PP
Telephone 01732 781000 (General Enquiries & Trade Sales)

Showrooms:
44 Gray's Inn Road, London, WC1X 8HX
Telephone 020 7440 9500 (Retail Sales)
www.a-zmaps.co.uk

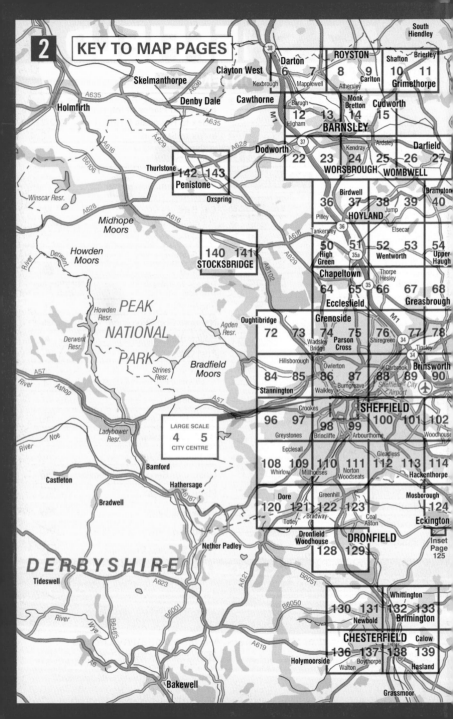

2

KEY TO MAP PAGES

LARGE SCALE
4   5
CITY CENTRE

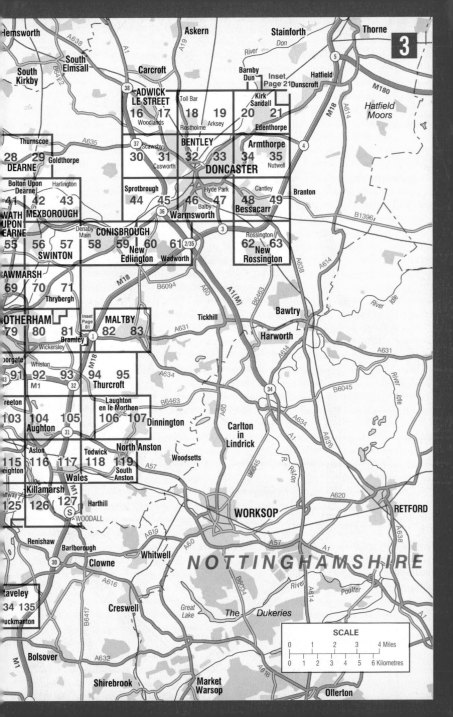

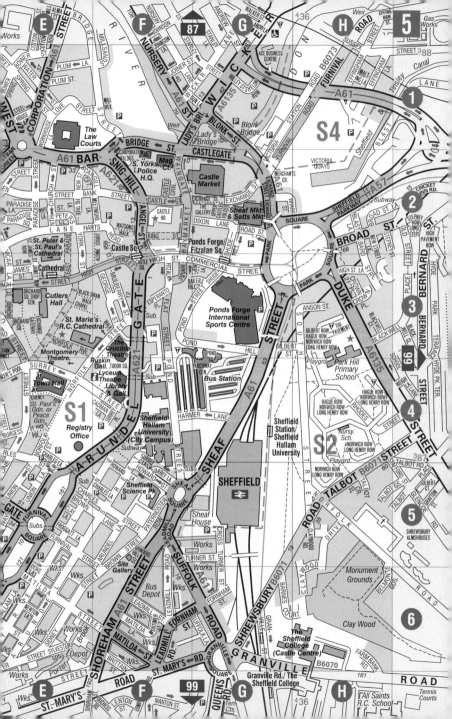

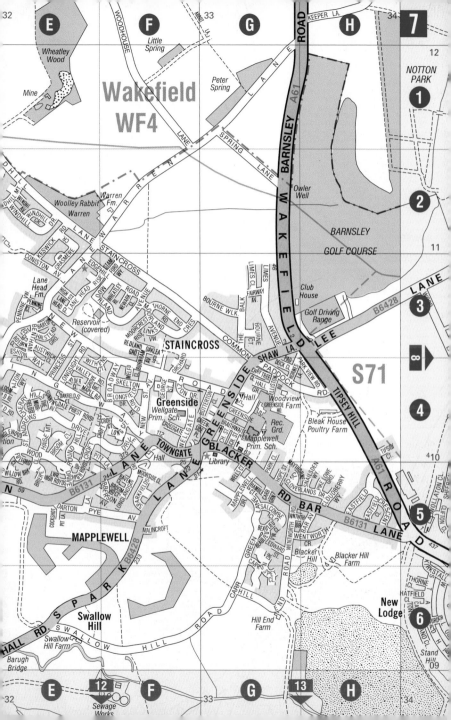

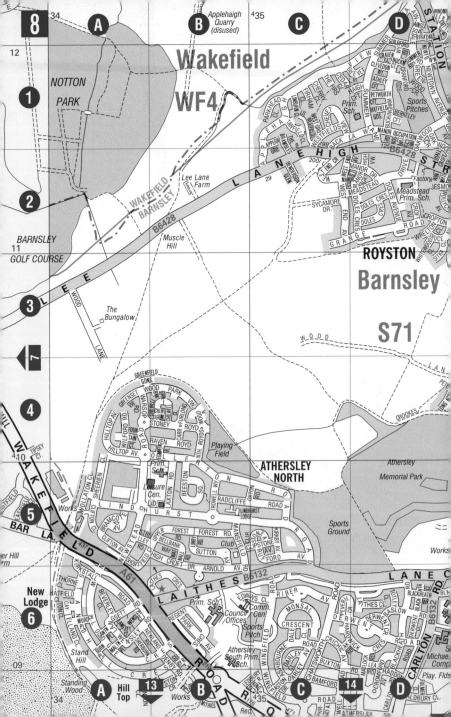

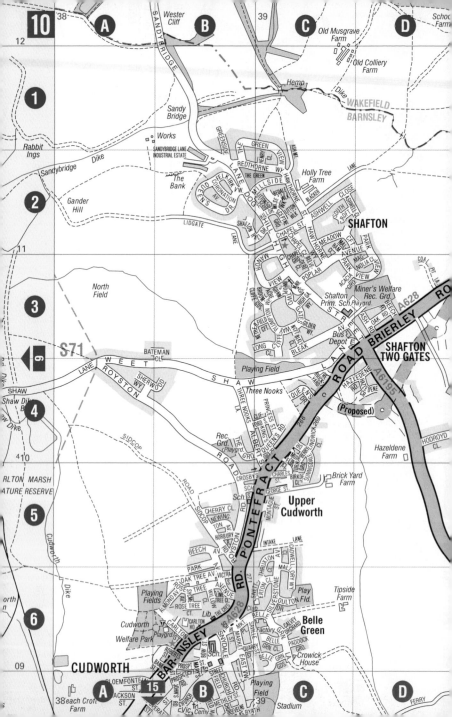

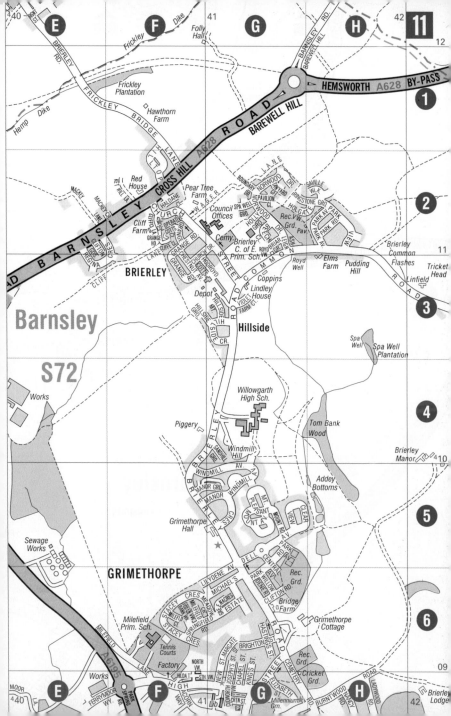

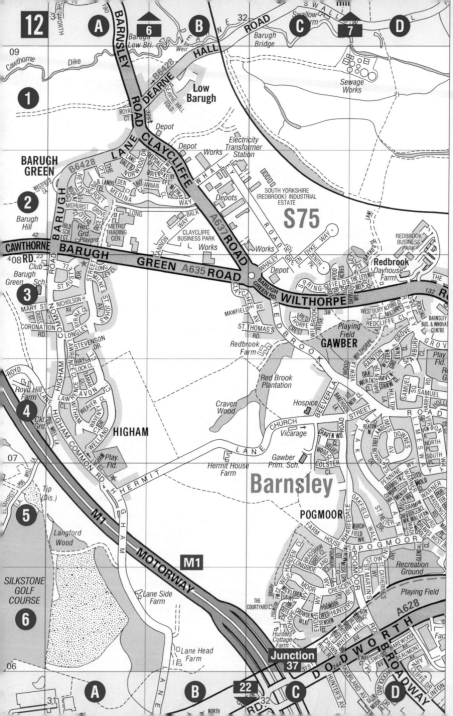

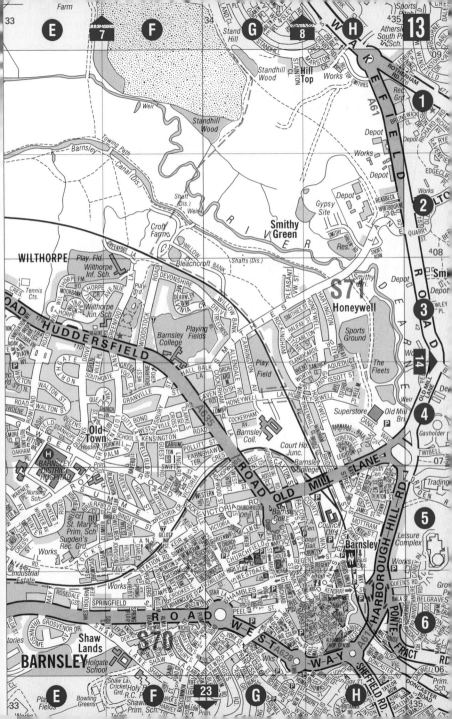

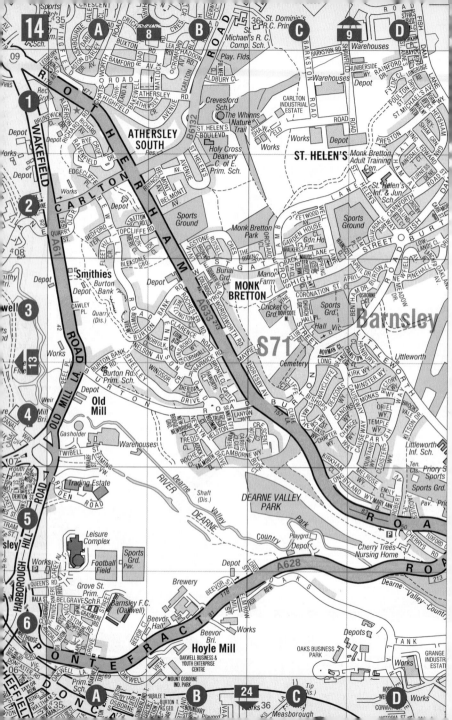

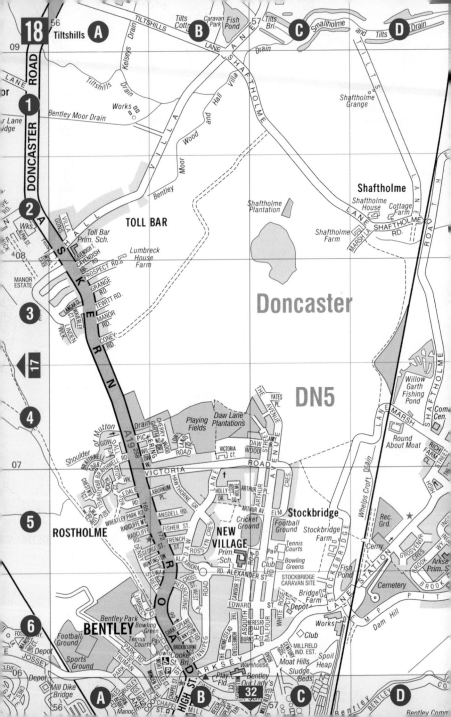

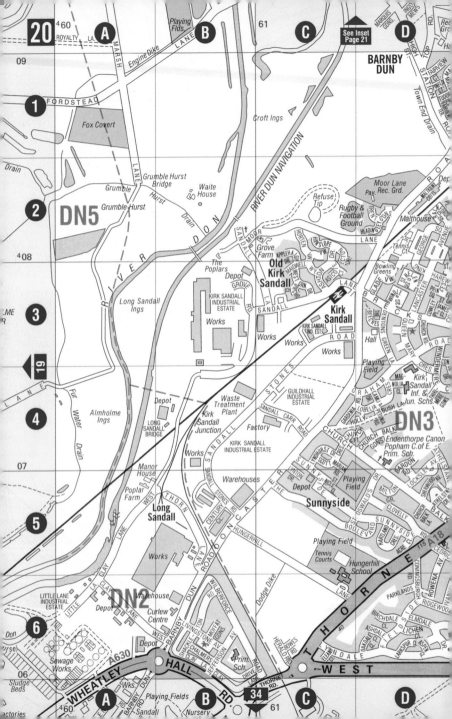

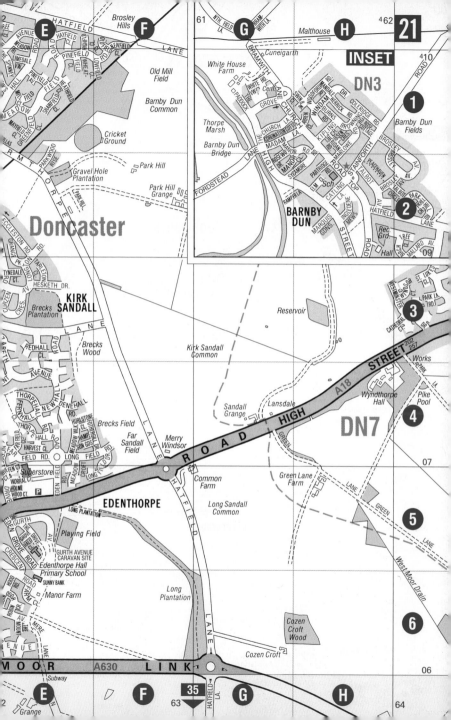

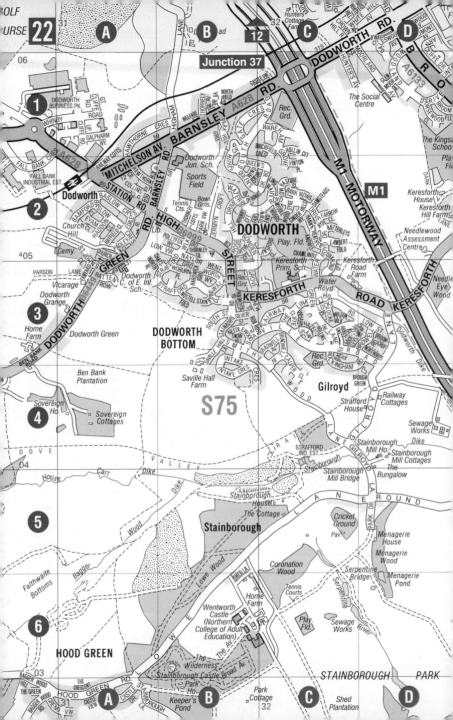

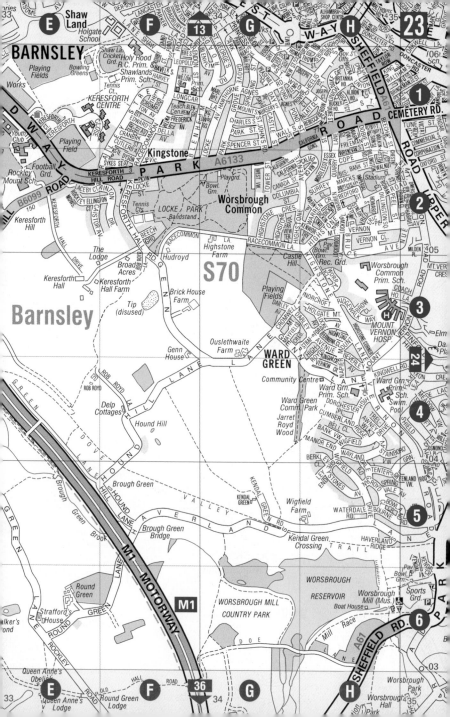

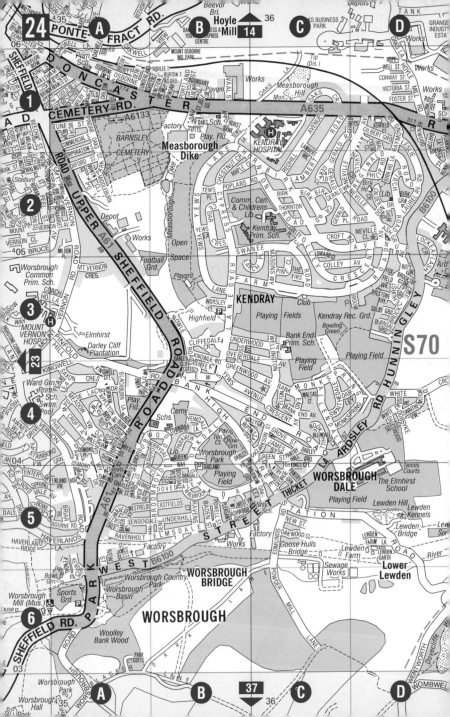

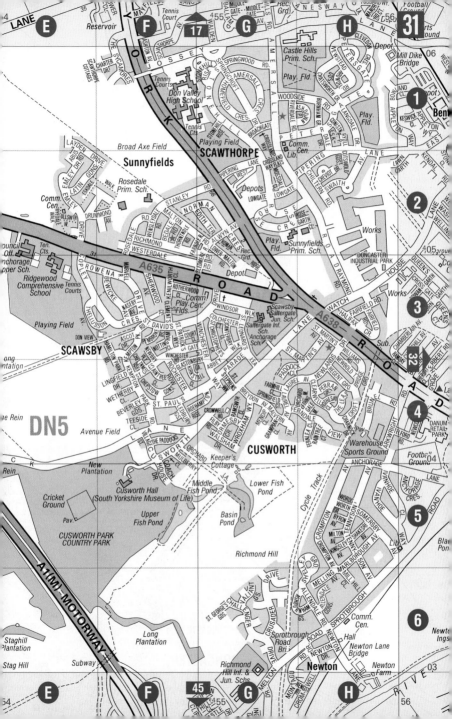

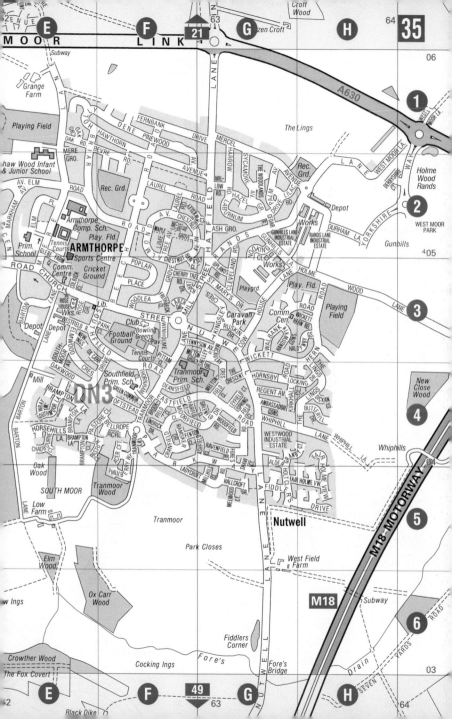

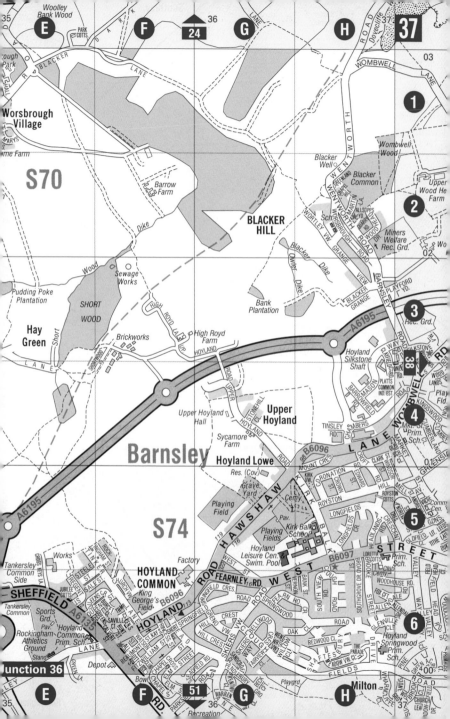

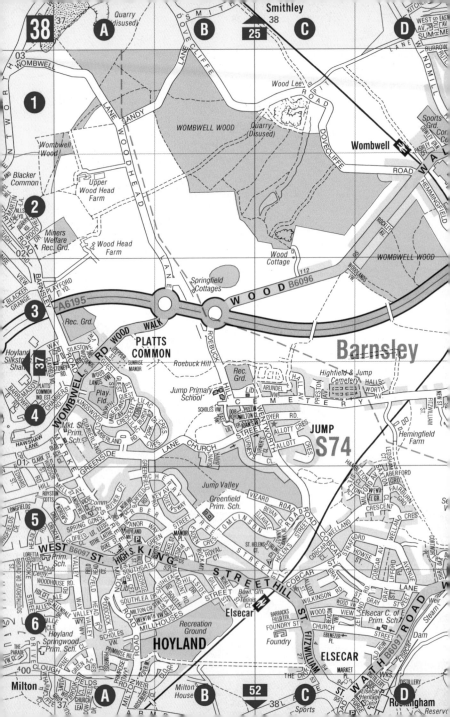

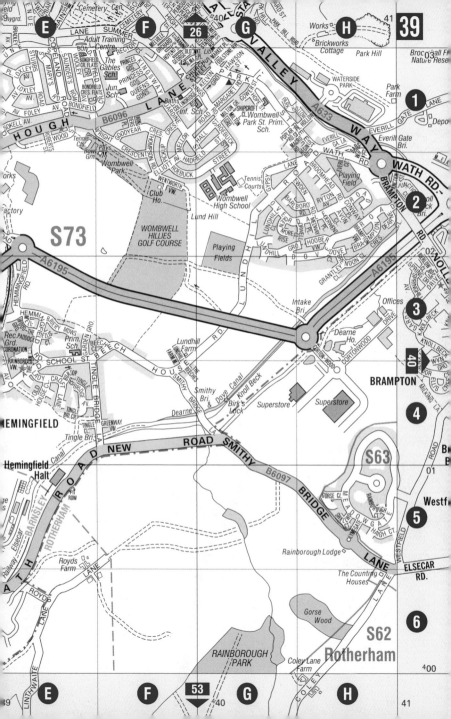

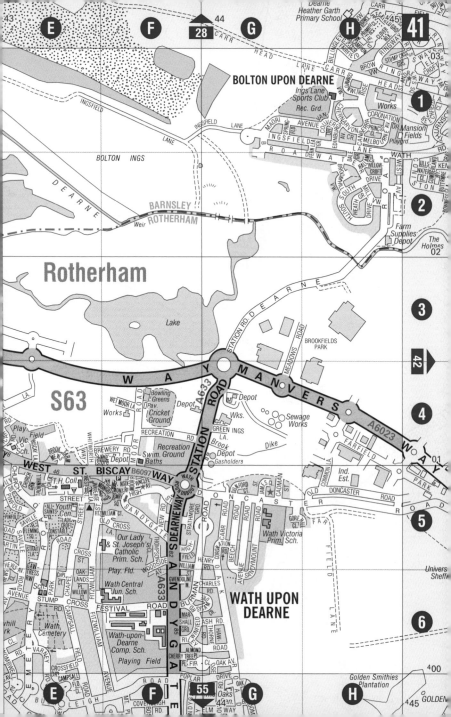

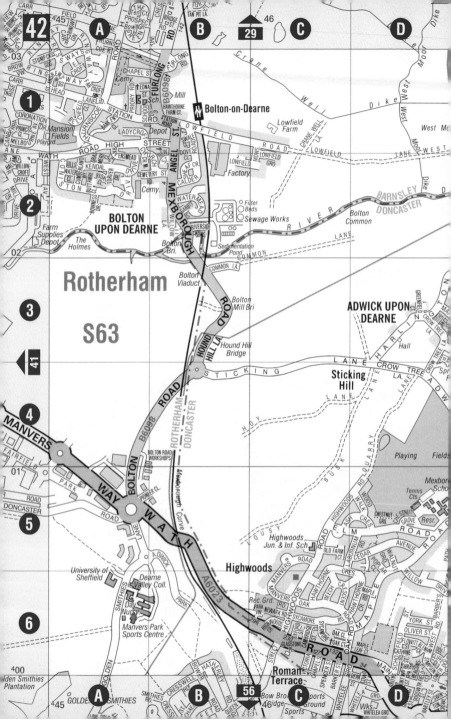

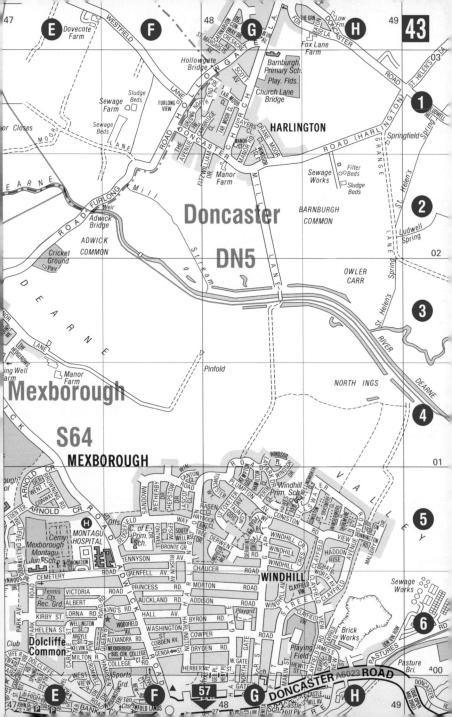

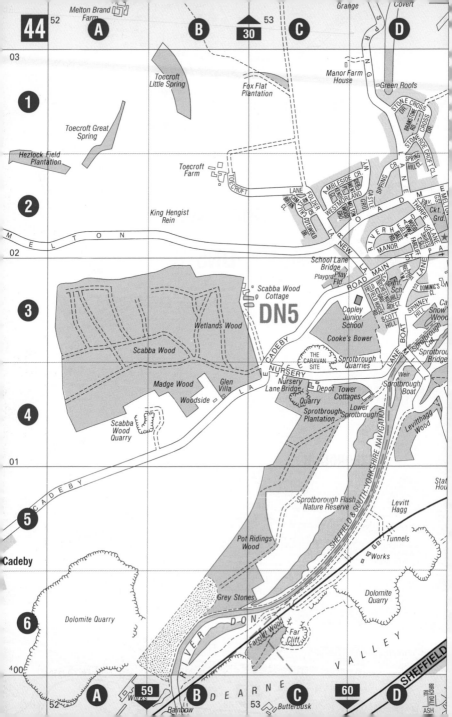

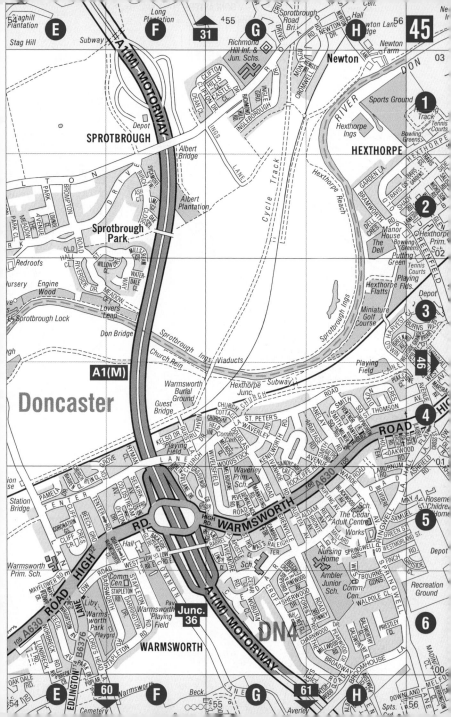

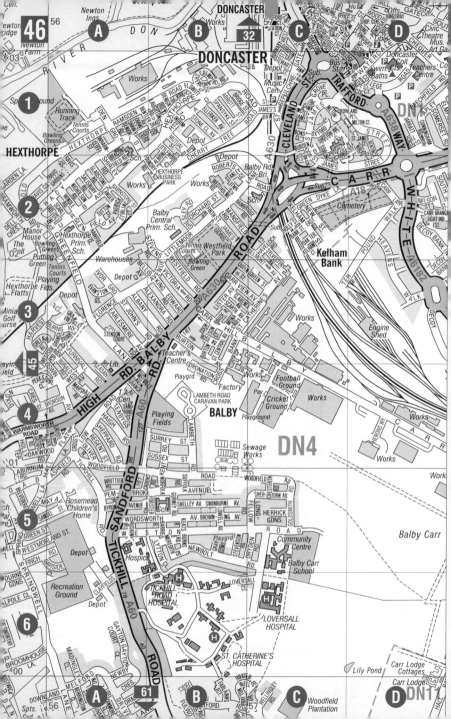

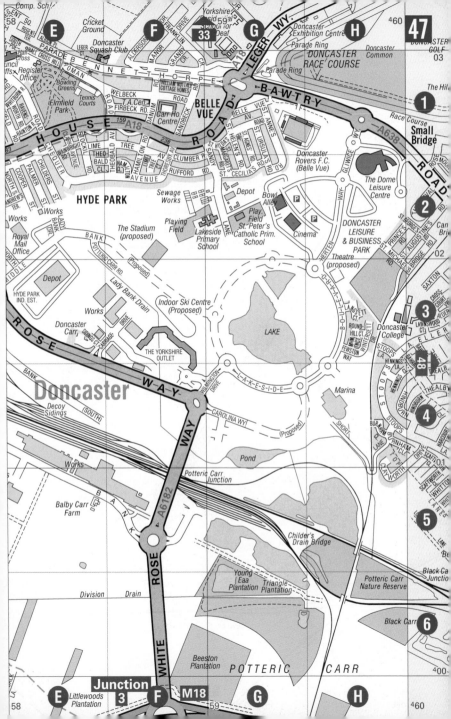

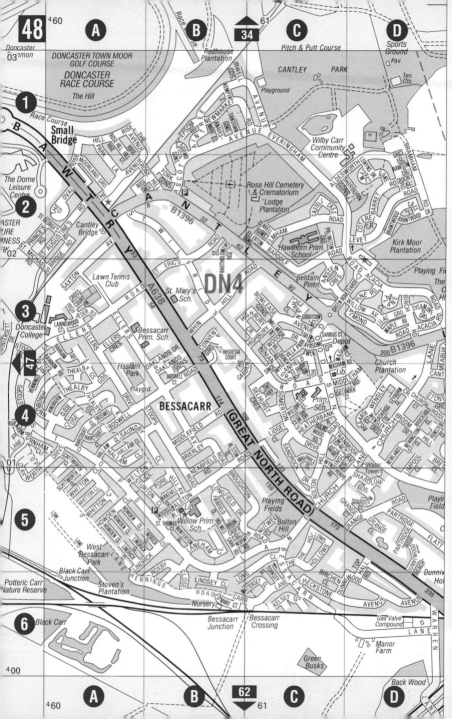

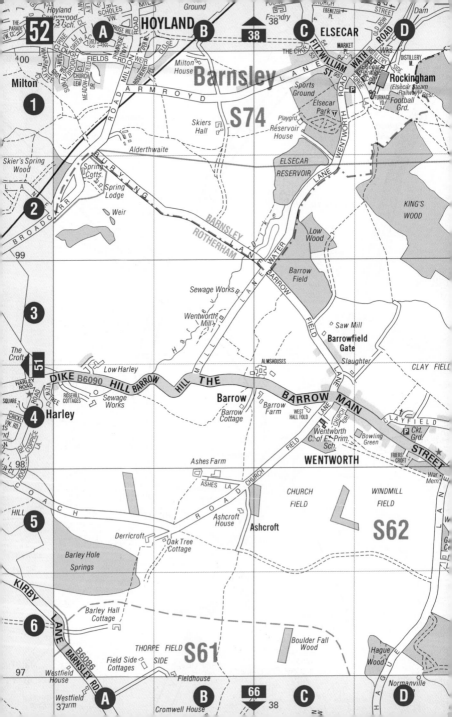

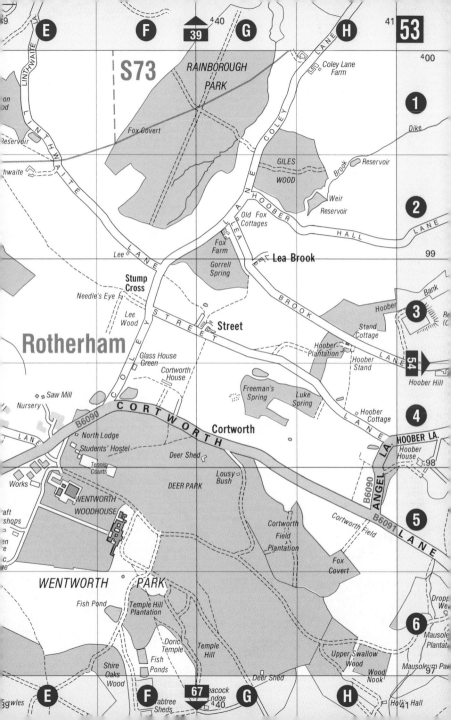

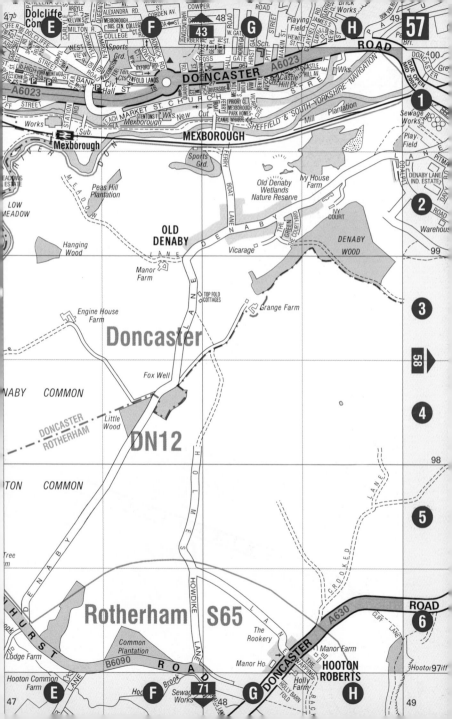

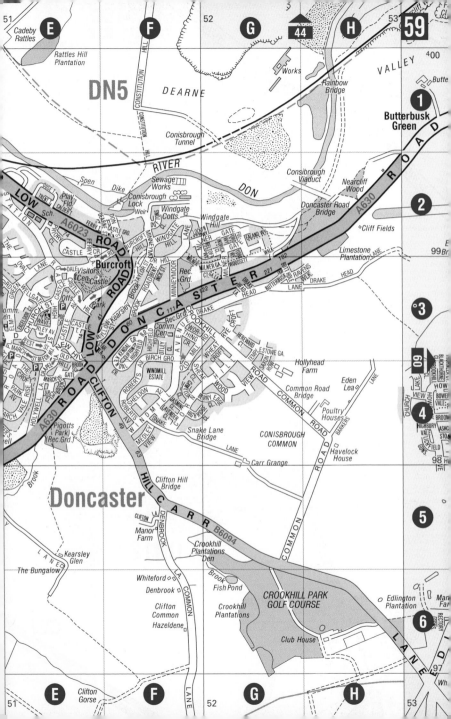

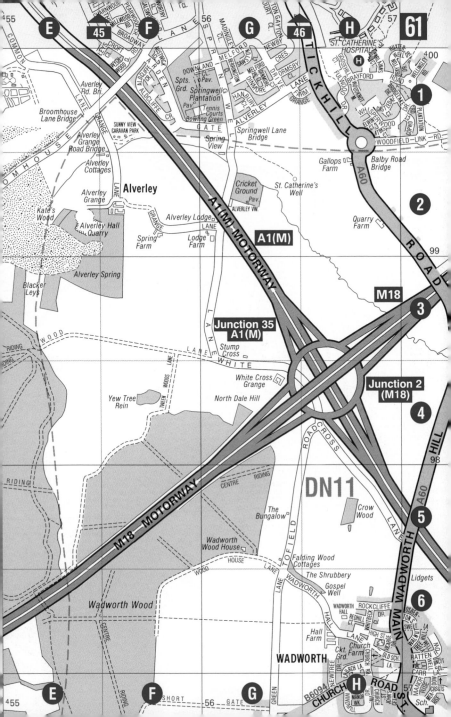

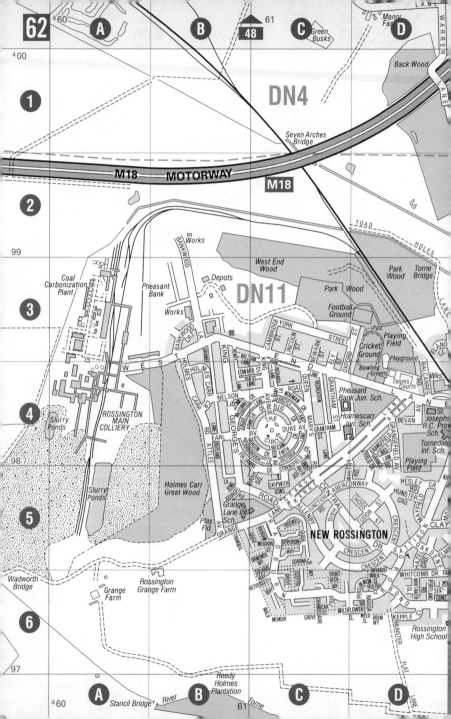

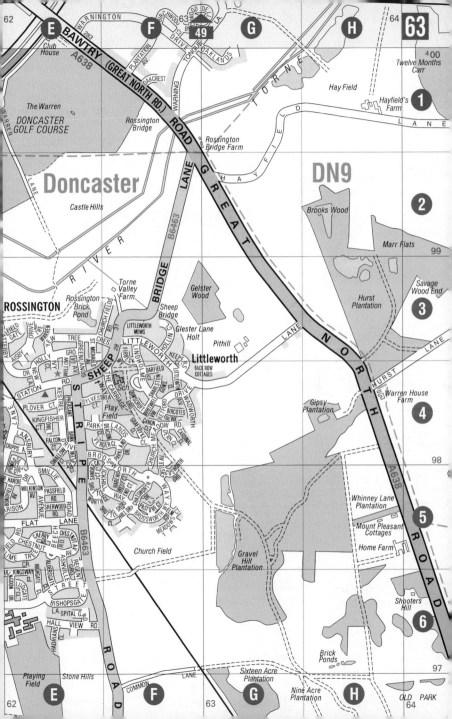

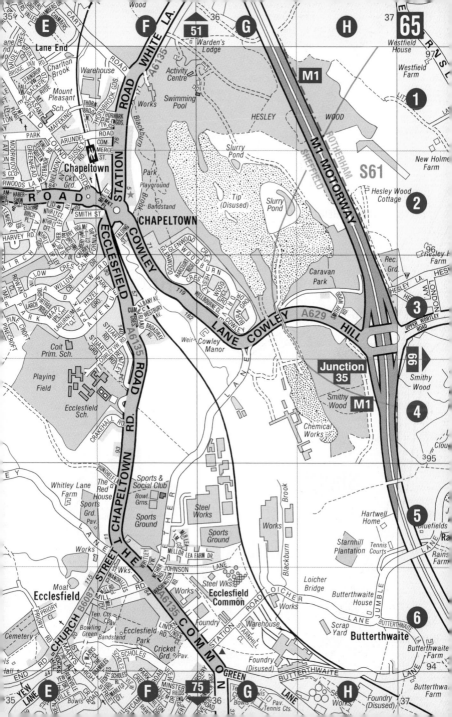

Swallwood

Wood Nook

97

Mausoleum Plantation

41

Mausoleum Park

Hollin Hall

A

Mausoleum Lodge

The Rockingham Mausoleum

B

A N B

STUBBIN RD.

STUBBIN RD.

DANIEL CL.

54

42

Old

Sough

C

D

CHAPEL CHAPEL WY.

SCOVELL HO.

Reservoir (Covered)

1

Nether Haugh

Nether Haugh Ho.

BACK LANE

RIG LA.

THE

96

2

Morley Lodge

Morley Bridge

Weir

Works

Clay Hill

Brookshank Wood

Mill Dam

Cinderbridge Plantation

DAM HEAD

THE BAULK

WHINS

LODGE LA.

EAST LA.

B6089

CINDER BRIDGE FIELD

GREASBROUGH

THE TOPS

3

TOWN

SQUIRREL CROFT

Farm

Wilcox's Plantation

CHURCH LANE

GRAYSON

GOODWIN

ROAD

DAWSON CROFT

Nursery

CHAPEL CL.

DIKE WLK.

OCHRE

LIBRARY CL.

WHITEHALL WAY

Rec. Grd.

COACH ROAD

BAULK FARM CL.

WENTWORTH RD.

ELM

STREET

FITZWILLIAM ST.

GREEN

BOOTH ST.

CHAPEL ST.

MILL ST.

CROSS

Comm. Cen.

Cinderbridge Plantation

Manor Ho.

MAIN ST.

SCHOOL CL.

CAMPBELL

HAROLD CROFT

ROSSITER RD.

OXFORD

Cinder Bridge

BRIDGE ROAD

Ochre Dike

GREASBROUGH

Rotherham

Lodge

GREASBROUGH ROAD

GREA

4

Subwa

WENSLEYDALE

NIDDERDALE

DERWENT RD.

WALKER RD.

Comm. Cen.

ROUGHWOOD

395

SWALE RD.

WINGFIELD

ROBINETS

ROBINETS RD.

TREEFIELD

ROAD

ORCHARD

CRES.

FLATS

THATCH PL.

WINGFIELD CL.

Lib.

GREENSIDE LA.

COACH ROAD

MUNSDALE

ROAD

KINSBOROUGH

BILBY RD.

WAGONFIELD WY.

WOODSIDE WY.

MARY'S GRO.

Greasbrough Inf. & Jun. Sch.

ST. MARY'S

ASH VW.

MARY'S VW.

Nursy.

Ckt. Grd.

PROVIDENCE ST.

SCROOBY DR.

SCROOBY STREET

CROSS STH.

SOUTH

FIFTH ST.

AV.

FOURTH

LOWFIELD

POTTER HILL

SCROOBY STREET

SCROOBY

Ma

5

WINGFIELD CT.

Swimming Pool

Play ield

Hudsons Rough

KIMBERWORTH PARK

Rotherham International Cen.

CELTIC CTS.

GIBBS CRES.

FENTON

Wingfield Comprehensive Sch.

Tennis Courts

Bassingthorpe Spring

FENTON LANE

WOODSIDE WK.

BROOM

FENTON WAGON

WAGON

RICE

ACORN CROFT

LEA

ASHLEIGH

MUNSBROUGH LANE

RYEVIEW GNS.

HIGHFIELD RD.

MUNSBROUGH LA.

BARBOT HILL RD.

G R E A S B R O U G H

Barbot Old Hall Farm

The Bungalow

Parkfield Cottage

Barbot Hall

BROOK CT.

Depo

Depot

BARBOT HALL INDUSTRIAL ESTATE

HILLSIDE

6

SPRING CFT.

ROUGHWOOD RD.

94

KINN TEN

WALKER RD.

ROOM

KIN BLK.

FENTON FIELDS

FENTON LANE

BASSINGTHORPE

MUNSBROUGH LANE

Bassingthorpe Farm

Bassingthorpe Spring

S61

GREASBROUGH LANE

Sports Ground

Pav.

Reservoir

House

CARR HILL

GIN LA.

QUARRY

HOUSE

78

42

B6089

MANGHAM ROAD

MANGHAM WY.

SPRINGFIELD CL.

MANGHAM

Depot

Northfield

41

A

B

C

D

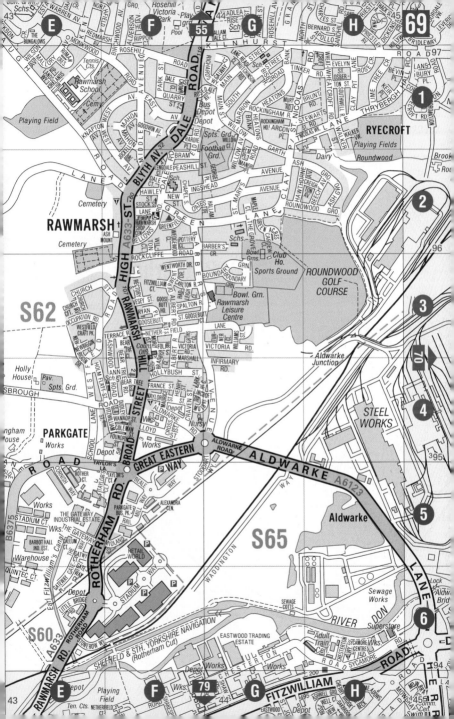

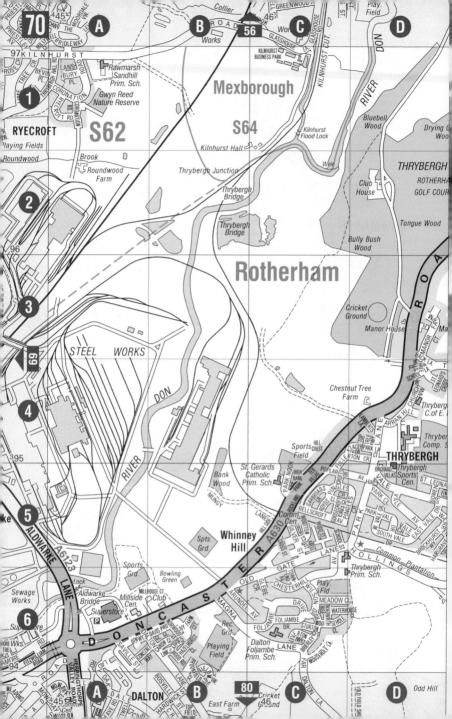

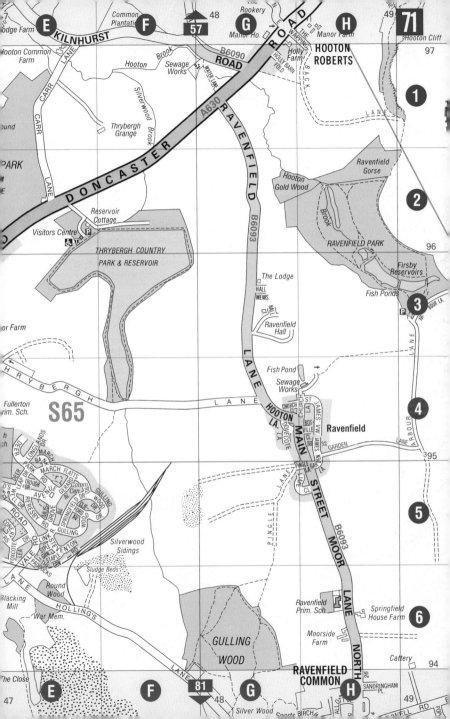

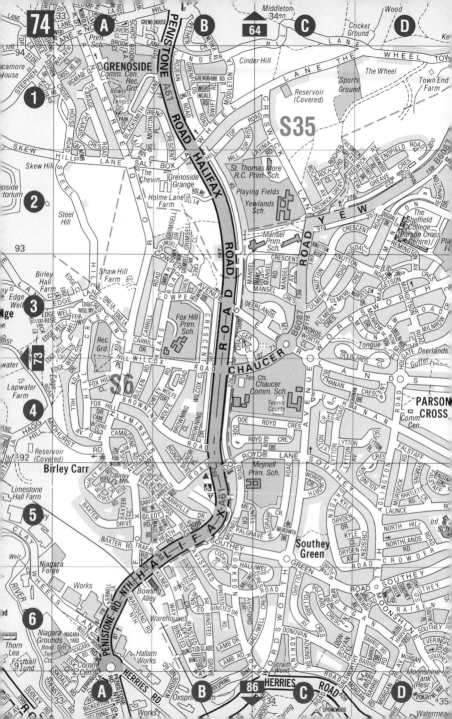

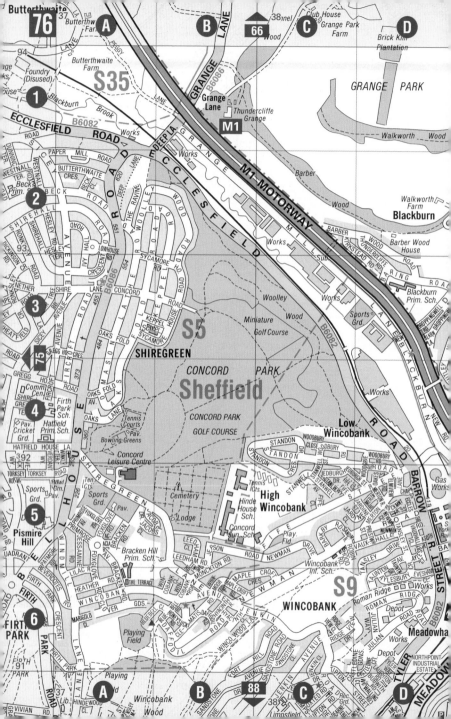

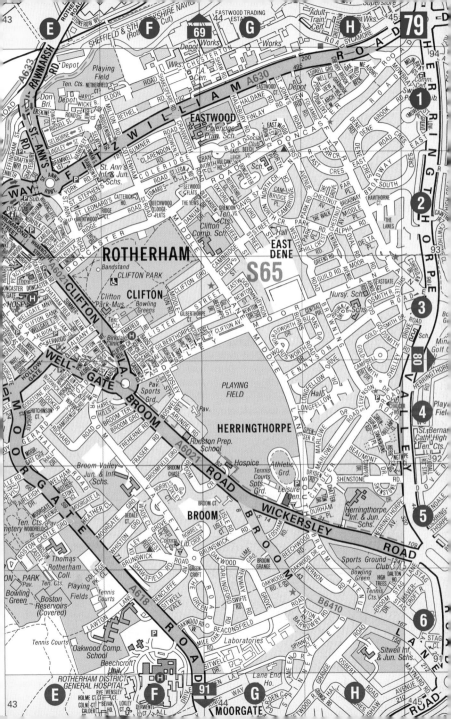

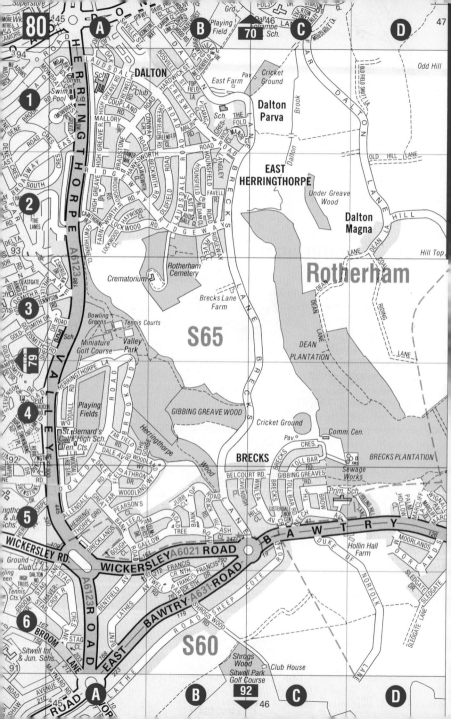

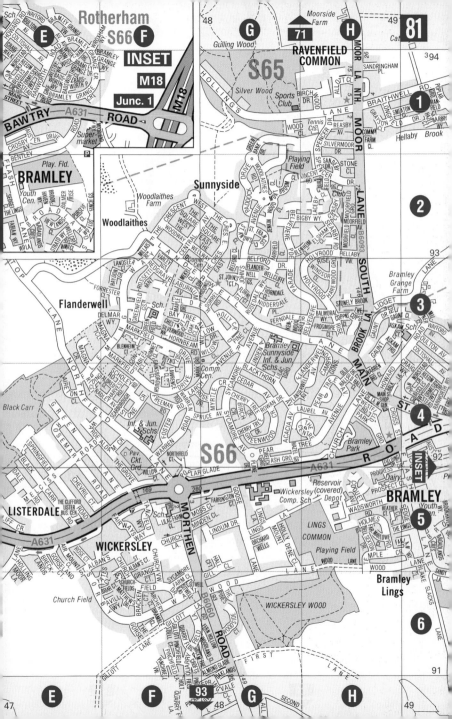

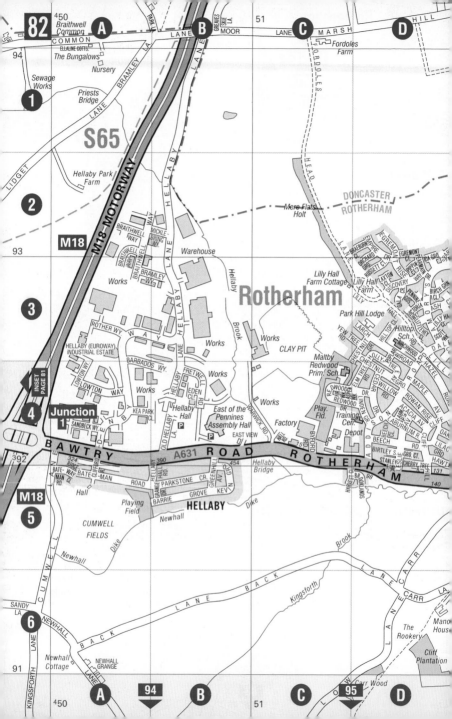

A   **B**   **C**   **D**

450   Braithwell Common

51

MARSH

HILL

COMMON

ELLALINE COTTS.

The Bungalows

Nursery

94

1

Sewage Works

Priests Bridge

GREAVES SIDE LA.

LANE

MOOR

Fordoles Farm

BRAMLEY LA.

LIDGET LANE

S65

HELLABY LANE

Hellaby Park Farm

2

M18 MOTORWAY

HEAD

Mere Flats Holt

DONCASTER ROTHERHAM

93

M18

Braithwell Way

Mickle- Bring Way

BRAITHWELL WAY

BRAMLEY WY.

Warehouse

Hellaby Brook

Rotherham

Lilly Hall Farm Cottage

Lilly Hall Farm

EGREMONT

EGREMONT CT.

ORCHARD

RUSSETT CT.

LILLY HALL LANE

LAXTON

DISCOVERY

3

Works

ROTHER WY.

WAY

Works

Works

CLAY PIT

Park Hill Lodge

Maltby Redwood Prim. Sch.

Hilltop Sch.

YEW TREE

LARCH

CHESTNUT

BIRCH GRN.

ASH

DALE

Hellaby (Euroway) Industrial Estate

LOWTON WAY

BARBADOS WY.

Works

FRETWELL

EDEN CL.

Works

4

INSET PAGE 81

KEA PARK CL.

SANDBECK LA.

Hellaby Hall

OLD HELLABY

P

East of the Pennines Assembly Hall

WARWICK RD.

Works

EAST VIEW

Factory

Play. Fld.

Dr Training Cen.

Depot

REDWOOD

LINDEN CL.

BYFORD

BIRTLEY S.

BEECH

LABURNUM DR.

ACACIA AV.

ROWAN RISE

MAPLE

WILLOW

Junction 1

BAWTRY

392

324

BATE- WAY

BATE- MAN

BATEMAN RD.

Hall

ROAD

HELLABY

GRANGE DR.

PARKSTONE CR.

390

HELLABY HALL RD.

A631 ROAD

454

GREENHILL AV.

KEV

ROTHERHAM

Hellaby Bridge

STANLEY

CHERRY TREE

LILAC

140

131

M18

5

Playing Field

BARRIE GROVE

Newhall

HELLABY

Dike

CUMWELL FIELDS

Newhall

CUMWELL LANE

BACK LANE

Kingsforth

Brook

CARR LANE

CARR LA.

SANDY LA.

6

NEWHALL LANE

The Rookery

Mano House

Cliff Plantation

91

Newhall Cottage

NEWHALL GRANGE

KINGSFORTH LANE

450

LOW CARR WOOD

Carr Wood

A   **94**   **B**   51   **C**   **95**   **D**

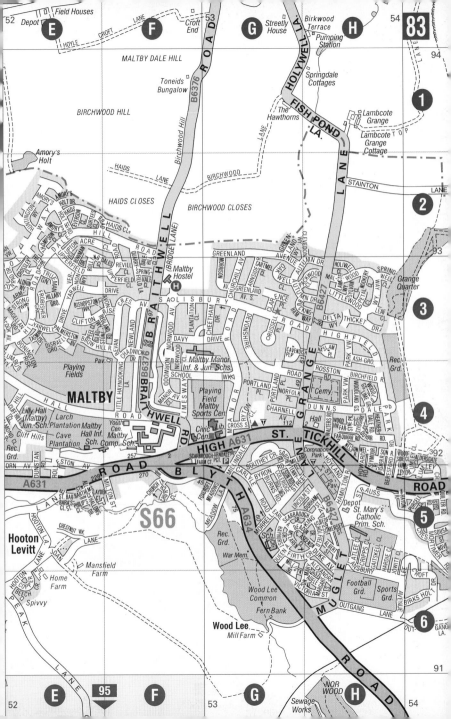

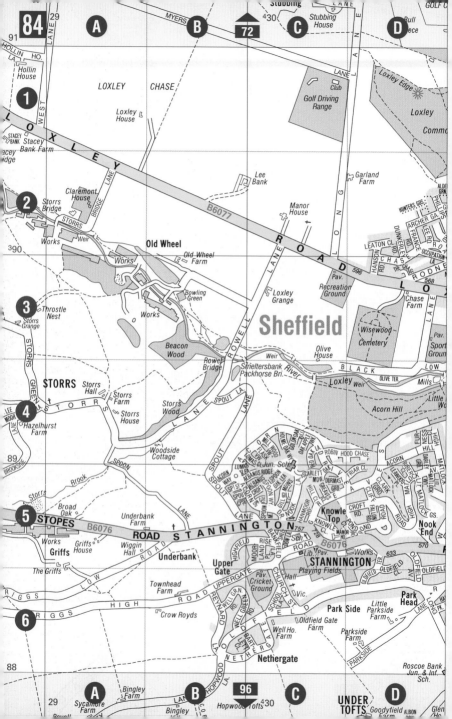

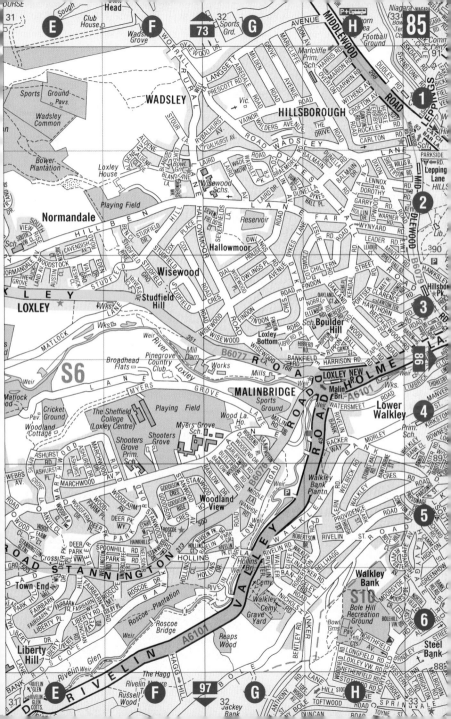

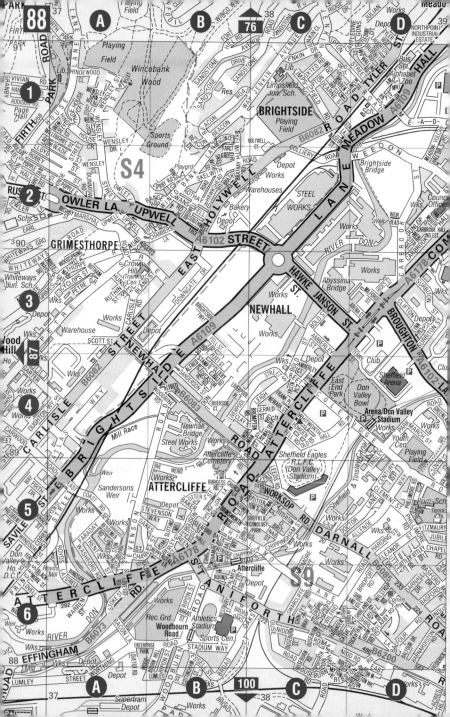

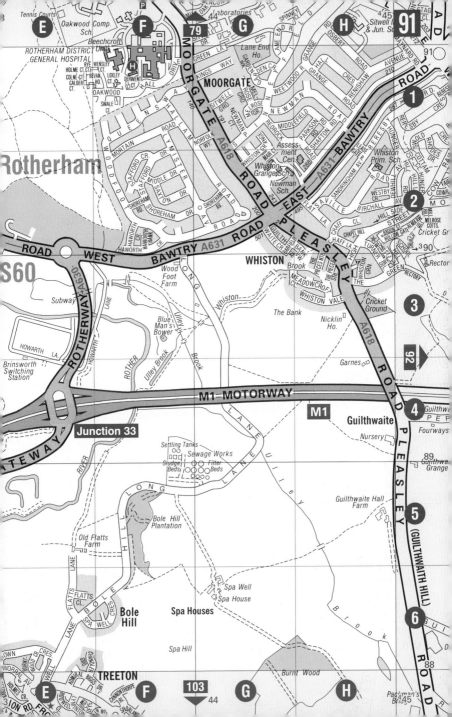

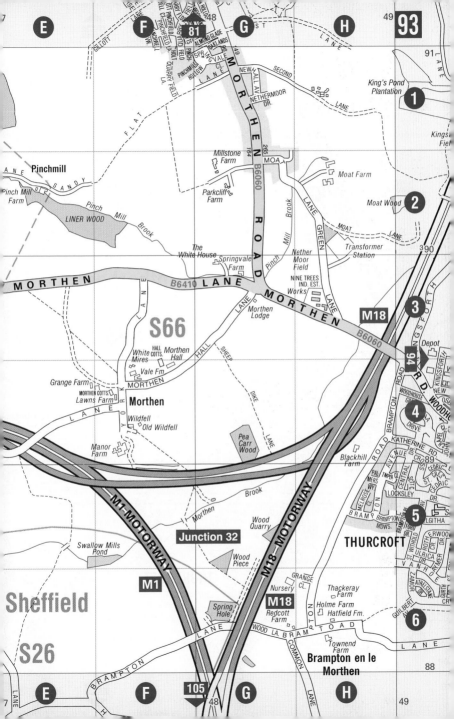

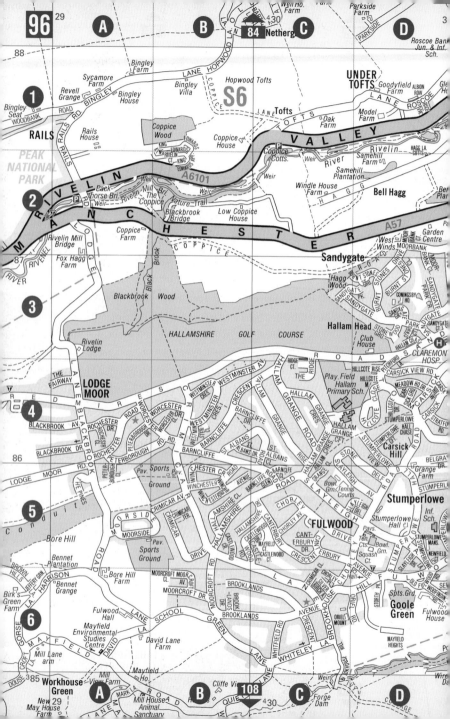

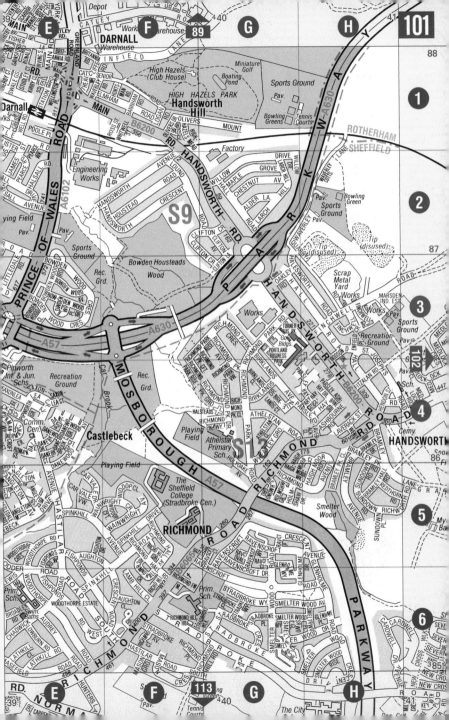

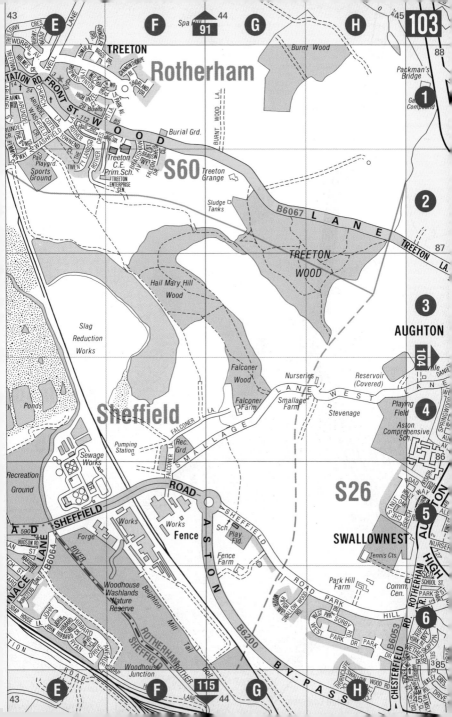

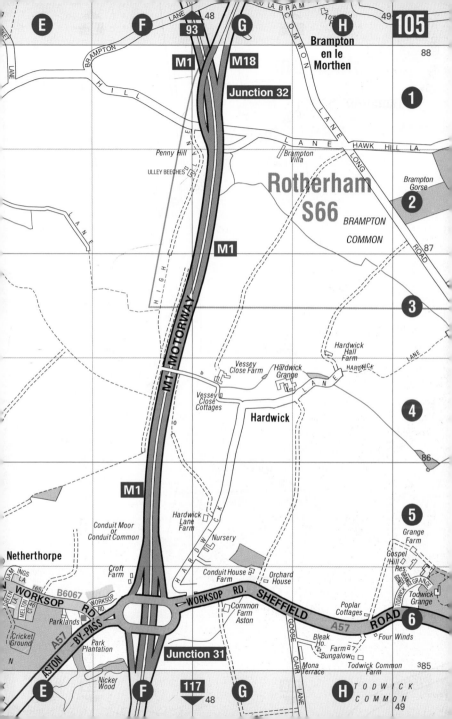

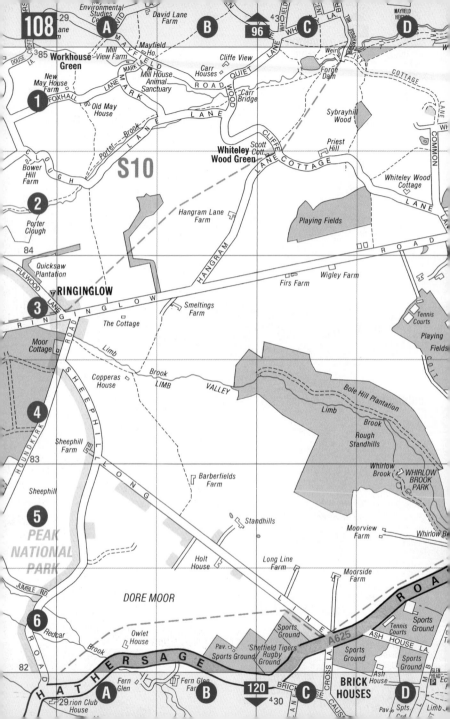

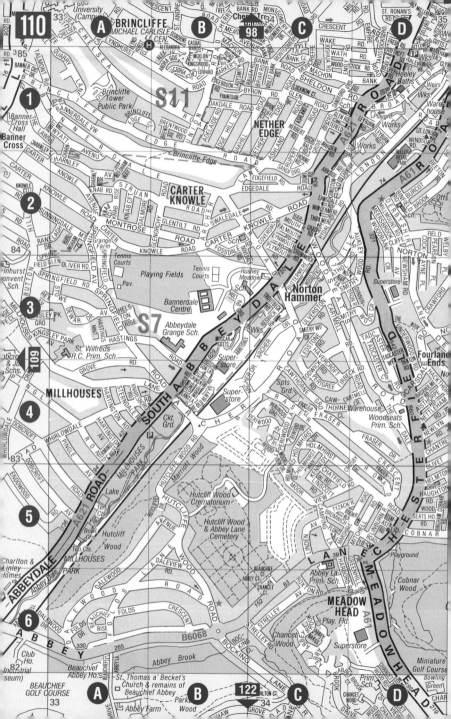

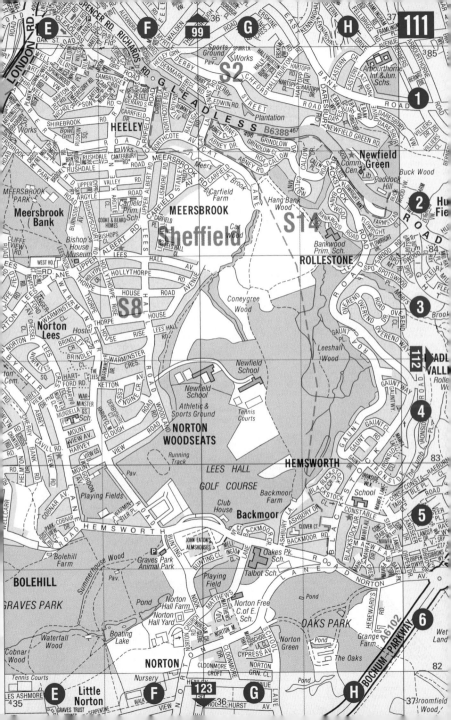

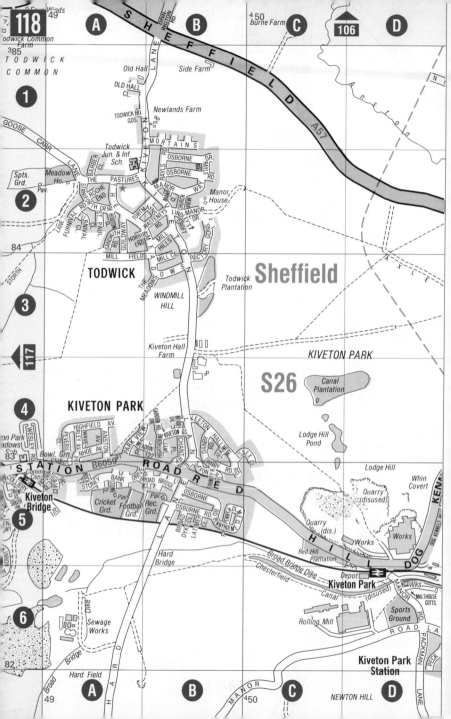

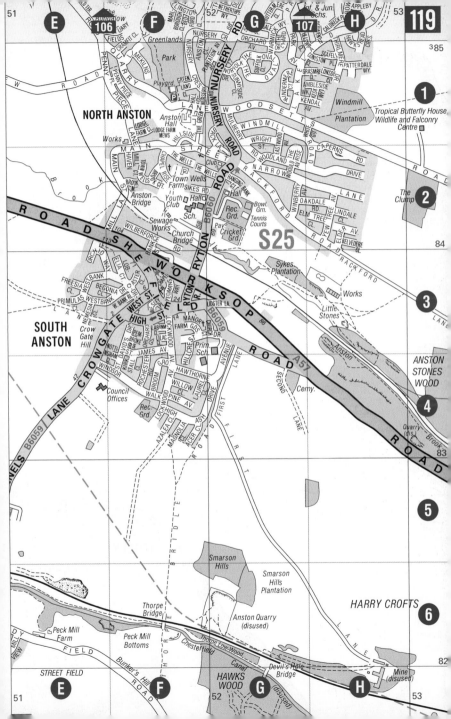

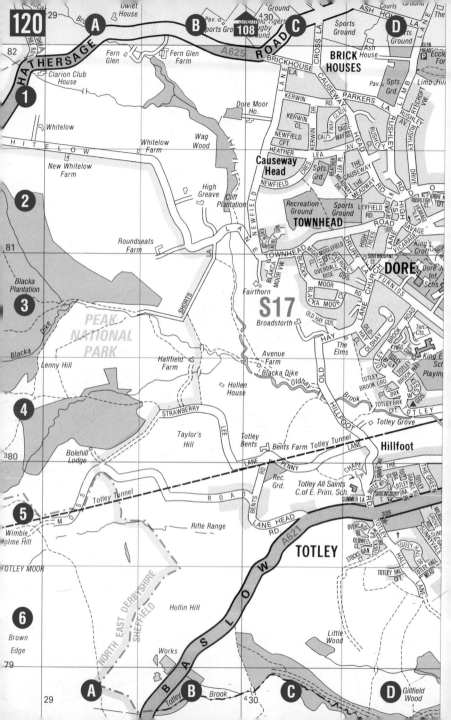

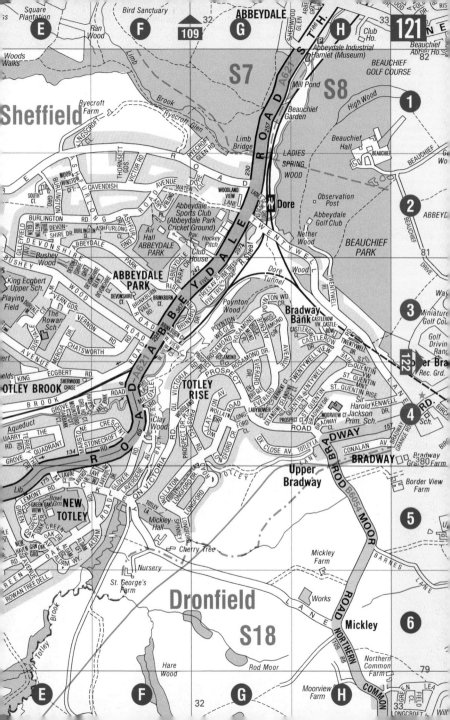

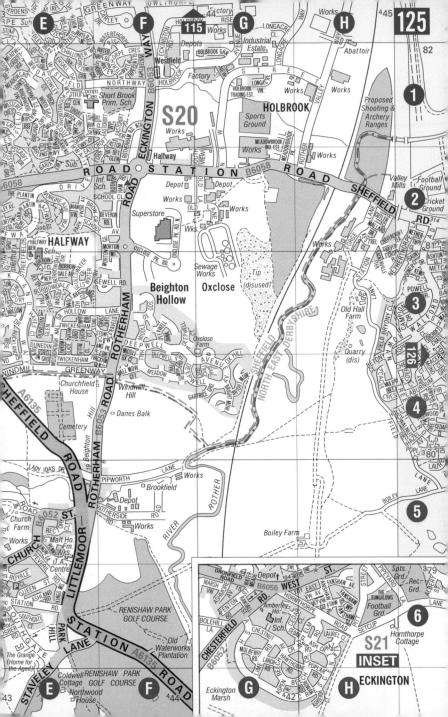

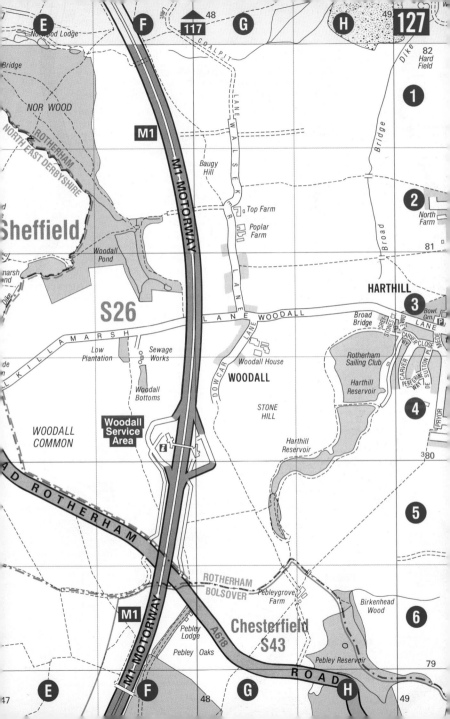

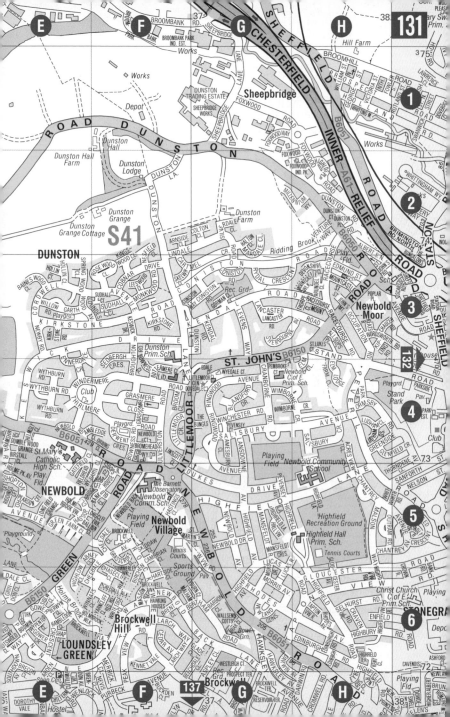

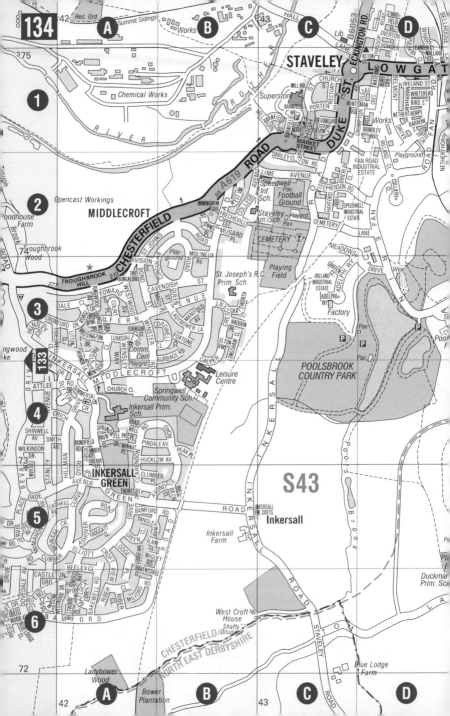

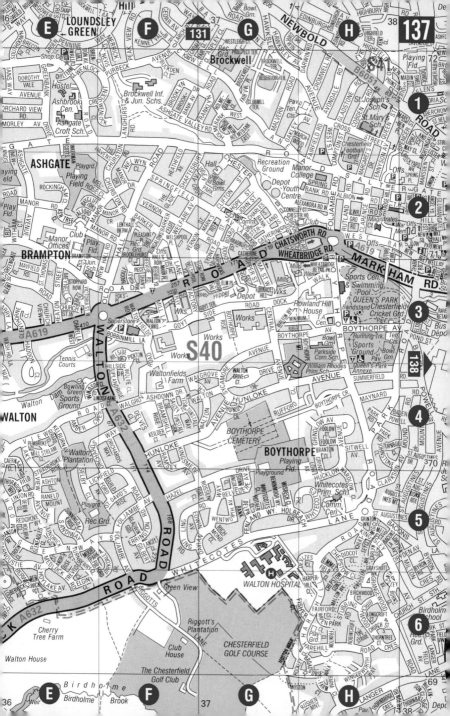

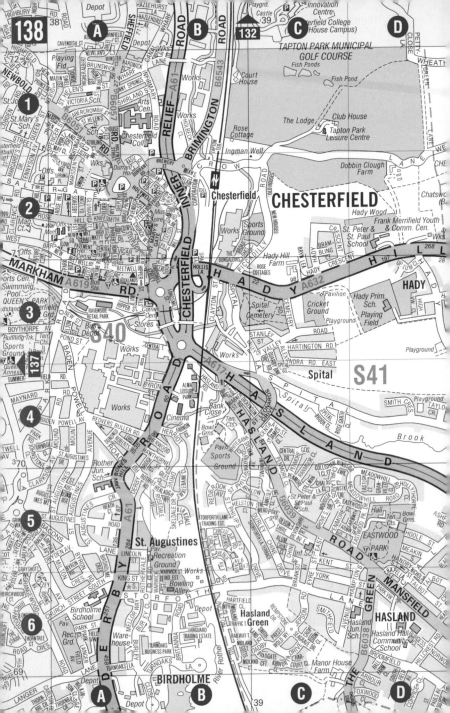

425

A Hollin Bank

Underbank Hall Rookery

B HUNSHE 26

MUCKY

C Barnsley

LA

D

Boundary

MANCHESTER

A616

BRAMALL

Avice Royd

Horsley

Crimbles

Briery Busk

Cote House

1 UNDERBANK RESERVOIR

Unsliven Bridge

UNDERBANK

Weirs

LANE

B6088

Works

White Row

STEEL

HU

99

BACK LA

UNSLIVEN ROAD

SMITHY MOOR LA

SMITHY

ROAD

PITS LA.

CROSS

2 Machin Spout

MACHIN

Machin Wood

LANE

GREEN

GREEN WA

CHURCHILL

AVENUE

NEWTON

HAWTHORNE AV.

ALNICH M.T.

PATERSON

RIDAL CL.

AVENUE

Newton Gra ROAD

PARK

ROAD

Coll

EDWARD

STEEL

VICTORIA

NO LA GOODARD RD

WINSTON

COPPICE CL.

RD

Smithy Moor

RIDAL RD

RIDAL CFT.

WOLLEY RD

MELBOURNE

OAKS

WEST CR

EAST CR

SMITH RD

HORNER

CORONATION

ALBANY

YORK

LANCASTER

RD

VICTORIA

VIC

New Hall Wood

Garden Village

MOORLAND

STILWELL

ARTHUR RD

RUNDLE

SEA

LANE

3 Crawshaw Wood

Moor House Farm

Green Farm

G.R.FARM HAMLET

New Hall Wood

Oxley Park

Pav

DRIVE

Sports Centre

OXLEY

ALPINE

SWEENEY HO.

BANK

POTHOUSE

Tennis Courts

Pav

SHAY

HOUSE

LANE

FOLLY

PCG

398

NEW

HALL

New Hall

Greave House Farm

Pot House Wood

The Clough

STOCKSBRIDGE

Stocksbridge Inf. Sch.

SYCAMORE RD

LINDEN CR.

EYRE

Stocksbridge High Sch.

LONG

LANE

LANE

LEE

The Poplars

Lee House

Whitwell Farm

WHITWELL

Prim. Sch.

Prim. Sch.

BEECH

LABURNUM GROVE

CEDAR CL

LILAC AV

RED FERN GRO

SHAY LANE

KENWORTH

SHAY

Spink Hall

JOHN WEST ST

HALL

4 WHITWELL MOOR

Whitwell Spring

HOUSE LA.

STONE

Nursy.

Allen Croft

LIME GRO

CHESTNUT AV

POPLAR AV

CEDAR

Stocksbridge Jun. Sch.

East Whitwell

S36

Allen Croft Brook

BIRCH TREE RD

WILLOW RD

PENNINE VW

PIT

5 The Height

MUCKY

The Cross

STONE

Hollin Busk

STONE

COAL

MOOR

MOOR

Salt Springs Cottage

97

Salter Hills

HEADS

Hunger Hill Farm

Low Flat Farm

Waldershaigh

Church Far

Vicarage

Yew Trees

6

EWDEN BROWS

CALF CARR

PEAK NATIONAL PARK

Ewden Cote

Wood Brook

425

A

B 26

C Yew Trees Wood

D

YEWTREES

VEWTRES

INDEX

Including Streets, Places & Areas, Industrial Estates,
Selected Subsidiary Addresses and Selected Places of Interest.

HOW TO USE THIS INDEX

1. Each street name is followed by its Posttown or Postal Locality and then by its map reference; e.g. Abbey Brook Clo. *S8* —6C **110** is in the Sheffield 8 Postal District and is to be found in square 6C on page **110**. The page number being shown in bold type.
A strict alphabetical order is followed in which Av., Rd., St., etc. (though abbreviated) are read in full and as part of the street name; e.g. Abbeyfield Rd. appears after Abbey Farm Vw. but before Abbey Glen.

2. Streets and a selection of Subsidiary names not shown on the Maps, appear in the index in *Italics* with the thoroughfare to which it is connected shown in brackets; e.g. *Abbeydale Ct. S17 —2G **121** (off Ladies Spring Dri.)*

3. Places and areas are shown in the index in **bold type**, the map reference to the actual map square in which the town or area is located and not to the place name; e.g. **Abbeydale. —6H 109**

4. An example of a selected place of interest is Abbeydale Golf Course. —2H 121

5. Map references shown in brackets; e.g. Abney St. *S1* —2D **98** (3C **4**) refer to entries that also appear on the large scale pages **4-5**.

GENERAL ABBREVIATIONS

All : Alley
App : Approach
Arc : Arcade
Av : Avenue
Bk : Back
Boulevd : Boulevard
Bri : Bridge
B'way : Broadway
Bldgs : Buildings
Bus : Business
Cvn : Caravan
Cen : Centre
Chu : Church
Chyd : Churchyard
Circ : Circle
Cir : Circus
Clo : Close
Comn : Common
Cotts : Cottages
Ct : Court
Cres : Crescent
Cft : Croft
Dri : Drive
E : East
Embkmt : Embankment

Est : Estate
Fld : Field
Gdns : Gardens
Gth : Garth
Ga : Gate
Gt : Great
Grn : Green
Gro : Grove
Ho : House
Ind : Industrial
Info : Information
Junct : Junction
La : Lane
Lit : Little
Lwr : Lower
Mc : Mac
Mnr : Manor
Mans : Mansions
Mkt : Market
Mdw : Meadow
M : Mews
Mt : Mount
Mus : Museum
N : North
Pal : Palace

Pde : Parade
Pk : Park
Pas : Passage
Pl : Place
Quad : Quadrant
Res : Residential
Ri : Rise
Rd : Road
Shop : Shopping
S : South
Sq : Square
Sta : Station
St : Street
Ter : Terrace
Trad : Trading
Up : Upper
Va : Vale
Vw : View
Vs : Villas
Vis : Visitors
Wlk : Walk
W : West
Yd : Yard

POSTTOWN AND POSTAL LOCALITY ABBREVIATIONS

Adw S : Adwick-le-Street
Adw D : Adwick-upon-Dearne
A'ley : Alverley
Ans : Anston
App : Apperknowle
Ard : Ardsley
Ark : Arksey
Ark T : Arkwright Town
Arm : Armthorpe
Ash : Ashgate
Ast : Aston
Auc : Auckley
Aug : Aughton
Bal : Balby
Blbgh : Barlborough
Barl : Barlow
Barn : Barnburgh
Barn D : Barnby Dun
B'ley : Barnsley
Bar G : Barugh Green
Baw : Bawtry
Beig : Beighton
Ben : Bentley
Bes : Bessacarr
Birdw : Birdwell
Bla H : Blacker Hill
Bsvr : Bolsover
Bols : Bolsterstone
Bol D : Bolton-upon-Dearne
B'well : Braithwell
Braml : Bramley
Bram : Brampton
Bram B : Brampton Bierlow

Bram M : Brampton-en-le-Morthen
Bran : Branton
Brie : Brierley
Brim : Brimington
B'wth : Brinsworth
Brod : Brodsworth
Burn : Burncross
Cad : Cadeby
Cal : Calow
Cant : Cantley
Car : Carlton
Cat : Catcliffe
C'town : Chapeltown
Ches : Chesterfield
Clif : Clifton
Coal A : Coal Aston
Con : Conisbrough
Cry P : Crystal Peaks
Cud : Cudworth
Cusw : Cusworth
Cut : Cutthorpe
Dalt : Dalton
D'fld : Darfield
Dart : Darton
Deep : Deepcar
Den M : Denaby Main
Dinn : Dinnington
Dod : Dodworth
Donc : Doncaster
Donc F : Doncaster Finningley Airport
Dron : Dronfield
Dron W : Dronfield Woodhouse
Duck : Duckmanton

D'ville : Dunsville
E'mr : Eastmoor
E'wd T : Eastwood Trad. Est.
E'fld : Ecclesfield
Eck : Eckington
E'thpe : Edenthorpe
Edl'tn : Edlington
Else : Elsecar
Flan : Flanderwell
Gawber : Gawber
Gold : Goldthorpe
Greasb : Greasbrough
Gt Hou : Great Houghton
Gren : Grenoside
Grim : Grimethorpe
Grin : Grindleford
Haigh : Haigh
Half : Halfway
Harl : Harley
H'ton : Harlington
H'hill : Harthill
Harw : Harworth
Has : Hasland
H'by : Hellaby
H'fld : Hemingfield
Hems : Hemsworth
Hick : Hickleton
Hghm : Higham
High : Highfields
High G : High Green
H Hoy : High Hoyland
H'brk : Holbrook
Holl : Hollingwood

Posttown and Postal Locality Abbreviations

INDEX

Aintree Clo.—Andrew St.

Aintree Clo. *Donc* —4F **31**
Aintree Dri. *Mexb* —5F **43**
Aire Clo. *C'town* —1D **64**
Airedale Rd. *S6* —1G **85**
Airedale Rd. *Dart* —5A **6**
Aireton Clo. *Flan* —4E **81**
Aireton Rd. *B'ley* —5G **13**
Air Mt. Clo. *Wick* —5E **81**
Aisby Dri. *Ross* —3E **63**
Aisthorpe Rd. *S8* —4D **110**
Aitken Rd. *Kiln* —5C **56**
Aizlewood Rd. *S8* —6D **98**
(in two parts)
Akley Bank Clo. *S17* —4F **121**
Alan Rd. *Dart* —5B **6**
Alba Clo. *D'fld* —3C **26**
Albanus Cft. *S6* —5C **84**
Albanus Ridge. *S6* —5C **84**
Albany Av. *C'town* —3F **65**
Albany Clo. *Womb* —3G **25**
Albany La. *New R* —4C **62**
Albany Rd. *S7* —6D **98**
Albany Rd. *Donc* —3A **46**
Albany Rd. *Kiln* —4B **56**
Albany Rd. *S'bri* —3D **140**
Albany St. *Roth* —3E **79**
Albert Av. *New W* —1D **132**
Albert Cres. *L Hou* —2H **27**
Albert Rd. *S8* —1E **111**
Albert Rd. *S12* —4C **114**
Albert Rd. *Gold* —4G **29**
Albert Rd. *Mexb* —6E **43**
Albert Rd. *P'gte* —3F **69**
Albert Rd. *Wath D* —4D **40**
Albert St. *B'ley* —6H **13**
Albert St. *Cud* —4C **10**
Albert St. *Eck* —6D **124**
Albert St. *Maltby* —5H **83**
Albert St. *Roth* —3C **78**
Albert St. *Swint* —1B **56**
Albert St. *Thurn* —1E **29**
Albert St. E. *B'ley* —6H **13**
Albert St. N. *Ches* —2H **131**
Albert Ter. Rd. *S6* —6C **86**
Albion Dri. *Thurn* —1H **29**
Albion Ho. *B'ley* —1H **23**
Albion Pl. *Donc* —6E **33**
Albion Rd. *Car* —6E **9**
Albion Rd. *Ches* —2H **137**
Albion Rd. *Roth* —3E **79**
Albion Row. *S6* —1D **96**
Albion St. *S6* —1C **98**
Albion Ter. *B'ley* —1A **24**
Albion Ter. *Donc* —2B **46**
Alcester Rd. *S7* —6D **98**
Aldam Clo. *S17* —5E **121**
Aldam Clo. *Roth* —2B **80**
Aldam Cft. *S17* —5E **121**
Aldam Rd. *S17* —5F **121**
Aldam Rd. *Donc* —5H **45**
Aldam Way. *S17* —5E **121**
Aldbeck Cft. *Dart* —6C **6**
Aldbury Clo. *B'ley* —1B **14**
Aldcliffe Cres. *Donc* —1F **61**
Aldene Av. *S6* —2F **85**
Aldene Glade. *S6* —2F **85**
Aldene Rd. *S6* —1F **85**
Alder Chase. *Scho* —5E **67**
Alder Clo. *M'well* —4E **7**
Alder Gro. *D'fld* —5D **26**
Alder Gro. *Donc* —4A **46**
Alder Holt Clo. *Arm* —4G **35**
Alder La. *S9* —2G **101**
Alder M. *Hoy* —6A **38**
Alderney Rd. *S2* —6E **99**
Aldersgate Clo. *New R* —5E **63**
Aldersgate Ct. *Maltby* —4H **83**
Alders Grn. *S6* —2D **84**
Alderson Av. *Rawm* —6F **55**
Alderson Clo. *Swal* —4B **104**
Alderson Dri. *B'ley* —1A **14**
Alderson Dri. *Donc* —1F **47**
Alderson Pl. *S2* —5E **99**
Alderson Rd. *S2* —5D **98**
(in two parts)
Alderson Rd. N. *S2* —5E **99**
Alders, The. *Holy* —6A **136**
Aldervale Clo. *Swint* —5B **56**
Aldesworth Rd. *Donc* —2C **48**
Aldfield Way. *S5* —2F **87**
Aldham Cotts. *Womb* —4A **26**

Aldham Cres. *Womb* —3G **25**
Aldham Ho. La. *Womb* —5H **25**
Aldham Ind. Est. *Womb* —4A **26**
Aldine Ct. *S1* —3F **5**
Aldred Clo. *Kil* —1C **126**
Aldred Clo. *Wick* —4F **81**
Aldred Ct. *Roth* —4E **79**
Aldred Rd. *S10* —6A **86**
Aldred St. *Roth* —4E **79**
Aldrin Way. *Maltby* —3E **83**
Aldwarke. —5H 69
Aldwarke La. *Roth* —4G **69**
Aldwarke Rd. *P'gte* —4F **69**
Alexander St. *Ben* —6B **18**
Alexandra. *S11* —1B **110**
Alexandra Cen. *P'gte* —5F **69**
Alexandra Clo. *Roth* —1G **77**
Alexandra Gdns. *S11* —1B **110**
Alexandra Rd. *S2* —6F **99**
Alexandra Rd. *Adw S* —1F **17**
Alexandra Rd. *Ben* —5B **18**
Alexandra Rd. *Donc* —3B **46**
Alexandra Rd. *Mexb* —1F **129**
Alexandra Rd. *Swal* —5A **104**
Alexandra Rd. E. *Ches* —3C **138**
Alexandra Rd. W. *Ches* —2H **137**
Alexandra St. *Maltby* —5H **83**
Alexandra Ter. *B'ley* —1F **25**
Alford Av. *O'bri* —2D **72**
Alford Clo. *B'ley* —3C **12**
Alford Clo. *Ches* —2E **137**
Alfred Rd. *S9* —4B **88**
(in two parts)
Alfred St. *Roy* —1G **9**
Algar Clo. *S2* —6A **100**
Algar Cres. *S2* —6B **100**
Algar Dri. *S2* —6A **100**
Algar Pl. *S2* —6A **100**
Algar Rd. *S2* —6A **100**
Alhambra Shop. Cen. *B'ley*
—6H **13**
Alice Rd. *Roth* —2B **78**
Alice Way. *Uns* —5H **129**
Alison Clo. *Swal* —6B **104**
Alison Cres. *S2* —4D **100**
Alison Dri. *Swal* —6B **104**
Allan St. *Roth* —3E **79**
Allatt Clo. *B'ley* —1H **23**
Alldred Cres. *Swint* —4A **56**
Allenby Clo. *S8* —2D **122**
Allenby Cres. *New R* —5C **62**
Allenby Dri. *S8* —2C **122**
Allendale. *Wors* —4C **24**
Allendale Ct. *Wors* —4C **24**
Allendale Dri. *Hoy* —6A **38**
Allendale Gdns. *Donc* —6H **31**
Allendale Rd. *B'ley* —3G **13**
Allendale Rd. *Dart* —5B **6**
Allendale Rd. *Donc* —6H **31**
Allendale Rd. *Hoy* —6H **37**
Allendale Rd. *Roth* —5A **80**
Allende Way. *S9* —5D **88**
Allen Rd. *Beig* —5F **115**
Allen St. *S3* —1D **98** (1C **4**)
Allerton St. *Donc* —5D **32**
Allestree Dri. *Dron W* —2A **128**
All Hallows Dri. *Maltby* —5E **83**
Alliance St. *S4* —4H **87**
Alliss Rd. *Bran* —3H **49**
Allott Clo. *Rav* —1H **81**
Allott Cres. *Jump* —4C **38**
Allotts Ct. *Roth* —4C **36**
Allott St. *Else* —6C **38**
Allott St. *Hoy* —6F **37**
Allpits Rd. *Cal* —2F **139**
All Saints Clo. *Wath D* —5E **41**
All Saints Sq. *Ben* —4C **18**
All Saints Sq. *Roth* —3D **78**
All Saints Way. *Kiwl* —1C **116**
Allsopps Yd. *Bla H* —2H **37**
Allsops Pl. *Ches* —3H **131**
Allt St. *P'gte* —3F **69**
Alma Cres. *Dron* —6C **123**
Alma Leisure Pk. *Ches* —4B **138**
Alma Rd. *High G* —6B **50**
Alma Rd. *Roth* —4D **78**
Alma Row. *Whis* —2A **92**
Alma St. *S3* —6E **87** (1D **4**)
Alma St. *B'ley* —6F **13**
Alma St. *Womb* —1F **39**

Alma St. W. *Ches* —3G **137**
Almholme. —2G 19
Almholme La. *Ark* —4E **19**
(in two parts)
Almond Av. *Arm* —2F **35**
Almond Av. *Cud* —6B **10**
Almond Clo. *Cal* —2G **139**
Almond Clo. *Maltby* —4E **83**
Almond Dri. *Kil* —4A **126**
Almond Glade. *Wick* —6G **81**
Almond Pl. *Brim* —4E **133**
Almond Pl. *Wath D* —6F **41**
Almond Rd. *Donc* —3D **48**
Almond Tree Rd. *Wal* —5E **117**
Alms Hill Cres. *S11* —4F **109**
Alms Hill Dri. *S11* —4F **109**
Alms Hill Glade. *S11* —4F **109**
Alms Hill Rd. *S11* —4F **109**
Almshouses. *W'wth* —3C **52**
Alney Pl. *S6* —5B **74**
Alnwick Dri. *S12* —2D **112**
Alnwick Rd. *S12* —2C **112**
Alperton Clo. *B'ley* —2F **15**
Alphabet Zoo. —1D **88**
Alpha Rd. *Roth* —2H **79**
Alpha St. *Toll B* —2H **17**
Alpine Clo. *S'bri* —3C **140**
Alpine Cft. *S'bri* —3C **140**
Alpine Gro. *Holl* —3G **133**
Alpine Rd. *S6* —6B **86**
Alpine Rd. *S'bri* —3C **140**
Alport Av. *S12* —2G **113**
Alport Dri. *S12* —2G **113**
Alport Gro. *S12* —2G **113**
Alport Pl. *S12* —3G **113**
Alport Ri. *Dron W* —1B **128**
Alport Rd. *S12* —2G **113**
Alric Dri. *B'ley* —6E **15**
Alric Dri. *B'wth* —2B **90**
Alrich M. *S'bri* —2B **140**
Alsing Rd. *S9* —6E **77**
Alston Clo. *Donc* —4B **48**
Alston Rd. *Donc* —5B **48**
Alton Clo. *S11* —5G **109**
Alton Clo. *Dron W* —3B **128**
Alton Clo. *Walt* —5D **136**
Alton Way. *M'well* —4E **7**
Alum Chine Clo. *Has* —5C **138**
Alvaston Wlk. *Den M* —2C **58**
Alverley. —2F 61
Alverley La. *Donc* —1G **61**
Alverley Vw. *A'ley* —2G **61**
Alverley Way. *Birdw* —5D **36**
Alwyn Av. *Donc* —2G **31**
Amalfi Clo. *D'fld* —4D **26**
Ambassador Gdns. *Arm* —4G **35**
Amber Cres. *Ches* —4E **137**
Amber Cft. *Ink* —4A **134**
Amberley Ct. *S9* —4C **88**
Amberley St. *S9* —3C **88**
Ambler Ri. *Aug* —4A **104**
Ambleside Clo. *B'wth* —3A **90**
Ambleside Clo. *Ches* —4E **131**
Ambleside Clo. *Half* —3E **125**
Ambleside Cres. *Spro* —2C **44**
Ambleside Gro. *B'ley* —1G **25**
Ambleside Wlk. *Ans* —1H **119**
Amen Corner. *Roth* —2C **78**
(in two parts)
America La. *Rawm & Wath D* —4B **54**
Amersall Cres. *Donc* —1G **31**
Amersall Rd. *Donc* —1G **31**
Amesbury Clo. *Ches* —4G **131**
Amory's Holt Clo. *Maltby* —2E **83**
Amory's Holt Dri. *Maltby* —2E **83**
Amory's Holt Rd. *Maltby* —2E **83**
Amory's Holt Way. *Maltby* —3D **82**
Amos Rd. *S9* —1D **88**
Amy Rd. *Ben* —4C **18**
Anchorage Cres. *Donc* —5A **32**
Anchorage La. *Donc* —4H **31**
Ancona Ri. *D'fld* —3D **26**
Ancote Clo. *B'ley* —6C **12**
Anderson Clo. *New W* —1E **133**
Anderson La. *Brim* —6F **133**
Andover Dri. *S3* —5E **87**
Andover St. *S3* —5E **87**
Andrew La. S3 —6F 87 (1G 5)
(off Walker St.)
Andrews Pl. *Roth* —1A **78**
Andrew St. *S3* —6F **87** (1G **5**)

Basford Clo. *S9* —6D **88**
Basford Dri. *S9* —6D **88**
Basford M. *S9* —6E **89**
Basford Pl. *S9* —6D **88**
Basford St. *S9* —6D **88**
Basil Av. *Arm* —2C **34**
Basil Clo. *Ches* —2A **138**
Basildon Rd. *Thurn* —1E **29**
Basil Griffith Ct. S3 —3F **87**
 (off Orphanage Rd)
Baslow Cres. *Dod* —2A **22**
Baslow Rd. *S17* —6B **120**
Baslow Rd. *B'ley* —6D **8**
Baslow Rd. *E'mr* —4A **136**
Bassett Pl. *S2* —3H **99**
Bassett Rd. *S2* —3A **100**
Bassey Rd. *Bran* —3H **49**
Bassingthorpe La. *Roth* —5B **68**
Bass Ter. *Donc* —6E **33**
Bastock Rd. *S6* —2B **86**
Bateman Clo. *Cud* —3A **10**
Bateman Rd. *H'by* —5A **82**
 (in two parts)
Bateman Sq. *Thurn* —1E **29**
Batemoor. —3E 123
Batemoor Clo. *S8* —3E **123**
Batemoor Dri. *S8* —3E **123**
Batemoor Pl. *S8* —3E **123**
Batemoor Rd. *S8* —3E **123**
Batemoor Wlk. S8 —3E *123*
 (off Batemoor Clo.)
Batesquire. *Soth* —5F **115**
Bates St. *S10* —6A **86**
Batewood Av. *Ink* —6H **133**
Bath St. *S1* —3D **98** (6B **4**)
Battison La. *Wath D* —1D **54**
Batt St. *S8* —5E **99**
Batty Av. *Cud* —1G **15**
Batworth Dri. *S5* —3E **87**
Batworth Rd. *S5* —3E **87**
Baulk Farm Clo. *Roth* —3B **68**
Bawtry Ga. *S9* —1G **89**
Bawtry Rd. *S9 & B'wth* —1G **89**
Bawtry Rd. *Donc* —1H **47**
Bawtry Rd. *H'by* —4A **82**
Bawtry Rd. *Roth & Wick* —5C **80**
Baxter Av. *Donc* —5E **33**
Baxter Clo. *S6* —5A **74**
Baxter Ct. *Donc* —5E **33**
Baxter Dri. *S6* —5A **74**
Baxter Ga. *Donc* —6C **32**
Baxter Rd. *S6* —5A **74**
Bayardo Wlk. *New R* —6D **62**
Baycliff Clo. *B'ley* —1D **14**
Baycliff Dri. *Ches* —2E **137**
Bay Ct. *Kil* —4A **126**
Bayford Way. *Womb* —6D **26**
Baysdale Cft. *Mosb* —2D **124**
Bay Tree Av. *Flan* —3F **81**
Bazley Rd. *S2* —1B **112**
Beacon Clo. *S9* —1B **88**
Beacon Cft. *S9* —1B **88**
Beacon Rd. *S9* —1B **88**
Beaconsfield Rd. *Donc* —2A **46**
Beaconsfield Rd. *Roth* —6G **79**
Beaconsfield St. *B'ley* —1G **23**
Beaconsfield St. *Mexb* —6D **42**
Beacon Vw. *Else* —6C **38**
Beacon Way. *S9* —1B **88**
Beale Way. *P'gte* —5F **69**
Beancroft Clo. *Wadw* —6H **61**
Bear Tree Clo. *P'gte* —3F **69**
Bear Tree Rd. *P'gte* —3F **69**
Bear Tree St. *P'gte* —4F **69**
Beauchamp Rd. *Roth* —6H **67**
Beauchief. —1B 122
Beauchief. *S8* —1H **121**
Beauchief Abbey. —1A 122
Beauchief Abbey La. *S8* —6A **110**
Beauchief Clo. *Deep* —4H **141**
Beauchief Ct. *S8* —5C **110**
Beauchief Dri. *S8* —2A **122**
Beauchief Golf Course. —1H 121
Beauchief Ri. *S8* —6A **110**
Beaufort Rd. *S10* —2B **98**
Beaufort Rd. *Donc* —5H **33**
Beaulieu Clo. *M'well* —5G **7**
Beaulieu Vw. *M'well* —5G **7**
Beaumont Av. *S2* —3C **100**
Beaumont Av. *B'ley* —6D **12**
Beaumont Av. *W'land* —1B **16**

Beaumont Clo. *S2* —3D **100**
Beaumont Cres. *S2* —3C **100**
Beaumont Dri. *Roth* —4H **79**
Beaumont M. *S2* —4D **100**
Beaumont Rd. *Dart* —6A **6**
Beaumont Rd. N. *S2* —3C **100**
Beaumont St. *Hoy* —6F **37**
Beaumont Way. *S2* —3C **100**
Beaver Av. *S13* —5B **102**
Beaver Clo. *S13* —5B **102**
Beaver Dri. *S13* —5B **102**
Beaver Hill. —5B 102
Beaver Hill Rd. *S13* —5B **102**
Beccles Way. *Braml* —1E **81**
Beck Clo. *S5* —2A **76**
Beck Clo. *Swint* —4B **56**
Beck Cft. *Hoy* —1G **51**
Becket Av. *S8* —3B **122**
Becket Cres. *S8* —3C **122**
Becket Cres. *Roth* —5F **67**
Becket Rd. *S8* —3C **122**
Beckett Hospital Ter. *B'ley* —1H **23**
Beckett Rd. *Donc* —4E **33**
Beckett St. *B'ley* —5H **13**
Becket Wlk. *S8* —3B **122**
Beckfield Gro. *Bol D* —6D **28**
Beckford La. *S5* —1H **75**
Becknoll Rd. *Bram* —3A **40**
Beck Rd. *S5* —2H **75**
Beckton Av. *Wat* —5E **115**
Beckton Ct. *Wat* —5F **115**
Beckton Gro. *Wat* —5E **115**
Beckwith Rd. *Dinn* —3C **106**
Beckwith Rd. *Roth* —2B **80**
Bedale Ct. *Roth* —5F **79**
Bedale Rd. *S7* —1D **110**
Bedale Rd. *Donc* —2F **31**
Bedale Wlk. *Shaf* —2C **10**
Bedford Clo. *Ans* —6D **106**
Bedford Rd. *O'bri* —1D **72**
Bedford St. *S6* —6D **86**
Bedford St. *B'ley* —2H **23**
Bedford St. *Maltby* —5H **83**
Bedford Ter. *B'ley* —2A **14**
Bedgebury Clo. *Soth* —6H **115**
Bedgrave Clo. *Kil* —1D **126**
Bedgreave New Mill. —5A 116
Beecham St. *Swint* —4A **56**
Beech Av. *Cud* —5B **10**
Beech Av. *Rawm* —2H **69**
Beech Av. *Roth* —5C **80**
Beech Clo. *Brie* —2G **11**
Beech Clo. *H'fld* —3E **39**
Beech Clo. *Maltby* —4D **82**
Beech Ct. *D'fld* —4E **27**
Beech Cres. *Eck* —6G **125**
Beech Cres. *Kil* —4A **126**
Beech Cres. *Mexb* —6C **42**
Beechcroft Rd. *Donc* —5G **45**
Beechdale Clo. *Ches* —1F **137**
Beech Dri. *Bran* —2H **49**
Beech en Hurst. Roth —5E *79*
 (off Reneville Rd.)
Beeches Av. *S2* —5G **99**
Beeches Dri. *S2* —5G **99**
Beeches Gro. *Beig* —4G **115**
Beeches Rd. *Wal* —4F **117**
Beeches, The. *H'fld* —4F **39**
Beeches, The. *Kirk S* —3D **20**
Beeches, The. *Swal* —6B **104**
Beeches, The. *Swint* —3A **56**
Beechfern Clo. *High G* —5B **50**
Beechfield Clo. *Bol D* —1A **42**
Beechfield Rd. *Donc* —1D **46**
Beech Gro. *B'ley* —2F **23**
Beech Gro. *Ben* —1B **32**
Beech Gro. *Con* —4D **58**
Beech Gro. *Dinn* —6F **107**
Beech Gro. *Warm* —5E **45**
Beech Gro. *Wick* —4G **81**
Beech Hill. *Con* —3E **59**
Beech Hill Rd. *S10* —3A **98**
Beech Ho. Rd. *H'fld* —3F **39**
Beech Rd. *Arm* —3F **35**
Beech Rd. *Maltby* —4D **82**
Beech Rd. *New R* —5E **63**
Beech Rd. *Shaf* —3D **10**
Beech Rd. *Wath* —3F **55**
Beech St. *B'ley* —1H **23**
Beech St. *Holl* —2G **133**
Beech Tree Clo. *Cant* —2F **49**

Beech Vs. *Roth* —1G **79**
Beechville Av. *Swint* —4A **56**
Beech Way. *Dron* —6E **123**
Beech Way. *Swal* —5H **103**
Beechwood Clo. *E'thpe* —6E **21**
Beechwood Clo. *Rawm* —6H **55**
Beechwood Clo. *Wath D* —2F **55**
Beechwood Lodge Flats. *Roth* —2F **79**
Beechwood Rd. *S6* —3H **85**
Beechwood Rd. *Dron* —2D **128**
Beechwood Rd. *High G* —1C **64**
Beechwood Rd. *Roth* —5G **79**
Beechwood Rd. *S'bri* —4D **140**
Beechwood Wlk. Edl'tn —4A *60*
 (off Broomvale Wlk.)
Beehive Rd. *S10* —1B **98**
Beehive Rd. *Ches* —3F **137**
Beehive Yd. *Ches* —3F **137**
Beeley Clo. *Ink* —5A **134**
Beeley St. *S2* —4D **98**
Beeley Vw. *Walt* —6E **137**
Beeley Way. *Ink* —6A **134**
Beeley Wood La. *S6* —4F **73**
Beeley Wood Rd. *S6* —6A **74**
Beely Rd. *O'bri* —3E **73**
Beeston Clo. *Dron W* —1A **128**
Beeston Sq. *B'ley* —5B **8**
Beeton Rd. *S8* —2D **110**
Beet St. *S3* —2D **98** (2B **4**)
Beetwell St. *Ches* —3A **138**
Beever La. *B'ley* —4C **12**
Beeversleigh. Roth —3E *79*
 (off Clifton La.)
Beevers Rd. *Roth* —5F **67**
Beever St. *Gold* —4H **29**
Beevor Ct. *B'ley* —6A **14**
Beevor St. *B'ley* —6B **14**
Begonia Clo. *Ans* —3E **119**
Beighton. —3G 115
Beighton Hollow. —3F 125
Beighton Rd. *S12* —4B **114**
Beighton Rd. *S13* —1C **114**
Beighton Rd. *Kiln* —5C **56**
Beighton Rd. E. *Wat* —4D **114**
Belcourt Rd. *Roth* —5B **80**
Beldon Rd. *S2* —6H **99**
Beldon Pl. *S2* —6H **99**
Beldon Rd. *S2* —6H **99**
Belford Clo. *Braml* —3G **81**
Belford Dri. *Braml* —3G **81**
Belfry Gdns. *Donc* —4E **49**
Belfry Way. *Dinn* —6G **107**
Belgrave Dri. *S10* —4D **96**
Belgrave Pl. *Swal* —6A **104**
Belgrave Rd. *S10* —4E **97**
Belgrave Rd. *B'ley* —6A **14**
Belgrave Sq. *S2* —5E **99**
Belklane Dri. *Kil* —2C **126**
Bellamy Clo. *Roth* —4H **79**
Bell Bank Vw. *Wors* —4H **23**
Bellbank Way. *B'ley* —5B **8**
Bellbrooke Av. *D'fld* —2D **26**
Bellbrooke Pl. *D'fld* —2D **26**
Bellefield St. *S3* —1C **98** (1A **4**)
Belle Green. —6C 10
Belle Grn. Clo. *Cud* —6C **10**
Belle Grn. Gdns. *Cud* —6C **10**
Belle Grn. La. *Cud* —6C **10**
Belle Vue. —1G 47
Belle Vue Av. *Donc* —1G **47**
Belle Vue Clo. *Brim* —3D **132**
Belle Vue Rd. *Mexb* —6E **43**
Bellfields, The. *Thpe H* —2A **66**
Bell Hagg. —2D 96
Bellhagg Rd. *S6* —5H **85**
Bellhouse La. *Stav* —1D **134**
Bellhouse Rd. *S5* —5H **75**
Bellhouse Vw. *Stav* —1D **134**
Bellis Av. *Donc* —3A **46**
Bellmer Cft. *Birdw* —5D **36**
Bellows Rd. *Rawm* —2F **69**
Bellrope Acre. *Arm* —4F **35**
Bellscroft Av. *Thry* —5C **70**
Bells Sq. *S1* —2E **99** (3D **4**)
Bell St. *Ast* —6D **104**
Bellwood Cres. *Hoy* —6G **37**
Belmont. *Cud* —3H **15**
Belmont Av. *B'ley* —2B **14**
Belmont Av. *C'town* —2E **65**
Belmont Av. *Donc* —2C **46**
Belmont Cres. *L Hou* —2A **28**

Belmont Dri. *Stav* —1D **134**
Belmont Dri. *S'bri* —3E **141**
Belmonte Gdns. *S2* —3G **99** (6H **5**)
Belmont St. *Ches* —3A **132**
Belmont St. *Mexb* —1D **56**
Belmont St. *Roth* —3A **78**
Belper Rd. *S7* —1D **110**
Belridge Clo. *B'ley* —3D **12**
Belsize Rd. *S10* —5E **97**
Beltoft Way. *Con* —2G **59**
Belton Clo. *Dron W* —2A **128**
Belvedere. *Donc* —5H **45**
Belvedere Av. *Ches* —5G **137**
Belvedere Clo. *Ans* —2H **119**
Belvedere Clo. *Ches* —5C **136**
Belvedere Clo. *Shaf* —3C **10**
Belvedere Dri. *D'fld* —2D **26**
Belvedere Pde. *Braml* —2G **81**
Belvoir Av. *Barn* —1G **43**
Ben Bank Rd. *Silk C & Dod* —3A **22**
Bence Clo. *Dart* —6C **6**
Bence Farm Ct. *Dart* —6C **6**
Bence La. *Dart* —5A **6**
Ben Clo. *S6* —2F **85**
Benita Av. *Mexb* —1G **57**
Ben La. *S6* —2F **85**
Benmore Dri. *Soth* —6H **115**
Bennett Clo. *Rawm* —6H **55**
Bennetthorpe. *Donc* —1E **47**
Bennett St. *S2* —5D **98**
Bennett St. *Roth* —3G **77**
Bennimoor Way. *Ches* —5G **137**
Benson Rd. *S2* —3A **100**
Bentfield Av. *Roth* —6A **80**
Bentham Dri. *B'ley* —3D **14**
Bentham Rd. *Ches* —6G **131**
Bentham Way. *M'well* —3E **7**
Bent Hills La. *Whar S* —1A **72**
Bentinck Clo. *Donc* —1D **46**
Bentinck St. *Con* —3F **59**
Bent La. *Stav* —1E **135**
Bent Lathes Av. *Roth* —6A **80**
Bentley. —1B 32
Bentley Av. *Donc* —1A **46**
Bentley Clo. *B'ley* —2E **15**
Bentley Comn. La. *Ben* —1C **32**
Bentley Moor. —1H 17
Bentley Moor La. *Adw S* —1G **17**
Bentley Rise. —3B 32
Bentley Rd. *S6* —6G **85**
Bentley Rd. *Braml* —2E **81**
Bentley Rd. *C'town* —4F **65**
Bentley Rd. *Donc* —2A **32**
Bentley St. *Roth* —6D **78**
Benton Ct. *Roth* —2H **77**
Benton Ter. *Swint* —4B **56**
Benton Way. *Roth* —2H **77**
Bents Clo. *S11* —2E **109**
Bents Clo. *C'town* —2E **65**
Bents Cres. *S11* —3F **109**
Bents Cres. *Dron* —6G **123**
Bents Dri. *S11* —2E **109**
Bents Green. —2F 109
Bents Grn. Av. *S11* —1E **109**
Bents Grn. Pl. *S11* —2E **109**
Bents Grn. Rd. *S11* —1F **109**
Bents La. *Dron* —6G **123**
  (in two parts)
Bents Rd. *S11* —2F **109**
Bents Rd. *S17* —5C **120**
Bents Rd. *Roth* —1H **77**
Bent St. *P'stne* —3C **142**
Bents Vw. *S11* —2E **109**
Benty La. *S10* —2F **97**
Beresford Rd. *Maltby* —5H **83**
Beresford St. *Ben* —6C **18**
Berkeley Cft. *Roy* —1D **8**
Berkeley Precinct. *S11* —5B **98**
Berkley Clo. *Wors* —4H **23**
Bernard Clo. *Brim* —3F **133**
Bernard Gdns. S2 —2G **99**
  (off Bernard St.)
Bernard Rd. *S2 & S4* —1H **99**
Bernard Rd. *Edl'tn* —4B **60**
Bernard St. *S2* —2G **99** (3H **5**)
Bernard St. *Rawm* —6H **55**
Bernard St. *Roth* —4E **79**
Berners Clo. *S2* —2A **112**
Berners Dri. *S2* —1A **112**
Berners Pl. *S2* —1A **112**
Berners Rd. *S2* —1A **112**

Berneslai Clo. *B'ley* —5G **13**
Bernshall Cres. *S5* —1F **75**
Berresford Rd. *S11* —5B **98**
Berrington Clo. *Donc* —1G **61**
Berry Av. *Eck* —6C **124**
Berrydale. *Wors* —4B **24**
Berry Dri. *Kiv P* —4B **118**
Berry Edge Clo. *Con* —4G **59**
Berry Holme Clo. *C'town* —2E **65**
Berry Holme Ct. *C'town* —2E **65**
Berry Holme Dri. *C'town* —2E **65**
Berrywell Av. *P'stne* —5E **143**
Bertram Rd. *O'bri* —3E **73**
Berwick Av. *Ches* —6E **137**
Berwick Clo. *Ches* —6E **137**
Berwick Ct. *Ches* —6E **137**
Berwick Way. *Donc* —4A **34**
Berwyn Clo. *Ches* —6E **131**
Bessacarr. —5B 48
Bessacarr La. *Donc* —5C **48**
Bessemer Pk. *Roth* —5B **78**
Bessemer Pl. *S9* —6A **88**
Bessemer Rd. *S9* —5A **88**
Bessemer Ter. *S'bri* —2D **140**
Bessemer Way. *Roth* —4A **78**
Bessingby Rd. *S6* —4A **86**
Bethel Rd. *Roth* —1F **79**
Bethel St. *Hoy* —5B **38**
Bethel Wlk. *S1* —4D **4**
Betjeman Gdns. *S10* —4A **98**
Betony Clo. *Kil* —4H **125**
Beulah Rd. *S6* —2B **86**
Bevan Av. *New R* —4D **62**
Bevan Clo. *Else* —5C **38**
Bevan Cres. *Maltby* —3F **83**
Bevan Dri. *Ink* —5H **133**
Bevan Ho. *Roth* —1F **91**
Bevan Way. *C'town* —2D **64**
Bevercotes Rd. *S5* —6H **75**
Beverley Av. *Wors* —3H **23**
Beverley Clo. *B'ley* —6A **8**
Beverley Clo. *Swal* —6B **104**
Beverley Gdns. *Donc* —4F **31**
Beverley Rd. *Donc* —3G **33**
Beverleys Rd. *S8* —3E **111**
Beverley St. *S9* —5C **88**
Bevin Pl. *Rawm* —1H **69**
Bevre Rd. *Arm* —1F **35**
Bewdley Ct. *Roy* —1F **9**
Bewicke Av. *Donc* —3F **31**
Bhatia Clo. *Mexb* —6E **43**
Bib La. *Lghtn* —4E **95**
Bickerton Rd. *S6* —1A **86**
Bierlow Clo. *Bram* —3A **40**
Bigby Way. *Braml* —2H **81**
Bignor Pl. *S6* —4B **74**
Bignor Rd. *S6* —4B **74**
Big Six. *Tree* —1F **103**
Bilby La. *Brim* —2E **133**
Billam Pl. *Roth* —6G **67**
Billam St. *Eck* —6B **124**
Billingley. —3B 28
Billingley Dri. *Thurn* —2E **29**
Billingley Grn. La. *L Hou* —3B **28**
Billingley La. *Thurn* —2B **28**
Billingley Vw. *Bol D* —1H **41**
Bilston St. *S6* —4B **86**
Binders Rd. *Roth* —6G **67**
Binfield Rd. *S8* —2D **110**
Bingham Ct. *S10* —5C **97**
Bingham Pk. Cres. *S11* —6G **97**
Bingham Pk. Rd. *S11* —6G **97**
Bingham Rd. *S8* —5D **110**
Bingley Ct. *B'ley* —5F **13**
Bingley La. *S6* —1A **96**
Bingley St. *B'ley* —5F **13**
Binsted Av. *S5* —6B **74**
Binsted Clo. *S5* —6B **74**
Binsted Cres. *S5* —6B **74**
Binsted Cft. *S5* —6B **74**
Binsted Dri. *S5* —6B **74**
Binsted Gdns. *S5* —6B **74**
Binsted Glade. *S5* —6B **74**
Binsted Gro. *S5* —6B **74**
Binsted Rd. *S5* —6B **74**
Binsted Way. *S5* —6B **74**
Biram Wlk. Else —1D **52**
  (off Forge La.)
Birchall Av. *Whis* —2H **91**
Birch Av. *C'town* —3E **65**
Birch Clo. *Kil* —5A **126**

Birch Clo. *Spro* —2F **45**
Birch Ct. *Swint* —2A **56**
Birch Cres. *Wick* —4G **81**
Birchdale Clo. *E'thpe* —6D **20**
Birchen Clo. *Ches* —6F **131**
Birchen Clo. *Donc* —6C **48**
Birchen Clo. *Dron W* —2B **128**
Birches Fold. *Coal A* —5G **123**
Birches La. *Coal A* —5G **123**
Birch Farm Av. *S8* —1E **123**
Birchfield Cres. *Dod* —1C **22**
Birchfield Rd. *Maltby* —4H **83**
Birchfield Wlk. *B'ley* —5D **12**
Birch Grn. Clo. *Maltby* —3D **82**
Birch Gro. *Con* —3F **59**
Birch Gro. *O'bri* —3E **73**
Birch Hall Golf Course. —6H 129
Birch Ho. Av. *O'bri* —3D **72**
Birchitt Clo. *S17* —4A **122**
Birchitt Pl. *S17* —4A **122**
Birchitt Rd. *S17* —4A **122**
Birchitt Vw. *Dron* —6E **123**
Birch Kiln Cft. *Brim* —4F **133**
Birchlands Dri. *Kil* —4B **126**
Birch La. *Holl* —2G **133**
Birch Pk. Ct. *Roth* —3A **78**
Birch Rd. *S9* —5A **88**
Birch Rd. *B'ley* —2D **24**
Birch Rd. *Donc* —3D **48**
Birch Tree Clo. *Barn D* —1E **21**
Birch Tree Rd. *S'bri* —4D **140**
Birchtree Rd. *Thpe H* —4B **66**
Birchvale Rd. *S12* —4F **113**
Birchwood Av. *Rawm* —1F **69**
Birchwood Clo. *Maltby* —3D **82**
Birchwood Clo. *W'fld* —1E **125**
Birchwood Ct. *Ches* —6H **137**
Birchwood Ct. *Donc* —6F **49**
Birchwood Cres. *Ches* —6H **137**
Birchwood Cft. *W'fld* —1E **125**
Birchwood Dell. *Donc* —6F **49**
Birchwood Dri. *Rav* —1H **81**
Birchwood Gdns. *W'fld* —1E **125**
Birchwood Gro. *W'fld* —1E **125**
Birchwood La. *B'well* —2G **83**
Birchwood Ri. *W'fld* —1E **125**
Birchwood Vw. *W'fld* —1E **125**
Birchwood Way. *W'fld* —1E **125**
Bircotes Wlk. *Ross* —4F **63**
Bird Av. *Womb* —1E **39**
Birdholme. —6A 138
Birdholme Cres. *Ches* —5A **138**
Bird St. *Stav* —1D **134**
Birdwell. —4D 36
Birdwell Comn. *Birdw* —5D **36**
Birdwell Rd. *S4* —2B **88**
Birdwell Rd. *Dod* —3D **22**
Birdwell Rd. *Kiln* —5B **56**
Birk Av. *B'ley* —2C **24**
Birkbeck Ct. *High G* —5B **50**
Birk Cres. *B'ley* —2C **24**
Birkdale Av. *Dinn* —5F **107**
Birkdale Clo. *Cud* —5C **10**
Birkdale Clo. *Donc* —5F **49**
Birkdale Dri. *Ches* —6F **137**
Birkdale Ri. *Swint* —3B **56**
Birkdale Rd. *Roy* —1D **8**
Birkendale. —6B 86
Birkendale. *S6* —6B **86**
Birkendale Rd. *S6* —6B **86**
Birkendale Vw. *S6* —6B **86**
Birk Grn. *B'ley* —2D **24**
Birk Ho. La. *B'ley* —2D **24**
Birklands Av. *S13* —4G **101**
Birklands Clo. *S13* —4G **101**
Birklands Dri. *S13* —4G **101**
Birk Rd. *B'ley* —2C **24**
Birks Av. *S13* —1B **114**
Birks Holt Dri. *Maltby* —6H **83**
Birks Rd. *Roth* —6G **67**
Birks Wood Dri. *O'bri* —3D **72**
Birk Ter. *B'ley* —2C **24**
Birkwood Av. *Cud* —3H **15**
Birley Brook Dri. *Ches* —4D **130**
Birley Carr. —4A 74
Birley Cft. *Ches* —4D **130**
Birley Edge. —3H 73
Birley Estate. —4F 113
Birley La. *S12* —5E **113**
Birley Moor Av. *S12* —4G **113**
Birley Moor Clo. *S12* —4G **113**

Birley Moor Cres. *S12* —4G **113**
Birley Moor Dri. *S12* —5G **113**
Birley Moor Pl. *S12* —5G **113**
Birley Moor Rd. *S12* —2F **113**
Birley Moor Way. *S12* —5G **113**
Birley Ri. Cres. *S6* —5A **74**
Birley Ri. Rd. *S6* —5A **74**
Birley Spa. —3H **113**
Birley Spa Clo. *S12* —3B **114**
Birley Spa Dri. *S12* —3B **114**
Birley Spa La. *S12* —4H **113**
Birley Spa Wlk. S12 —3B **114**
(off Carter Lodge Dri.)
Birley Stone, The. —2H **73**
Birley Va. Av. *S12* —3E **113**
Birley Va. Clo. *S12* —3E **113**
Birley Vw. *Worr* —4D **72**
Birley Wood Golf Course. —5G **113**
Birstall Clo. *Ches* —4E **131**
Birthwaite Rd. *Dart* —4A **6**
Birtley St. *Maltby* —4D **82**
Bisby Rd. *Rawm* —1G **69**
Biscay La. *Wath D* —4E **41**
Biscay Way. *Wath D* —5F **41**
Bishopdale Ct. *Mosb* —6A **114**
Bishopdale Dri. *Mosb* —1A **124**
Bishopdale Ri. *Mosb* —6A **114**
Bishop Gdns. *S13* —1A **114**
Bishopgarth Clo. *Donc* —3B **32**
Bishop Hill. *S13* —1A **114**
Bishops Clo. *S8* —2F **111**
Bishopscourt Rd. *S8* —2E **111**
Bishopsgate La. *New R* —6E **63**
Bishopsholme Clo. *S5* —1E **87**
Bishopsholme Rd. *S5* —1E **87**
Bishop's House Mus. —2E **111**
Bishopstoke Ct. Brim —2G **79**
(off Doncaster Rd.)
Bishopston Wlk. *Maltby* —3E **83**
Bishop St. *S3* —3D **98** (6C 4)
Bishops Way. *B'ley* —4C **14**
Bisley Clo. *Roy* —2G **9**
Bismarck St. *B'ley* —2H **23**
Bitholmes La. *Deep* —5H **141**
Bittern Vw. *Thpe H* —1G **66**
Blacka Moor Cres. *S17* —3C **120**
Blacka Moor Rd. *S17* —3C **120**
Blackamoor Rd. *Swint* —4E **55**
Blacka Moor Vw. *S17* —3C **120**
Blackberry Flats. Half —2E **125**
(off Halfway Dri.)
Blackbird Av. *B'wth* —3D **90**
Blackbrook Av. *S10* —4A **96**
Blackbrook Dri. *S10* —4A **96**
Blackbrook Rd. *S10* —4A **96**
Blackburn. —3D 76
Blackburn Cres. *C'town* —1C **64**
Blackburn Cft. *C'town* —1D **64**
Blackburn Dri. *C'town* —2C **64**
Blackburne St. *S6* —4B **86**
Blackburn La. *B'ley* —5F **13**
Blackburn La. *Roth* —3D **76**
Blackburn La. *Wors* —4A **24**
Blackburn Meadows Nature Reserve.
—4H **77**
Blackburn Rd. *Roth* —4D **76**
Blackburn St. *Wors* —4A **24**
Black Carr Rd. *Wick* —4E **81**
Blackdown Av. *Ches* —6D **130**
Blackdown Av. *Wat* —5D **114**
Blackdown Clo. *Wat* —5D **114**
Blacker Grange. *Bla H* —3H **37**
Blacker Hill. —2H 37
Blacker La. *Shaf* —2C **10**
Blacker La. *Wors* —1E **37**
Blacker Rd. *M'well* —4G **7**
Blackheath Clo. *B'ley* —6D **8**
Blackheath Rd. *B'ley* —6D **8**
Blackheath Wlk. *B'ley* —6D **8**
Black Hill Rd. *Roth* —5B **80**
Black La. *S6* —4D **84**
Black La. *Hoy* —5D **50**
(in two parts)
Blackmoor La. *B'wth* —2B **90**
Blackmore St. *S4* —6H **87**
Blacksmith La. *Cal* —1G **139**
Blacksmith La. *Gren* —1A **74**
Blacksmith Sq. Else —1D **52**
(off Wath Rd.)
Blackstock Clo. *S14* —5H **111**
Blackstock Cres. *S14* —5H **111**

Blackstock Dri. *S14* —5H **111**
Blackstock Rd. *S14* —2H **111**
Black Swan Wlk. *S1* —3E **5**
Blackthorn Av. *Braml* —4G **81**
Blackthorn Clo. *Has* —5D **138**
Blackthorn Clo. *High G* —5B **50**
Blackthorne Clo. *Edl'tn* —4A **60**
Blackwell Clo. *S2* —2G **99** (3H **5**)
Blackwell Ct. *S2* —2G **99** (3H **5**)
Blackwell Pl. *S2* —2G **99** (3H **5**)
Blackwood Av. *Donc* —5H **45**
Blagden St. *S2* —2G **99**
Blair Athol Rd. *S11* —1H **109**
Blake Av. *Donc* —3F **33**
Blake Av. *Wath D* —4C **40**
Blake Clo. *Braml* —6H **81**
Blake Gro. Rd. *S6* —6C **86**
Blakely Clo. *B'ley* —6D **8**
Blakeney Rd. *S10* —2A **98**
Blake St. *S6* —6B **86**
Blandford Dri. *Ches* —4G **131**
Bland La. *S6* —2F **85**
(in two parts)
Bland St. *S4* —3A **88**
Blast La. *S4* —1G **99** (1H **5**)
(in two parts)
Blaxton Clo. *Owl* —5A **114**
Blayton Rd. *S4* —3G **87**
Bleachcroft Way. *B'ley* —2E **25**
Bleak Av. *Shaf* —3C **10**
Bleakley Clo. *Shaf* —3C **10**
Bleasdale Gro. *B'ley* —3A **14**
Blenheim Av. *B'ley* —1G **23**
Blenheim Clo. *Braml* —2G **81**
Blenheim Clo. *Dinn* —5E **107**
Blenheim Ct. *Flan* —3F **81**
Blenheim Cres. *Mexb* —6D **42**
Blenheim Gdns. *S11* —2G **109**
Blenheim Gro. *B'ley* —1F **23**
Blenheim Rd. *B'ley* —1F **23**
Blocks, The. *Cut* —3B **130**
Bloemfontein St. *Cud* —1G **15**
Blonk St. *S1* —1F **99** (1G **5**)
Bloomfield Ri. *Dart* —4E **7**
Bloomfield Rd. *Dart* —4D **6**
Bloomhouse. —4D 6
Bloomhouse La. *Dart* —3C **6**
Blossom Cres. *S12* —4D **112**
Blow Hall Cres. *Edl'tn* —3C **60**
Blow Hall Riding. *Edl'tn* —4D **60**
Blucher St. *B'ley* —6G **13**
Bluebell Av. *P'stne* —4C **142**
Bluebell Clo. *S5* —6A **76**
Bluebell Clo. *Hoy* —1G **51**
Bluebell Clo. *Ink* —6H **133**
Bluebell Rd. *S5* —6B **76**
Bluebell Rd. *Dart* —2C **6**
Blueberry Clo. *Ink* —6H **133**
Bluebird Hill. *Ast* —1C **116**
Blue Boy St. *S3* —1D **98** (1C **4**)
Bluelodge Clo. *Ink* —6H **133**
Blundell Clo. *Donc* —4C **48**
Blundell Ct. *B'ley* —2D **14**
Blyde Rd. *S5* —2G **87**
Bly Rd. *D'fld* —3D **26**
Blyth Av. *Rawm* —2F **69**
Blyth Clo. *Ches* —5D **136**
Blyth Clo. *Whis* —3B **92**
Blythe St. *Womb* —6A **26**
Blyth Rd. *Maltby* —5F **83**
Boardman Av. *Rawm* —5C **54**
Boat La. *Spro* —3D **44**
Bobbinmill La. *Ches* —3F **137**
Bochum Parkway. *S8* —2E **123**
Bocking Clo. *S8* —6B **110**
Bocking Hill. *Deep* —3F **141**
Bocking La. *S8* —6B **110**
Bocking Ri. *S8* —1C **122**
Boden La. *S1* —2D **98** (3C **4**)
Boden Pl. *S9* —6E **89**
Bodmin Ct. *B'ley* —4B **14**
Bodmin St. *S9* —5B **88**
Bodmin Way. *Ches* —6E **131**
Boggard La. *O'bri* —3C **72**
Boggard La. *P'stne* —5C **142**
Boiley La. *Kil* —5H **125**
Boland Rd. *S8* —4B **122**
Bold St. *S9* —4C **88**
Bole Clo. *Womb* —5D **26**
Bolehill. —4H 139
(Calow)

Bolehill. —5E **111**
(Greenhill)
Bole Hill. —6F **91**
(Treeton)
Bole Hill. *S8* —5E **111**
Bole Hill. *Cal* —4G **139**
Bole Hill. *Tree* —6F **91**
Bole Hill Clo. *S6* —5H **85**
Bole Hill La. *S10* —1G **97**
Bolehill La. *Eck* —6G **125**
Bole Hill Rd. *S6* —1F **97**
Bolehill Vw. *S10* —6H **85**
Bolsover Rd. *S5* —1H **87**
Bolsover Rd. *Mas M* —1H **135**
Bolsover Rd. E. *S5* —2H **87**
Bolsover St. *S3* —2C **98** (3A **4**)
Bolsterstone. —6E 141
Bolton Hill Rd. *Donc* —5C **48**
(in two parts)
Bolton Rd. *Swint* —2H **55**
Bolton Rd. *Wath D* —5A **42**
Bolton Rd. Workshops. *Wath D* —4B **42**
Bolton St. *S3* —3D **98** (5B **4**)
Bolton St. *Den M* —1B **58**
Bolton-upon-Dearne. —1A 42
Bond Clo. *Donc* —1C **46**
Bondfield Av. *New R* —5E **63**
Bondfield Cres. *Womb* —1E **39**
Bondfield Cres. Flats. *Womb* —1E **39**
(in two parts)
Bondfield Rd. *Ink* —4A **134**
Bond Rd. *B'ley* —4F **13**
Bond St. *New R* —6D **62**
Bond St. *Stav* —3A **134**
Bond St. *Womb* —6B **26**
Bonet La. *B'wth* —2A **90**
Bonington Ri. *Maltby* —3E **83**
Bonsall Ct. Ches —4F **131**
(off Bowness Rd.)
Bonville Gdns. *S3* —1B **4**
Booker Rd. *S8* —5C **110**
Bookers La. *Dinn* —3B **106**
(in two parts)
Bookers Way. *Dinn* —4B **106**
Booth Clo. *Thur* —5C **94**
Booth Clo. *Wat* —5D **114**
Booth Cft. *Wat* —5D **114**
Booth Pl. *Rawm* —6E **55**
Booth Rd. *High G* —6A **50**
Booth St. *Hoy* —5A **38**
Booth St. *Roth* —3B **68**
Bootle St. *S9* —5C **88**
Borough Rd. *S6* —3A **86**
Borrowdale Av. *Half* —3E **125**
Borrowdale Clo. *B'ley* —1G **25**
Borrowdale Clo. *Half* —3E **125**
Borrowdale Cres. *Ans* —6F **107**
Borrowdale Dri. *Half* —3E **125**
Borrowdale Rd. *Half* —3E **125**
Boston Castle. —5E **79**
Boston Castle Gro. *Roth* —5E **79**
Boston Castle Ter. *Roth* —5E **79**
Boston St. *S2* —4D **98**
Bosville Clo. *Rav* —4H **71**
Bosville Rd. *S10* —2H **97**
Bosville St. *P'stne* —5E **143**
Bosville St. *Roth* —1B **80**
Boswell Clo. *High G* —5A **50**
Boswell Clo. *New R* —5C **62**
Boswell Clo. *Roy* —1D **8**
Boswell Ct. *Donc* —4B **48**
Boswell Rd. *Donc* —4A **48**
Boswell Rd. *Wath D* —1F **55**
Boswell St. *Roth* —4F **79**
Bosworth Rd. *Adw S* —1C **16**
Bosworth St. *S10* —1H **97**
Botanical Rd. *S11* —4A **98**
Botham St. *S4* —3A **88**
Botsford St. *S3* —5E **87**
Boulder Bri. La. *Car* —3G **9**
Boulder Hill. —3H 85
Boulevard, The. *E'thpe* —5C **20**
Boulton Clo. *Ches* —6C **130**
Boulton Dri. *Cant* —2F **49**
Boundary Av. *Donc* —2A **34**
Boundary Clo. *Edl'tn* —2C **60**
Boundary Clo. *Stav* —1E **135**
Boundary Dri. *Brie* —2G **11**
Boundary Grn. *Rawm* —3G **69**
Boundary Rd. *S2* —3H **99**
Boundary St. *B'ley* —1B **24**

Boundary Wlk. *B'wth* —3A **90**
Bourne Clo. *Brim* —2E **133**
Bourne Ct. *M'well* —3G **7**
Bourne Rd. *S5* —5G **75**
Bourne Wlk. *M'well* —3G **7**
Bow Bri. Clo. *Roth* —5C **78**
Bow Broom. —1B 56
Bowden Gro. *Dod* —2B **22**
Bowden Wood Av. *S9* —3E **101**
Bowden Wood Clo. *S9* —3E **101**
Bowden Wood Cres. *S9* —3E **101**
Bowden Wood Dri. *S9* —3E **101**
Bowden Wood Pl. *S9* —3E **101**
Bowden Wood Rd. *S9* —3E **101**
Bowdon St. *S1* —3D **98** (5C **4**)
Bowen Dri. *Thry* —5D **70**
Bowen Rd. *Roth* —1F **79**
Bower Clo. *Roth* —6G **67**
Bower Farm Rd. *Old W* —1B **132**
Bower Ho. *Gren* —6A **64**
Bower La. *Gren* —6A **64**
Bower Rd. *S10* —1B **98**
Bower Rd. *Swint* —6B **42**
Bowers Fold. *Donc* —6D **32**
Bower Spring. *S3* —1E **99** (1E **5**)
Bower St. *S3* —1E **99** (1E **5**)
Bower Va. *Edl'tn* —4A **60**
Bowes Rd. *E'thpe* —6C **20**
Bowfell Vw. *B'ley* —3A **14**
Bowfield Clo. *S5* —5H **75**
Bowfield Ct. *S5* —5G **75**
   (off Etwall Way)
Bowfield Rd. *S5* —5G **75**
Bowland Clo. *Donc* —1H **31**
Bowland Cres. *Wors* —5H **23**
Bowland Dri. *C'town* —2C **64**
Bowland Dri. *Walt* —6D **136**
Bowlease Gdns. *Donc* —3C **48**
Bowling Grn. St. *S3* —6E **87** (1D **4**)
Bowman Dri. *S12* —5B **112**
Bowman Dri. *S12* —5B **112**
Bowman Dri. *Maltby* —2E **83**
Bowness Clo. *Ches* —4F **131**
Bowness Clo. *Dron W* —2C **128**
Bowness Dri. *Bol D* —2A **42**
Bowness Rd. *S6* —4A **86**
Bowness Rd. *Ches* —4F **131**
Bowood Rd. *S11* —5B **98**
Bowshaw. —5D 122
Bowshaw. *Dron* —6D **122**
Bowshaw Av. *S8* —4E **123**
Bowshaw Clo. *S8* —4E **123**
Bowshaw Vw. *S8* —4E **123**
Bow St. *Cud* —6B **10**
Boyce St. *S6* —6B **86**
Boyd Rd. *Wath D* —2F **55**
Boyland St. *S3* —5D **86**
Boynton Cres. *S5* —1E **87**
Boynton Rd. *S5* —2D **86**
Boythorpe. —4G 137
Boythorpe Av. *Ches* —3G **137**
Boythorpe Cres. *Ches* —4H **137**
Boythorpe Mt. *Ches* —3H **137**
Boythorpe Ri. *Ches* —3G **137**
Boythorpe Rd. *Ches* —3H **137**
Bracken Clo. *Bran* —2H **49**
Bracken Ct. *Wick* —6F **81**
Brackendale Clo. *Brim* —4D **132**
Brackenfield Gro. *S12* —3F **113**
Bracken Hill. *Burn* —3B **64**
Bracken Moor. —4E 141
Bracken Moor La. *S'bri* —4E **141**
Bracken Rd. *S5* —5A **76**
   (in two parts)
Brackley St. *S3* —5F **87**
Bradberry Balk La. *Womb* —5A **26**
Bradbourne Clo. *Stav* —3A **134**
Bradbury Clo. *Ches* —2G **137**
Bradbury's Clo. *P'gte* —4F **69**
Bradbury St. *S8* —1E **111**
Bradbury St. *B'ley* —6F **13**
Bradfield Rd. *S6* —3A **86**
Bradford Rd. *Donc* —1A **34**
Bradford Row. *Donc* —6D **32**
Bradgate. —2A 78
Bradgate Clo. *Roth* —2A **78**
Bradgate Ct. *Roth* —2H **77**
Bradgate Cft. *Ches* —6C **138**
Bradgate Ho. Clo. *Roth* —2A **78**
Bradgate La. *Roth* —2H **77**

Bradgate Pl. *Roth* —1A **78**
Bradgate Rd. *Roth* —1A **78**
Bradlea Ri. *Rawm* —6G **55**
Bradley Av. *Womb* —6A **26**
Bradley Clo. *Brim* —4E **133**
Bradley La. *Barl* —6A **128**
Bradley St. *S10* —6H **85**
Bradley Way. *Brim* —3E **133**
Bradmarsh Way. *Roth* —5C **78**
Bradshaw Av. *Tree* —2F **103**
Bradshaw Clo. *B'ley* —5C **12**
Bradshaw Rd. *Ink* —5H **133**
Bradshaw Way. *Tree* —2F **103**
Bradstone Rd. *Roth* —2A **80**
Bradway. —4A 122
Bradway Bank. —3H 121
Bradway Clo. *S17* —4H **121**
Bradway Dri. *S17* —4H **121**
Bradway Grange Rd. *S17* —4A **122**
Bradway Rd. *S17* —4H **121**
   (in two parts)
Bradwell Av. *Dod* —3C **22**
Bradwell Clo. *Dron W* —2A **128**
Bradwell Pl. *Ink* —4A **134**
Bradwell St. *S2* —1F **111**
Braeburn Clo. *Maltby* —2D **82**
Braemar Rd. *Donc* —6G **33**
Braemore Rd. *S6* —2G **85**
Brailsford Av. *S5* —1E **75**
Brailsford Ct. *S5* —1E **75**
Brailsford Rd. *S5* —1E **75**
Braithwaite St. *M'well* —4G **7**
Braithwell Ct. *Ben* —4A **18**
Braithwell Ct. *Ben* —5A **18**
Braithwell Rd. *Maltby* —4F **83**
Braithwell Rd. *Rav* —1H **81**
Braithwell Wlk. *Den M* —1B **58**
Braithwell Way. *H'by* —2A **82**
Bramah St. *B'ley* —4E **9**
Bramall La. *S2* —4E **99**
Bramall La. *S'bri* —1B **140**
Bramble Clo. *Wick* —6F **81**
Brambles, The. *E'fld* —1E **75**
Brambles, The. *Roy* —1C **8**
Bramble Way. *Wath D* —5B **40**
Brambling Ct. *Ches* —2C **138**
Bramblings, The. *Donc* —5E **49**
Bramcote Av. *B'ley* —5A **8**
Brameld Rd. *Rawm* —2F **69**
Brameld Rd. *Swint* —2H **55**
Bramham Ct. S9 —6D **88**
   (off Bramham Rd.)
Bramham Rd. *S9* —6D **88**
Bramham Rd. *Donc* —1D **48**
Bramley. —4H 81
Bramley Av. *S13* —5H **101**
Bramley Av. *Ast* —5C **104**
Bramley Carr. *B'ley* —2D **22**
Bramley Clo. *Mosb* —2C **124**
Bramley Clo. *S10* —2H **97**
Bramley Ct. *Den M* —2B **58**
Bramley Dri. *S13* —4H **101**
Bramley Grange Cres. *Braml* —1E **81**
Bramley Grange Dri. *Braml* —1E **81**
Bramley Grange Ri. *Braml* —1E **81**
Bramley Grange Vw. *Braml* —1E **81**
Bramley Grange Way. *Braml* —1F **81**
Bramley Hall Rd. *S13* —5H **101**
Bramley La. *S13* —4H **101**
Bramley La. *Rav* —1A **82**
Bramley Lings. —5H 81
Bramley Pk. Cvn. Site. *Mar L* —6A **124**
Bramley Pk. Clo. *S13* —5H **101**
Bramley Pk. Rd. *S13* —4H **101**
Bramley Way. *H'by* —3A **82**
Brampton. —2F 137
(Chesterfield)
Brampton. —3A 40
(Rotherham)
Brampton Av. *Thur* —5H **93**
Brampton Bierlow. —4A 40
Brampton Clo. *Arm* —4E **35**
Brampton Ct. *Ches* —2E **137**
Brampton Ct. *Owl* —5A **114**
Brampton Cres. *Womb* —2H **39**
Brampton Ellis Enterprise Cen. *Bram B*
   —4B **40**
Brampton en le Morthen. —6H 93
Brampton La. *Arm* —4E **35**
Brampton La. *Ulley* —1F **105**
Brampton Meadows. *Thur* —5H **93**

Brampton Rd. *Thur* —6H **93**
Brampton Rd. *Wath D* —4B **40**
Brampton Rd. *Womb* —2H **39**
Brampton St. *Bram* —3B **40**
Brampton Vw. *Womb* —2H **39**
Bramshill Clo. *Soth* —6G **115**
Bramshill Ct. *Soth* —6G **115**
Bramshill Ri. *Ches* —4F **137**
Bramwell Clo. *S3* —1C **98** (2A **4**)
Bramwell Ct. *S3* —1C **98** (2A **4**)
Bramwell Dri. *S3* —1C **98** (2A **4**)
Bramwell St. *S3* —1C **98** (2A **4**)
Bramwell St. *Roth* —2E **79**
Bramwith La. *Barn D* —1G **21**
   (in two parts)
Bramwith Rd. *S11* —5F **97**
Bramworth Rd. *Donc* —2H **45**
Brandene Clo. *Cal* —2G **139**
Brand La. *Spro* —5B **30**
Brandon St. *S3* —4F **87**
Brandreth Clo. *S6* —6C **86**
Brandreth Rd. *S6* —6C **86**
Brand's La. *Dinn & W'sett* —6H **107**
Branksome Av. *B'ley* —6E **13**
Branksome Chine Av. *Has* —6C **138**
Bransby St. *S6* —6B **86**
Branstone Rd. *Spro* —1D **44**
Branton. —3H 49
Branton Clo. *Ches* —4H **137**
Branton Ga. Rd. *Bran* —1H **49**
Branton Ter. *Bran* —3H **49**
Brantwood Cres. *Donc* —2D **48**
Brathay Clo. *S4* —2B **88**
Brathay Rd. *S4* —2B **88**
Brayford Rd. *Bal* —1H **61**
Bray St. *S9* —6C **88**
Brayton Dri. *Bal* —1H **61**
Bray Wlk. *Roth* —5E **67**
Brearley Av. *Deep* —4F **141**
Brearley Av. *New W* —1D **132**
Brearley Cen., The. *S9* —4F **89**
Breckland Dri. *Ches* —5D **136**
Brecklands. *Roth* —5A **80**
Brecklands. *Wick* —5E **81**
Breck La. *Dinn* —3F **107**
Brecks. —5C 80
Brecks Cres. *Roth* —4C **80**
Brecks La. *Kirk S* —3D **20**
Brecks La. *Roth* —2B **80**
Brecon Clo. *Ches* —6E **131**
Brecon Clo. *Soth* —5G **115**
Brendon Av. *Ches* —1E **137**
Brendon Clo. *Womb* —3H **39**
Brent Clo. *Ches* —6F **131**
Brentwood Av. *S11* —1B **110**
Brentwood Clo. *Hoy* —1G **51**
Brentwood Rd. *S11* —1B **110**
Brentwood Vs. *Roth* —2E **79**
Bressingham Clo. *S4* —5G **87**
Bressingham Rd. *S4* —5G **87**
Bressingham Rd. N. *S4* —5F **87**
Bretby Clo. *Donc* —4D **48**
Bretby Rd. *Ches* —5C **130**
Brett Clo. *Rawm* —5C **54**
Bretton Clo. *Ches* —6C **130**
Bretton Clo. *Dart* —5A **6**
Bretton Gro. *S12* —4F **113**
Bretton Ho. Donc —1C **46**
   (off St James St.)
Bretton Rd. *Dart* —5A **6**
Bretton Vw. *Cud* —2G **15**
Brewery Rd. *Wath D* —4F **41**
Brewery St. *Ches* —2B **138**
Breydon Av. *Donc* —4G **31**
Briar Clo. *Ches* —6G **131**
Briar Ct. *Wick* —6F **81**
Briar Cft. *Bal* —3A **46**
Briardene Clo. *Ches* —6B **130**
Briarfield Av. *S12* —4C **112**
Briarfield Cres. *S12* —4C **112**
Briarfield Rd. *S12* —4C **112**
Briarfields La. *Worr* —4C **72**
Briar Gro. *Brie* —2G **11**
Briar Gro. *P'stne* —5D **142**
Briar Ri. *Wors* —5A **24**
Briar Rd. *S7* —1C **110**
Briar Rd. *Arm* —1E **35**
Briars Clo. *Kil* —4B **126**
Briar Vw. *Brim* —4E **133**
Briary Av. *High G* —5B **50**
Briary Clo. *B'wth* —4C **90**

Brickhouse La. *S17* —1C **120**
Brick Houses. —1C 120
Brickhouse Yd. *Ches* —2G **137**
Brick St. *S10* —1H **97**
Brickyard, The. *Shaf* —4C **10**
Brickyard Wlk. *Ches* —2A **138**
Bridby St. *S13* —1D **114**
Bri. Bank Clo. *Ches* —5F **131**
Bridge End. —3C 142
Bridge Gdns. *B'ley* —4H **13**
Bridgegate. *Roth* —2D **78**
Bridge Gro. *Donc* —4H **31**
Bridge Hill. *O'bri* —2D **72**
Bridgehouses. *S3* —6E **87**
Bridge Inn Rd. *C'town* —1E **65**
Bridgelake Dri. *Bal* —1H **61**
Bridge La. *Thurn* —2F **29**
Bridge Rd. *Donc* —3A **48**
Bridge St. *S3* —6E **87** (1E **5**)
(in two parts)
Bridge St. *B'ley* —4H **13**
Bridge St. *Bol D* —6F **29**
Bridge St. *Ches* —4A **138**
Bridge St. *Dart* —4C **6**
Bridge St. *Donc* —1B **46**
Bridge St. *Kil* —2B **126**
Bridge St. *P'stne* —3C **142**
Bridge St. *Roth* —2D **78**
Bridge St. *Swint* —2C **56**
Bridle Clo. *C'town* —1E **65**
Bridle Cres. *C'town* —1E **65**
Bridle Rd. *Mas M* —2F **135**
Bridle Stile. *Mosb* —2C **124**
Bridle Stile Clo. *Mosb* —2C **124**
Bridle Stile Gdns. *Mosb* —2B **124**
Bridleway, The. *Rawm* —6A **56**
Bridport Rd. *S9* —6D **88**
Brier Clo. *Wat* —6D **114**
Brierfield Clo. *B'ley* —5E **13**
Brierley. —2F 11
Brierley Clo. *Dart* —5E **7**
Brierley Clo. *Stav* —2C **134**
Brierley Rd. *Dalt* —6C **70**
Brierley Rd. *Donc* —4B **48**
Brierley Rd. *Grim & Brie* —4F **11**
Brierley Rd. *Shaf* —3D **10**
Brierley Rd. *S Hien* —1E **11**
Brier St. *S6* —3A **86**
Briery Meadows. *H'fld* —3E **39**
Briery Wlk. *Roth* —4B **68**
Brigadier Hargreaves Ct. *S13* —1A **114**
Briggs St. *B'ley* —4E **9**
Bright Mdw. *Half* —4G **125**
Brightmore Dri. *S3* —2C **98** (3A **4**)
Brighton St. *Grim* —6G **11**
Brighton Ter. Rd. *S10* —1A **98**
Brightside. —1C 88
Brightside La. *S9* —4A **88**
Brightside Way. *S9* —3B **88**
Brimington. —3F 133
Brimington Common. —6F 133
Brimington Rd. *Ches* —1B **138**
Brimington Rd. N. *Ches* —2A **132**
(in two parts)
Brimmesfield Clo. *S2* —6A **100**
Brimmesfield Dri. *S2* —5A **100**
Brimmesfield Rd. *S2* —6A **100**
Brinckman St. *B'ley* —1H **23**
Brincliffe. —6A 98
Brincliffe Clo. *Ches* —4D **136**
Brincliffe Ct. *S7* —1C **110**
Brincliffe Cres. *S11* —6A **98**
Brincliffe Edge Clo. *S11* —1A **110**
Brincliffe Edge Rd. *S11* —1H **109**
Brincliffe Gdns. *S11* —6A **98**
Brincliffe Hill. *S11* —6H **97**
Brindley Clo. *S8* —3E **111**
Brindley Ct. *Kil* —3A **126**
Brindley Cres. *S8* —3E **111**
Brindley Rd. *Ches* —5A **132**
Brindley Way. *Stav* —1D **134**
Brindwoodgate. —6A 128
Brinkburn Clo. *S17* —3F **121**
Brinkburn Ct. *S17* —3F **121**
Brinkburn Dri. *S17* —3F **121**
Brinkburn Va. Rd. *S17* —3F **121**
Brinsford Rd. *B'wth* —2B **90**
Brinsworth. —3B 90
Brinsworth Hall Av. *B'wth* —3B **90**
Brinsworth Hall Cres. *B'wth* —3B **90**
Brinsworth Hall Dri. *B'wth* —3B **90**

Brinsworth Hall Gro. *B'wth* —4B **90**
Brinsworth La. *B'wth* —3B **90**
Brinsworth Rd. *B'wth* —4A **90**
(in two parts)
Brinsworth St. *S9* —5B **88**
Brinsworth St. *Roth* —3C **78**
Bristol Gro. *Donc* —3G **33**
Bristol Rd. *S11* —4A **98**
Britain St. *Mexb* —1D **56**
Britannia Clo. *B'ley* —1H **23**
Britannia Ho. *B'ley* —1H **23**
Britannia Rd. *S9* —1E **101**
(in two parts)
Britannia Rd. *Ches* —6B **138**
Britland Clo. *B'ley* —5C **12**
Britnall St. *S9* —5C **88**
(in two parts)
Briton Sq. *Thurn* —1G **29**
Briton St. *Thurn* —1G **29**
Brittain St. *S1* —3F **99** (6F **5**)
Britten Ho. *Donc* —3G **33**
Broachgate. *Donc* —1G **31**
Broad Bri. Clo. *Kiv P* —5B **118**
Broadcarr Rd. *Hoy* —3H **51**
Broadcroft Clo. *Beig* —3H **115**
Broad Elms Clo. *S11* —3F **109**
Broad Elms La. *S11* —4E **109**
Broadfield Rd. *S8* —1D **110**
Broadgorse Clo. *Ches* —6H **137**
Broadhead Rd. *Deep* —4F **141**
Broad Inge Cres. *C'town* —2C **64**
Broadlands. *Braml* —2E **81**
Broadlands Av. *Owl* —5A **114**
Broadlands Clo. *Owl* —5B **114**
Broadlands Cres. *Braml* —2E **81**
Broadlands Cft. *Owl* —5B **114**
Broadlands Ri. *Owl* —5B **114**
Broad La. *S1* —2D **98** (3B **4**)
Broad La. Ct. *S1* —2D **98** (3B **4**)
Broadley Rd. *S13* —6E **101**
Broad Oaks. *S9* —6B **88**
Broadoaks Clo. *Ches* —2B **138**
Broadoaks Dri. *Dinn* —5E **107**
Broad Oaks La. *S9* —1B **100**
Broadoaks Rd. *Dinn* —4E **107**
Broad Pavement. *Ches* —2A **138**
Broad Riding. *Edl'tn* —4D **60**
Broad St. *S2* —1F **99** (2G **5**)
(in two parts)
Broad St. *Hoy* —5H **37**
Broad St. *P'gte* —4F **69**
Broad St. La. *S2* —1G **99** (2H **5**)
Broadwater. *Bol D* —1G **41**
Broadway. *B'ley* —6D **12**
Broadway. *B'wth* —4B **90**
Broadway. *M'well* —4F **7**
Broadway. *Roth* —2H **79**
Broadway. *Swint* —3H **55**
Broadway Av. *C'town* —3F **65**
Broadway Clo. *Swint* —3H **55**
Broadway Ct. *B'ley* —6D **12**
Broadway E. *Roth* —2H **79**
Broadway, The. *Donc* —6H **45**
Brocco Bank. *S11* —5A **98**
Brocco La. *S3* —1D **98** (2C **4**)
Brocco St. *S3* —1D **98** (2C **4**)
Brockfield Clo. *Wors* —4A **24**
Brockhill Ct. *Brim* —3F **133**
Brockhole Clo. *Donc* —4D **48**
Brockholes Farm. —4H **49**
Brockholes La. *Bran* —4H **49**
Brockholes La. *P'stne* —6A **142**
Brockhurst Way. *Thry* —5D **70**
Brocklehurst Av. *S8* —1G **123**
Brocklehurst Av. *B'ley* —3D **24**
Brocklehurst Ct. *Ches* —2F **137**
Brocklehurst Piece. *Ches* —3F **137**
Brockwell. —1G 137
Brockwell Ct. *Ches* —5F **131**
Brockwell Hill. —6F 131
Brockwell La. *Ches* —5F **131**
Brockwell La. *Cut* —4B **130**
Brockwell Pl. *Ches* —1G **137**
Brockwell Ter. *Ches* —1G **137**
Brockwell Wlk. *Ches* —6F **131**
Brockwood Clo. *S13* —6C **102**
Brodsworth Bus. Pk. *Brod* —3B **16**
Brodsworth Ho. Donc —1C 46
(off St James St.)
Brodsworth Way. *Ross* —4E **63**

Bromcliffe Pk. *B'ley* —2E **15**
Bromehead Way. *Ches* —4F **131**
Bromfield Ct. *Roy* —1F **9**
Bromley Carr Rd. *Wort* —3A **50**
Brompton Rd. *S9* —4C **88**
Brompton Rd. *Spro* —2E **45**
Bromwich Rd. *S8* —5C **110**
Bronte Av. *Donc* —5H **45**
Bronte Clo. *B'ley* —4B **14**
Bronte Gro. *Mexb* —5F **43**
Bronte Pl. *Rawm* —6H **55**
Brookbank Av. *Ches* —1F **137**
Brook Clo. *Ast* —6C **104**
Brook Clo. *Gren* —6A **64**
Brook Cft. *Ans* —2F **119**
Brookdale Rd. *C'town* —4E **51**
Brook Dri. *S3* —1D **98** (2B **4**)
Brook Dri. *Wath D* —5D **40**
Brooke Dri. *Brim* —6F **133**
Brooke St. *Donc* —4D **32**
Brooke St. *Hoy* —5H **37**
Brook Farm M. *Wath D* —4E **41**
Brookfield Av. *Ches* —3C **136**
Brookfield Av. *Swint* —3B **56**
Brookfield Clo. *Arm* —4F **35**
Brookfield Clo. *Dalt* —6B **70**
Brookfield M. *Ark* —5E **19**
Brookfield Rd. *S7* —6D **98**
Brookfields Pk. *Manv* —3H **41**
Brookfield Ter. *B'ley* —5E **9**
Brookhaven Way. *Braml* —2E **81**
Brook Hill. *S3* —2C **98** (3A **4**)
Brook Hill. *Thpe H* —2B **66**
Brookhill Rd. *Dart* —5A **6**
Brookhouse. —4E 95
Brookhouse Clo. *S12* —4B **114**
Brookhouse Ct. S12 —4B 114
(off Brookhouse Dri.)
Brookhouse Dri. *S12* —4B **114**
Brookhouse Hill. *S10* —6C **96**
Brookhouse La. *Lghtn* —5E **95**
Brookhouse Rd. *Ast* —1B **116**
Brooklands. *Maltby* —5D **82**
Brooklands Av. *S10* —6B **96**
Brooklands Cres. *S10* —6B **96**
Brooklands Dri. *S10* —6B **96**
Brooklands Pk. *Dinn* —4C **106**
Brooklands Way. *Dinn* —4D **106**
Brook La. *S3* —2D **98** (3B **4**)
Brook La. *S12* —4B **114**
Brook La. *Braml* —3H **81**
Brook La. *Gren* —1A **74**
Brook La. *O'bri* —2C **72**
Brooklyn Dri. *Ches* —1F **137**
Brooklyn Pl. *S8* —2E **111**
Brooklyn Rd. *S8* —2E **111**
Brooklyn Works. *S3* —6E **87**
Brook M. *Ans* —2F **119**
Brook Rd. *S8* —2D **110**
Brook Rd. *Con* —3F **59**
Brook Rd. *High G* —1C **64**
Brook Rd. *Roth* —1H **79**
Brook Row. *S'bri* —4E **141**
Brookside. —3D 136
Brookside. *Con* —4E **59**
Brookside. *Roth* —4A **80**
Brookside. *Swint* —4H **55**
Brookside Bar. *Ches* —3B **136**
Brookside Clo. *S12* —4B **114**
Brookside Ct. *P'gte* —5D **68**
Brookside Cres. *Wath D* —6B **40**
Brookside Dri. *B'ley* —3D **24**
Brookside Glen. *Ches* —3B **136**
Brookside La. *S6* —5A **84**
Brook Sq. *Con* —4E **59**
Brook St. *Whis* —2H **91**
Brookvale. *B'ley* —4D **14**
Brook Va. *Ches* —3G **137**
Brookview Ct. *Dron* —6E **123**
Brook Way. *Ark* —5D **18**
Brook Yd. *Ches* —2G **137**
Broom. —5F 79
Broom Av. *Roth* —5H **79**
Broombank Pk. *Ches* —1F **131**
Broombank Pk. Ind. Est. *Ches* —1F **131**
Broombank Rd. *Ches* —1F **131**
Broom Chase. *Roth* —5F **79**
Broomcliffe Gdns. *Shaf* —3C **10**
Broom Clo. *S2* —4D **98**
Broom Clo. *B'ley* —3D **24**
Broom Clo. *Bol D* —6D **28**

Broom Clo. *Ches* —4F **131**
Broom Clo. *Dart* —4E **7**
Broom Clo. *S'side* —2G **81**
Broom Clo. *Wath D* —1G **55**
Broom Ct. *Roth* —5G **79**
Broom Cres. *Roth* —5F **79**
Broomcroft. *Dod* —3D **22**
Broomcroft Pk. *S11* —4F **109**
Broom Dri. *Roth* —6H **79**
Broome Av. *Swint* —2B **56**
Broomfield. —3B 98
Broomfield Av. *Has* —6D **138**
Broomfield Clo. *B'ley* —1D **22**
Broomfield Ct. *S'bri* —3F **141**
Broomfield Gro. *Roth* —5F **79**
Broomfield Gro. *S'bri* —4F **141**
Broomfield La. *S'bri* —4E **141**
Broomfield Rd. *S10* —3B **98**
Broomfield Rd. *S'bri* —3F **141**
Broomfield Ter. *O'bri* —4A **72**
Broom Fld. Wlk. *P'stne* —5C **142**
Broom Gdns. *Brim* —4F **133**
Broom Grange. *Roth* —5G **79**
Broom Grn. *S3* —3D **98** (5B **4**)
Broom Gro. *Ans* —4F **119**
Broom Gro. *Roth* —4F **79**
Broomgrove Cres. *S10* —3B **98**
Broomgrove Hall. *S10* —3B **98**
Broomgrove La. *S10* —3B **98**
Broomgrove Rd. *S10* —3B **98**
Broomhall Pl. *S10* —3C **98** (6A **4**)
Broomhall Rd. *S10* —4C **98** (6A **4**)
Broomhall St. *S3* —3C **98** (6A **4**)
(in two parts)
Broomhead Ct. *M'well* —5F **7**
Broomhead Rd. *Womb* —2H **39**
Broomhill. —1B 40
(Darfield)
Broomhill. —3A 98
(Sheffield)
Broomhill. *Den M* —1A **58**
Broomhill Clo. *Eck* —6B **124**
Broom Hill Dri. *Donc* —4D **48**
Broomhill La. *Bol D* —6G **27**
Broomhill Rd. *Old W* —1H **131**
Broomhill Vw. *Bol D* —2H **41**
Broomhouse La. *Edl'tn & Donc* —4B **60**
(in two parts)
Broomhouse La. Ind. Est. *Edl'tn* —2C **60**
Broom La. *Roth* —5G **79**
Broom Riddings. *Roth* —5B **68**
Broom Rd. *Roth* —4F **79**
Broomroyd. *Wors* —5B **24**
Broomspring Clo. *S3* —3C **98** (5B **4**)
Broomspring La. *S10* —3C **98** (5A **4**)
(in four parts)
Broom St. *S10* —3C **98** (6A **4**)
Broom Ter. *Roth* —4F **79**
Broomvale Wlk. *Edl'tn* —4A **60**
Broom Valley Rd. *Roth* —4E **79**
Broomville St. *Swint* —2C **56**
Broom Wlk. *S3* —5B **4**
Broomwood Clo. *Beig* —4G **115**
Broomwood Gdns. *Beig* —4G **115**
Brosley Av. *Barn D* —1H **21**
Brotherton St. *S3* —5F **87**
Brough Grn. *Dod* —4C **22**
Broughton Av. *Donc* —2A **32**
Broughton La. *S9* —3D **88**
Broughton Rd. *S6* —2A **86**
Broughton Rd. *Ches* —4F **131**
Broughton Rd. *Donc* —5B **48**
Brow Clo. *Wors* —3H **23**
Brow Cres. *Half* —2E **125**
Brow Hill Rd. *Maltby* —3E **83**
Brownell St. *Stav* —1D **98** (2B **4**)
Brown Hills La. *S10* —6A **96**
Browning Av. *Donc* —5B **46**
Browning Clo. *S6* —4B **74**
Browning Clo. *B'ley* —2B **14**
Browning Dri. *S6* —4B **74**
Browning Dri. *Roth* —3H **79**
Browning Rd. *S6* —4A **74**
Browning Rd. *Barn D* —1H **21**
Browning Rd. *Mexb* —5E **43**
Browning Rd. *Roth* —3H **79**
Browning Rd. *Wath D* —4C **40**
Brown La. *S1* —3E **99** (5E **5**)
Brown La. *Coal A* —6G **123**
Brownroyd Av. *Roy* —3F **9**
Browns Sq. *H'fld* —4D **38**

Brown St. *S1* —3F **99** (5F **5**)
Brown St. *Roth* —2B **78**
Brow, The. *Roth* —5C **80**
Brow Vw. *Bol D* —1H **41**
Broxbourne Gdns. *Ben* —6B **18**
Broxholme La. *Donc* —5D **32**
Broxholme Rd. *S8* —4D **110**
Bruce Av. *B'ley* —2H **23**
Bruce Cres. *Donc* —4H **33**
Bruce Rd. *S11* —5B **98**
Bruncroft Clo. *Donc* —5B **48**
Brunel Rd. *Donc* —4H **31**
Bruni Way. *New R* —6D **62**
Brunswick Clo. *B'ley* —1H **13**
Brunswick Rd. *S3* —6F **87**
Brunswick Rd. *Roth* —5F **79**
Brunswick St. *S10* —2C **98** (4A **4**)
Brunswick St. *Ches* —1A **138**
Brunswick St. *Thurn* —1H **29**
Brunt Rd. *Rawm* —1H **69**
Brushfield Gro. *S12* —3F **113**
Brushfield Rd. *Ches* —6B **130**
Bryn Lea. *Ches* —2C **138**
Bryony Clo. *Kil* —3H **125**
Bubwith Rd. *S9* —1D **88**
Buchanan Cres. *S5* —4C **74**
Buchanan Dri. *S5* —4C **74**
Buchanan Rd. *S5* —4C **74**
Buckden Clo. *Ches* —1F **137**
Buckden Rd. *B'ley* —5F **13**
Buckenham Dri. *S4* —5G **87**
Buckenham St. *S4* —5G **87**
Buckingham Clo. *Dron W* —1B **128**
Buckingham Ct. *Roy* —1D **8**
Buckingham Rd. *Con* —2D **58**
Buckingham Rd. *Donc* —5F **33**
Buckingham Way. *B'wth* —3C **90**
Buckingham Way. *Maltby* —3G **83**
Buckingham Way. *Roy* —1D **8**
Buckleigh Rd. *Wath D* —1E **55**
Buckley Ct. *B'ley* —1H **23**
Buckley Ho. *B'ley* —1H **23**
Buckthorn Clo. *Swint* —5A **56**
Buckwood Vw. *S14* —2H **111**
Bude Ct. *B'ley* —4C **14**
Bude Rd. *Donc* —3B **46**
Bullen Rd. *S6* —4A **74**
Bullfinch Clo. *B'wth* —3D **90**
Bungalow Rd. *Edl'tn* —3B **60**
Bungalows, The. *Ches* —2F **137**
(Barker La.)
Bungalows, The. *Ches* —2A **132**
(Brimington Rd. N.)
Bungalows, The. *Ches* —4G **131**
(Littlemoor)
Bungalows, The. *Ches* —3B **138**
(off Piccadilly Rd.)
Bungalows, The. *Eck* —6C **124**
(off West St.)
Bungalows, The. *Eck* —6H **125**
(Pitt St.)
Bungalows, The. *Rawm* —6E **55**
(Jackson Cres.)
Bungalows, The. *Rawm* —1F **69**
(off Middle Av.)
Bungalows, The. *Stav* —3A **134**
Bungalows, The. *Tree* —1E **103**
Bunker's Hill. *Kil* —3C **126**
Bunting Clo. *S8* —5F **111**
Bunting Clo. *Walt* —4D **136**
Bunting Ho. *Old W* —1B **132**
Bunting Nook. *S8* —5F **111**
Burbage Clo. *Dron W* —1B **128**
Burbage Gro. *S12* —2F **113**
Burbage Rd. *Stav* —4B **134**
Burcot Rd. *S8* —2D **110**
Burcroft. —3F 59
Burcroft Clo. *Hoy* —6F **37**
Burcroft Hill. *Con* —2F **59**
Burden Clo. *Donc* —1C **46**
Burford Av. *Donc* —6G **45**
Burford Cres. *Ast* —6C **104**
Burgen Rd. *Roth* —6G **67**
Burgess Clo. *Has* —6D **138**
Burgess Rd. *S9* —5B **88**
Burgess St. *S1* —2E **99** (4E **5**)
Burghley Clo. *Dinn* —5E **107**
Burgoyne Clo. *S6* —5B **86**
Burgoyne Rd. *S6* —5B **86**
Burkinshaw Av. *Rawm* —5F **55**

Burkitt Dri. *Mas M* —1F **135**
Burleigh Ct. *B'ley* —6H **13**
Burleigh St. *B'ley* —1H **23**
Burley Clo. *Ches* —6A **138**
Burlington Arc. *B'ley* —6H **13**
(off Eldon St.)
Burlington Clo. *S17* —2E **121**
Burlington Ct. *S6* —6C **86**
Burlington Glen. *S17* —2E **121**
Burlington Gro. *S17* —2E **121**
Burlington Ho. *Ches* —2A **138**
(off Burlington St.)
Burlington Rd. *S17* —2E **121**
Burlington St. *S6* —6C **86** (1A **4**)
Burlington St. *Ches* —2A **138**
Burman Rd. *Wath D* —6F **41**
Burnaby Ct. *S6* —4B **86**
Burnaby Cres. *S6* —5B **86**
Burnaby Grn. *S6* —4B **86**
Burnaby St. *S6* —4B **86**
Burnaby St. *Donc* —1C **46**
Burnaby Wlk. *S6* —5B **86**
Burnaston Clo. *Dron W* —2A **128**
Burnaston Wlk. *Den M* —2C **58**
Burnbridge Rd. *Old W* —1B **132**
Burncross. —2C 64
Burncross Dri. *C'town* —2D **64**
Burncross Gro. *C'town* —2C **64**
Burncross Rd. *Burn & C'town* —2C **64**
Burnell Rd. *S6* —2A **86**
Burnell St. *Brim* —3F **133**
Burnett Clo. *P'stne* —5E **143**
Burngreave. —5G 87
Burngreave Bank. *S4* —5F **87**
Burngreave Rd. *S3* —4F **87**
Burngreave St. *S3* —5F **87**
Burn Gro. *C'town* —3G **65**
Burngrove Pl. *S3* —4F **87**
Burnham Av. *M'well* —4F **7**
Burnham Clo. *Donc* —4H **47**
Burnham Gro. *Donc* —1H **31**
Burnham Way. *D'fld* —4D **26**
Burn Pl. *B'ley* —6A **8**
Burnsall Cres. *B'wth* —4C **90**
Burnsall Gro. *B'ley* —3D **24**
Burns Clo. *Ches* —6H **137**
Burns Ct. *C'town* —2D **64**
Burns Dri. *C'town* —2D **64**
Burns Dri. *Dron* —3G **129**
Burns Dri. *Roth* —3H **79**
Burnside Av. *S8* —2E **111**
Burns Rd. *S6* —1B **98**
Burns Rd. *Barn D* —1H **21**
Burns Rd. *Dinn* —5G **107**
Burns Rd. *Donc* —5B **46**
Burns Rd. *Maltby* —5G **83**
Burns Rd. *Roth* —3G **79**
Burns St. *Ben* —6B **18**
Burns Way. *Bal* —3A **46**
Burns Way. *Wath D* —4C **40**
Burnt Hill La. *O'bri* —4A **72**
Burnt Stones Clo. *S10* —3D **96**
Burnt Stones Dri. *S10* —3D **96**
Burnt Stones Gro. *S10* —3D **96**
Burnt Tree La. *S3* —6D **98** (1B **4**)
(in two parts)
Burntwood Clo. *Thurn* —2D **28**
Burntwood Cres. *Tree* —6E **91**
Burnt Wood La. *Tree* —1G **103**
Burntwood Rd. *Grim* —6H **11**
Burrell St. *Roth* —3D **78**
Burrowlee Rd. *S6* —2A **86**
Burrows Dri. *S5* —1E **87**
Burrows Gro. *Womb* —6H **25**
Burrs Wood Cft. *Ches* —4D **130**
Bursden Clo. *Old W* —2A **132**
Burton Av. *B'ley* —3D **14**
Burton Av. *Donc* —3B **46**
Burton Bank Rd. *B'ley* —4A **14**
(in two parts)
Burton Cres. *B'ley* —2E **15**
Burton La. *O'bri* —3C **72**
Burtonlees Ct. *Donc* —4C **48**
Burton Rd. *S3* —5D **86**
Burton Rd. *B'ley* —4A **14**
Burton Rd. Bus. Pk. *B'ley* —2E **15**
Burton St. *S6* —4B **86**
Burton St. *B'ley* —4G **13**
Burton Ter. *B'ley* —1B **24**
Burton Ter. *Donc* —3B **46**
Burtop Cft. *H'fld* —4E **39**

Burying La. *W'wth* —2A **52**
Bushey Wood Gro. *S17* —2D **120**
Bushey Wood Rd. *S17* —3E **121**
Bushfield Rd. *Wath D* —5D **40**
Busk Knoll. *S5* —1E **87**
Busk Mdw. *S5* —1E **87**
Busk Pk. *S5* —1E **87**
Busley Gdns. *Ben* —1A **32**
(in two parts)
Butcher St. *Thurn* —1E **29**
Butchill Av. *S5* —1E **75**
Bute St. *S10* —2H **97**
Butler Rd. *S6* —4G **85**
Butler Way. *Kil* —2A **126**
Butterbusk. *Con* —3G **59**
Butterbusk Green. —1A 60
Buttercross Dri. *L Hou* —1G **27**
Butterfield Ct. *Bram* —3A **40**
Butterill Dri. *Arm* —4H **35**
Butterley Dri. *B'ley* —3D **24**
Butterleys. *Dod* —2C **22**
Buttermere Clo. *Ans* —6E **107**
Buttermere Clo. *Boi D* —2A **42**
Buttermere Clo. *Ches* —4F **131**
Buttermere Clo. *Mexb* —5G **43**
Buttermere Dri. *Dron W* —2C **128**
Buttermere Rd. *S7* —3C **110**
Buttermere Way. *B'ley* —1H **25**
Buttermilk La. *Bsvr* —6H **135**
Butterthwaite. —6H 65
Butterthwaite Cres. *S5* —2A **76**
Butterthwaite La. *E'fld* —1G **75**
Butterthwaite Rd. *S5* —1G **75**
Butterton Clo. *M'well* —4G **7**
Butterton Dri. *Ches* —6C **130**
Butt Hole Rd. *Con* —3G **59**
Button Hill. *S11* —3H **109**
Button Row. *S'bri* —3D **140**
Butts Hill. *S17* —5D **120**
Buxton Rd. *B'ley* —6C **8**
Byath La. *Cud* —1H **15**
Byford Rd. *Maltby* —4C **82**
Byland Way. *B'ley* —5D **14**
Byrley Rd. *Roth* —6G **67**
Byrne Clo. *Bar G* —3A **12**
Byron Av. *Bal* —5A **46**
(in two parts)
Byron Av. *C'town* —3D **64**
Byron Av. *Donc* —5H **31**
Byron Clo. *Dron* —4G **129**
Byron Cres. *Wath D* —4C **40**
Byron Dri. *B'ley* —3B **14**
Byron Dri. *Roth* —3G **79**
Byron Rd. *Beig* —5G **115**
Byron Rd. *Ches* —5A **138**
Byron Rd. *Dron* —5G **107**
(in two parts)
Byron Rd. *Maltby* —5G **83**
Byron Rd. *Mexb* —6F **43**
Byron St. *Ches* —4B **138**

Cadeby. —5A **44**
Cadeby Av. *Con* —3C **58**
Cadeby Ho. Donc —1C **46**
(off St James St.)
Cadeby La. *Spro* —5A **44**
Cadeby Rd. *Spro* —3C **44**
Cadman Ct. *Mosb* —3D **124**
Cadman La. *S1* —2E **99** (4F **5**)
Cadman Rd. *S12* —2E **113**
Cadman St. *S4* —1G **99**
Cadman St. *Mosb* —3C **124**
Cadman St. *Wath D* —5G **41**
Cadwell Clo. *Cud* —5D **10**
Caernarvon Clo. *Ches* —5E **137**
Caernarvon Cres. *Bol D* —1H **41**
Caernarvon Dri. *Barn* —1G **43**
Caernarvon Rd. *Dron* —3F **129**
Caine Gdns. *Roth* —3G **77**
Cairns Rd. *S10* —3F **97**
Cairns Rd. *Beig* —3F **115**
Caister Av. *C'town* —2D **64**
Caistor Av. *B'ley* —2E **23**
Calcot Grn. *Swint* —3B **56**
Calcot Pk. Av. *Swint* —3B **56**
Caldbeck Gro. *High G* —5B **50**
Caldbeck Pl. *Ans* —6F **107**
Calder Av. *Roy* —2G **9**
Calder Ct. *Roth* —1E **91**

Calder Cres. *B'ley* —2D **24**
Calder Rd. *Bol D* —2H **42**
Calder Rd. *Roth* —5H **67**
Calder Ter. *Con* —2E **59**
Caldervale. *Roy* —1G **9**
Calder Way. *S5* —1G **87**
Caldey Rd. *Dron* —3E **129**
California Cres. *B'ley* —2H **23**
California Dri. *Cat* —6C **90**
California Dri. *C'town* —3E **65**
California Gdns. *B'ley* —1H **23**
California St. *B'ley* —2G **23**
California Ter. *B'ley* —2G **23**
Calladine Way. *Swint* —4A **56**
Callander Ct. *Donc* —4C **48**
Callis La. *P'stne* —6E **143**
Callis Way. *P'stne* —5D **142**
Callow Dri. *S14* —2H **111**
Callow Mt. *S14* —2G **111**
Callow Pl. *S14* —2H **111**
Callow Rd. *S14* —2G **111**
Callum Ct. *P'gte* —5E **69**
Callywhite La. *Dron* —2F **129**
Calner Cft. *Soth* —5H **115**
Calow. —2F 139
Calow Brook Dri. *Has* —5E **139**
Calow Green. —5H 139
Calow La. *Has & Cal* —5D **138**
Calow La. Ind. Est. *Has* —5E **139**
Calstock Rd. *Ches* —1C **136**
Calver Clo. *Dod* —3C **22**
Calver Cres. *Stav* —4B **134**
Calvert Rd. *S9* —5E **89**
Calvert St. *Hoy* —6F **37**
Calvey Orchard. *Cud* —6C **10**
Camborne Clo. *S6* —4A **74**
Camborne Rd. *S6* —4A **74**
Camborne Way. *B'ley* —4B **14**
Cambourne Clo. *Adw S* —1D **16**
Cambria Dri. *Donc* —5G **45**
Cambrian Clo. *Ches* —5F **131**
Cambrian Dri. *Spro* —2C **44**
Cambridge Clo. *H'ton* —1F **43**
Cambridge Ct. S1 —2E **99** (4D **4**)
(off Carver St.)
Cambridge Cres. *Roth* —2G **79**
Cambridge Pl. *Roth* —2G **79**
Cambridge Rd. *S8* —1F **111**
Cambridge Rd. *Brim* —3F **133**
Cambridge Rd. *Deep* —4H **141**
Cambridge St. *S1* —2E **99** (4D **4**)
Cambridge St. *Mexb* —6C **42**
Cambridge St. *New R* —3C **62**
Cambridge St. *Roth* —3G **79**
Cambron Gdns. *Braml* —4H **81**
Camdale Ri. *S12* —6H **113**
Camdale Vw. *S12* —6H **113**
Camden Pl. *Donc* —1C **46**
Camellia Clo. *Con* —4F **59**
Camellia Dri. *Kirk S* —4D **20**
Cammell Rd. *S5* —1H **87**
Camms Clo. *Eck* —5D **124**
Camm St. *S6* —5A **86**
Campbell Dri. *Roth* —4H **79**
Campbell St. *Roth* —3C **68**
Camping La. *S8* —5C **110**
Campion Clo. *Bol D* —6D **28**
Campion Dri. *Kil* —3A **126**
Campion Dri. *Maltby* —4B **56**
Campo La. *S1* —2E **99** (3D **4**)
Campsall Dri. *S10* —2G **97**
Campsall Fld. Clo. *Wath D* —1E **55**
Campsall Fld. Rd. *Wath D* —6E **41**
Canada St. *S4* —4H **87**
Canada St. *B'ley* —2G **23**
Canal Bri. *Kil* —3B **126**
Canal St. *S4* —6H **87**
Canal St. *B'ley* —4H **13**
Canal Way. *B'ley* —4H **13**
Canal Wharf. *Ches* —1B **138**
Canal Wharfe. *Mexb* —1G **57**
Canberra Ri. *Bol D* —1H **41**
Canklow. —6D 78
Canklow Hill Rd. *Roth* —6D **78**
Canklow Meadows Ind. Est. *B'wth* —3D **90**
Canklow Rd. *Roth* —6D **78**
Canning St. *S1* —2D **98** (4C **4**)
Cannock St. *S6* —3A **86**
Cannon Hall Rd. *S5* —2G **87**
Cannonthorpe Ri. *Tree* —1F **103**
Cannon Way. *B'ley* —2B **12**

Canon Clo. *Ross* —4F **63**
Canons Way. *B'ley* —4C **14**
Cantelo Ct. *New R* —6C **62**
Canterbury Av. *S10* —5C **96**
Canterbury Clo. *Donc* —3G **31**
Canterbury Cres. *S10* —5C **96**
Canterbury Dri. *S10* —5C **96**
Canterbury Rd. *S8* —2F **111**
Canterbury Rd. *Donc* —3F **33**
Cantilupe Cres. *Ast* —5B **104**
Cantley. —2F 49
Cantley La. *Donc* —2B **48**
Cantley Mnr. Av. *Donc* —4D **48**
Cantrell Clo. *Brim* —3D **132**
Capel Ri. *Brim* —3D **132**
Capel St. *S6* —4B **86**
Caperns Rd. *Ans* —2H **119**
Capri Ct. *D'fld* —3C **26**
Capthorne Clo. *Ches* —6B **130**
Cvn. Site, The. *Spro* —3C **44**
Caraway Gro. *Swint* —5B **56**
Carbis Clo. *B'ley* —4B **14**
Carbrook. —3D 88
Carbrook Hall Ind. Est. *S9* —2D **88**
Carbrook Hall Rd. *S9* —2D **88**
Carbrook St. *S9* —3D **88**
Cardew Clo. *Rawm* —2G **69**
Cardigan Rd. *Donc* —4A **34**
Cardinal Clo. *Ross* —4F **63**
Cardoness Dri. *S10* —3E **97**
Cardoness Rd. *S10* —3F **97**
Cardwell Av. *S13* —6H **101**
Cardwell Dri. *S13* —6H **101**
Carey Av. *B'ley* —5A **14**
Carfield Av. *S8* —2F **111**
Carfield La. *S8* —2G **111**
Carfield Pl. *S8* —2F **111**
Carisbrooke Rd. *Donc* —5G **33**
Carlby Rd. *S6* —4G **85**
Carley Dri. *W'fld* —6F **115**
Carlingford La. *Roth* —6G **79**
Carlin St. *S13* —1G **113**
Carlisle Clo. *Ches* —1G **131**
Carlisle Pl. Roth —2E **79**
(off Nottingham St.)
Carlisle Rd. *S4* —3A **88**
Carlisle Rd. *Donc* —2H **33**
Carlisle St. *S4* —6G **87**
Carlisle St. *Kiln* —4B **56**
(in two parts)
Carlisle St. *Roth* —2E **79**
Carlisle St. E. *S4* —5H **87**
Carlisle Ter. *Dinn* —4F **107**
Carlthorpe Gro. *High G* —6A **50**
Carlton. —4F 9
Carlton Av. *Roth* —3F **79**
Carlton Clo. *Mosb* —3C **124**
Carlton Green. —5F 9
Carlton Ho. *Cud* —6B **10**
Carlton Ho. Donc —1C **46**
(off Bond Clo.)
Carlton Ho. Donc —5E **33**
(off Highfield Rd.)
Carlton Ind. Est. *B'ley* —1C **14**
(in two parts)
Carlton Ind. Est. *Car* —6E **9**
Carlton Marsh Nature Reserve. —5H 9
Carlton M. *S2* —6A **100**
Carlton Rd. *S6* —1H **85**
Carlton Rd. *B'ley* —2A **14**
Carlton Rd. *Ches* —6H **137**
Carlton Rd. *Donc* —4E **33**
Carlton Rd. *Rawm* —3F **69**
Carlton St. *B'ley* —3G **13**
Carlton St. *Cud* —6B **10**
Carlton St. *Grim* —6G **11**
Carlton Ter. *Car* —4G **9**
Carlyle Rd. *Maltby* —5G **83**
Carlyle St. *Mexb* —6E **43**
Carlyon Gdns. *Ches* —5H **137**
Carnaby Rd. *S6* —4A **86**
Carnarvon St. *S6* —6C **86**
Carnforth Rd. *B'ley* —2D **14**
Carnley St. *Wath D* —4B **40**
Carnoustie Av. *Ches* —5E **137**
Carnoustie Clo. *Swint* —3C **56**
Carolina Way. *Donc* —4G **47**
Carpenter Cft. *S12* —1E **113**
Carpenter Gdns. *S12* —1E **113**
Carpenter M. *S12* —1E **113**

Carr. —2E 95
Carr Bank Clo. *S11* —5F **97**
Carr Bank Dri. *S11* —5E **97**
Carr Bank La. *S11* —5E **97**
Carr Clo. *B'wth* —3A **90**
Carr Clo. *Deep* —4G **141**
Carrcroft Ct. *Deep* —4H **141**
Carrfield Clo. *Dart* —5B **6**
Carrfield Ct. *S8* —1F **111**
Carrfield Dri. *S8* —1F **111**
Carrfield La. *S2* —1F **111**
Carr Fld. La. *Bol D* —6D **28**
Carrfield Rd. *S8* —1F **111**
Carrfield St. *S8* —1F **111**
Carr Fold. *Deep* —4H **141**
Carr Forge Clo. *S12* —3A **114**
Carr Forge La. *S12* —3A **114**
Carr Forge Mt. *S12* —3A **114**
Carr Forge Pl. *S12* —3B **114**
Carr Forge Rd. *S12* —3A **114**
Carr Forge Ter. *S12* —3A **114**
Carr Forge Vw. *S12* —3B **114**
Carr Forge Wlk. S12 —3B 114
  (off Carter Lodge Dri.)
Carr Furlong. *B'ley* —4B **8**
Carr Grange Light Ind. Est. *Donc* —2D **46**
Carr Grn. *Bol D* —6E **29**
Carr Grn. *M'well* —5G **7**
Carr Grn. La. *M'well* —6G **7**
Carr Gro. *Deep* —4G **141**
Carr Head. —4H **141**
Carr Head La. *Bol D* —6A **28**
Carr Head La. *P'stne* —1B **142**
Carr Hill. *Donc* —3B **46**
Carr Ho. Rd. *Donc* —2D **46**
Carriage Dri. *Donc* —3E **47**
Carriage Way, The. *Ross* —4F **63**
Carrill Dri. *S6* —3A **74**
Carrill Rd. *S6* —3A **74**
Carrington Av. *B'ley* —3G **13**
Carrington Rd. *S11* —5H **97**
Carrington St. *B'ley* —4F **13**
Carrington St. *Roth* —4F **79**
Carrington Ter. *Kiv P* —5H **117**
Carr La. *Bes* —6B **48**
Carr La. *Con* —5F **59**
Carr La. *Donc* —2D **46**
Carr La. *Dron W* —1A **128**
Carr La. *Hoot L & Maltby* —5D **82**
Carr La. *Maltby & Lghtn* —2E **95**
Carr La. *P'stne* —6F **141**
Carr La. *Thry* —1E **71**
Carr La. *Ulley* —2D **104**
Carr La. *Wadw* —6H **61**
Carr La. *Wort & Tank* —1A **50**
Carron Dri. *M'well* —5G **7**
Carr Rd. *S6* —5A **86**
Carr Rd. *Deep* —5F **141**
Carr Rd. *Edl'tn* —4A **60**
Carr Rd. *Wath D* —5G **41**
Carrs La. *Cud* —2H **15**
Carr St. *B'ley* —2D **14**
Carr Vw. Av. *Donc* —3B **46**
Carr Vw. Rd. *Roth* —1F **77**
Carrville Dri. *S6* —5B **74**
Carrville Rd. *S6* —5B **74**
Carrville Rd. W. *S6* —5A **74**
Carrwell La. *S6* —6A **74**
Carrwood Rd. *B'ley* —6E **15**
Carsick. —4E **97**
Carsick Gro. *S10* —4D **96**
Carsick Hill. —4D **96**
Carsick Hill Cres. *S10* —4D **96**
Carsick Hill Dri. *S10* —4E **97**
Carsick Hill Rd. *S10* —4D **96**
Carsick Hill Way. *S10* —4D **96**
Carsick Vw. Rd. *S10* —4D **96**
Carsington Clo. *Ches* —6D **130**
Carson Mt. *S12* —4D **112**
Carson Rd. *S10* —2H **97**
Carterhall La. *S12* —5E **113**
Carterhall Rd. *S12* —5D **112**
Carter Knowle. —2B **110**
Carter Knowle Av. *S11* —2H **109**
Carter Knowle Rd. *S11 & S7* —2H **109**
Carter Lodge Av. *S12* —3A **114**
Carter Lodge Dri. *S12* —3B **114**
Carter Lodge Pl. *S12* —3B **114**
Carter Lodge Ri. *S12* —3B **114**
Carter Lodge Wlk. S12 —3B 114
  (off Carter Lodge Dri.)

Carter Pl. *S8* —1F **111**
Carter Rd. *S8* —1E **111**
Cartmel Clo. *Dron W* —2C **128**
Cartmel Clo. *Maltby* —3G **83**
Cartmel Ct. *B'ley* —6F **9**
Cartmel Cres. *Ches* —3F **131**
Cartmell Cres. *S8* —4D **110**
Cartmell Rd. *S8* —3C **110**
Cartmel Wlk. *Dinn* —6F **107**
Cart Rd. *C'town* —6E **51**
Car Va. Dri. *S13* —5E **101**
Car Va. Vw. *S13* —5E **101**
Carver Clo. *H'hill* —4H **127**
Carver Dri. *Dinn* —5E **101**
Carver La. *S1* —2E **99** (3D **4**)
Carver St. *S1* —2E **99** (3D **4**)
Carver Way. *H'hill* —3H **127**
Carwood Clo. *S4* —4H **87**
Carwood Grn. *S4* —4H **87**
Carwood Gro. *S4* —4H **87**
Carwood La. *S4* —4H **87**
Carwood Rd. *S4* —4H **87**
Carwood Way. *S4* —4H **87**
Cary Rd. *S2* —5B **100**
Cary Rd. *Eck* —6B **124**
Castell Cres. *Donc* —2C **48**
Castle Av. *Con* —3E **59**
Castle Av. *Ross* —5F **63**
Castle Av. *Roth* —6D **78**
Castlebeck. —4E **101**
Castlebeck Av. *S2* —4D **100**
Castlebeck Ct. S2 —4E 101
  (off Castlebeck Av.)
Castlebeck Cft. *S2* —4E **101**
Castlebeck Dri. *S2* —5D **100**
Castle Clo. *Dod* —3C **22**
Castle Clo. *Monk B* —4B **14**
Castle Clo. *P'stne* —5E **143**
Castle Clo. *Spro* —1G **45**
Castle Ct. *S2* —1H **99**
Castle Cres. *Con* —2E **59**
Castledale Cft. *S2* —5D **100**
Castledale Gro. *S2* —5E **101**
Castledale Pl. *S2* —5D **100**
Castledine Ct. *Bal* —1H **61**
Castledine Cft. *S9* —1D **88**
Castledine Gdns. *S9* —1C **88**
Castle Dri. *Hood G* —6A **22**
Castlegate. *S1* —1F **99** (2G **5**)
Castle Green. —5E **143**
Castle Grn. *S1* —1F **99** (2F **5**)
Castle Grn. *Lghtn* —1D **106**
Castle Gro. *Spro* —2F **59**
Castle Gro. Ter. *Con* —2F **59**
Castle Hill. *Con* —3E **59**
Castle Hill. *Eck* —5D **124**
Castle Hill Av. *Mexb* —1H **57**
Castle Hill Clo. *Eck* —5D **124**
Castle Hills Rd. *Donc* —6G **17**
Castle Ho. *S3* —2F **5**
Castle La. *P'stne* —5E **143**
Castle M. *Scawt* —6H **17**
Castlereagh St. *B'ley* —6G **13**
Castlerigg Way. *Dron W* —2C **128**
Castle Row. *S17* —3H **121**
Castlerow Clo. *S17* —3H **121**
Castlerow Dri. *S17* —3H **121**
Castlerow Vw. *S17* —3H **121**
Castle Sq. S1 —2F 99
  (off High St.)
Castle St. *S3* —1F **99** (2F **5**)
Castle St. *B'ley* —1G **23**
Castle St. *Con* —3E **59**
Castle St. *P'stne* —5E **143**
Castle Ter. *Con* —3E **59**
Castleton Gro. *Ink* —6H **133**
Castle Vw. *Birdw* —3C **36**
Castle Vw. *Dod* —1B **22**
Castle Vw. *Eck* —6D **124**
Castle Vw. *Edl'tn* —4B **60**
Castle Vw. *Hood G* —6A **22**
Castle Wlk. S2 —1H 99
  (off St John's Rd.)
Castlewood Ct. *S10* —5C **96**
Castlewood Cres. *S10* —5B **96**
Castlewood Dri. *S10* —5C **96**
Castlewood Rd. *S10* —5C **96**
Castle Yd. *Ches* —3A **138**
Castor Rd. *S9* —4B **88**
Casual Wards. *S11* —6B **98**
Catania Ri. *D'fld* —3C **26**

Catch Bar La. *S6* —1A **86**
Catchford Vw. *Ches* —4D **130**
Catcliffe. —5D **90**
Catcliffe Rd. *S9* —1E **101**
Cathedral Ct. *D'ville* —3H **21**
Catherine Av. *Swal* —6B **104**
Catherine Av. *Ches* —2G **137**
Catherine Rd. *S4* —5F **87**
Catherine St. *S3* —5F **87**
Catherine St. *Ches* —2G **137**
Catherine St. *Donc* —1D **46**
Catherine St. *Mexb* —6D **42**
Catherine St. *Roth* —3E **79**
Cathill Rd. *Bol D* —5G **27**
Cathill Roundabout. *D'fld* —4A **28**
Cat La. *S2 & S8* —1G **111**
Catley Rd. *S9* —6E **89**
Catling La. *Barn D* —2H **21**
Cattal St. *S9* —6C **88**
Cavendish Av. *S6* —2E **85**
Cavendish Av. *S17* —2F **121**
Cavendish Clo. *Roth* —5B **80**
Cavendish Ct. *S3* —3D **98** (5B **4**)
Cavendish Ct. *Ches* —6A **132**
Cavendish Pl. *Maltby* —3G **83**
Cavendish Ri. *Dron* —3D **128**
Cavendish Rd. *S11* —6A **98**
Cavendish Rd. *B'ley* —4G **13**
Cavendish Rd. *Roth* —3A **78**
Cavendish Rd. *Toll B* —3A **18**
Cavendish St. *S3* —2D **98** (4B **4**)
Cavendish St. *Ches* —2A **138**
Cavendish St. *Stav* —3A **134**
Cavendish St. N. *Old W* —1A **132**
Cavendish Ter. *Toll B* —2A **18**
Cavill Rd. *S8* —4E **111**
Cawdor Rd. *S2* —1A **112**
Cawdor St. *Ben* —6B **18**
Cawdron Clo. *Dalt* —6B **70**
Cawdron Ri. *B'wth* —4C **90**
Cawley Pl. *B'ley* —3A **14**
Cawston Rd. *S4* —3G **87**
Cawthorne Clo. *S8* —4C **110**
Cawthorne Clo. *Dod* —3C **22**
Cawthorne Clo. *Roth* —2A **80**
Cawthorne Gro. *S8* —4C **110**
Cawthorne La. *Dart* —6A **6**
Cawthorne Rd. *Bar G* —2A **12**
Cawthorne Rd. *Roth* —2A **80**
Cawthorne Vw. *H'swne* —1F **143**
Caxton Clo. *New W* —1D **132**
Caxton La. *S10* —3H **97**
Caxton Rd. *S10* —3A **98**
Caxton Rd. *W'land* —2D **16**
Caxton St. *B'ley* —5G **13**
Caythorpe Clo. *Lund* —2G **15**
Cayton Clo. *B'ley* —6A **8**
Cecil Av. *Dron* —1E **129**
Cecil Av. *Warm* —6E **45**
Cecil Rd. *Dron* —6E **123**
Cecil Sq. *S2* —5D **98**
Cedar Av. *Ches* —6F **131**
Cedar Av. *Mexb* —5D **42**
Cedar Av. *Wick* —4G **81**
Cedar Clo. *Donc* —6G **45**
Cedar Clo. *Eck* —6G **125**
Cedar Clo. *Kil* —4A **126**
Cedar Clo. *Roy* —1C **8**
Cedar Clo. *S'bri* —4D **140**
Cedar Clo. *Swint* —4A **56**
Cedar Cres. *B'ley* —2B **24**
Cedar Dri. *Maltby* —4D **82**
Cedar Gro. *Con* —5C **58**
Cedar Nook. *Kiv P* —5G **117**
Cedar Rd. *Arm* —2G **35**
Cedar Rd. *Donc* —6G **45**
Cedar Rd. *S'bri* —4D **140**
Cedars, The. *S10* —3H **97**
Cedar St. *Holl* —2G **133**
Cedar Va. *Swint* —4A **56**
Cedar Way. *C'town* —3D **64**

Cedric Av. *Con* —4C **58**
Cedric Cres. *Thur* —5A **94**
Cedric Rd. *E'thpe* —5D **20**
Celandine St. *S17* —4G **121**
Celandine Gdns. *S17* —4G **121**
Celandine Gro. *D'fld* —5E **27**
Celandine Ri. *Swint* —5A **56**
Celtic Ct. *Roth* —5H **67**
Cemetery Av. *S11* —4B **98**
Cemetery La. *Stav* —2F **65**
Cemetery Rd. *S11* —5C **98**
Cemetery Rd. *B'ley* —1A **24**
Cemetery Rd. *Bol D* —2A **42**
Cemetery Rd. *Ches* —3C **138**
Cemetery Rd. *Dron* —3F **129**
Cemetery Rd. *Grim* —6G **11**
Cemetery Rd. *Jump* —4C **38**
Cemetery Rd. *Mexb* —6E **43**
Cemetery Rd. *Wath D* —1E **55**
Cemetery Rd. *Womb* —6B **26**
Cemetery Rd. *W'land* —3C **16**
Cemetery Ter. *Brim* —4E **133**
Centenary Way. *Roth* —4C **78**
*Centenary Works. Roth —3C **78***
(off Centenary Way)
Central Av. *Ben* —1B **32**
Central Av. *Ches* —3G **137**
Central Av. *Dinn* —5F **107**
Central Av. *Grim* —5G **11**
Central Av. *Roth* —2H **79**
Central Av. *S'side* —2F **81**
Central Av. *Swint* —3H **55**
Central Av. *W'land* —3C **16**
Central Boulevd. *Donc* —3H **33**
Central Bus. Pk. *Roth* —3C **78**
Central Dri. *Cal* —2F **139**
Central Dri. *Has* —4C **138**
Central Dri. *New R* —5C **62**
Central Dri. *Rawm* —5C **54**
Central Dri. *Roy* —2E **9**
Central Dri. *Thur* —5A **94**
Central Pde. *Roth* —3H **79**
*Central Pavement. Ches —2A **138***
(off Market Pl.)
Central Rd. *Roth* —3D **78**
Central St. *Ches* —4C **138**
Central St. *Gold* —3G **29**
Central St. *Hoy* —6F **37**
Central Ter. *Ches* —3B **138**
Central Ter. *Edl'tn* —3B **60**
Central Wlk. *Brim* —4D **132**
Centre Riding. *Wadw* —6F **61**
Centre, The. *Braml* —4H **81**
Centurion Bus. Pk. *Roth* —4A **78**
Centurion Retail Pk. *Donc* —4B **32**
Centurion St. *Roth* —4A **78**
Centurion Way. *Donc* —4B **32**
Century Clo. *K Ind* —5B **20**
Century Ct. *Edl'tn* —2C **60**
Century Gdns. *Ben* —6C **18**
Century St. *S9* —5D **88**
Century Vw. *B'wth* —3A **90**
Chadbourne Clo. *Arm* —4E **35**
Chaddesden Clo. *Dron W* —2A **128**
Chaddesdon Wlk. *Den M* —1D **58**
Chadwick Dri. *Maltby* —3F **83**
Chadwick Gdns. *Ark* —5E **19**
Chadwick Rd. *S13* —6E **101**
Chadwick Rd. *Donc* —4B **32**
Chadwick Rd. *W'land* —3C **16**
Chaff Clo. *Whis* —2H **91**
Chaffinch Av. *B'wth* —3D **90**
Chaff La. *Whis* —2H **91**
Chalfont Ct. *B'wth* —3D **90**
Challands Clo. *Has* —5C **138**
Challands Way. *Has* —5C **138**
Challenger Dri. *Spro* —6G **31**
Challoner Grn. *W'fld* —1E **125**
Challoner Way. *W'fld* —1E **125**
Chalmers Dri. *Donc* —6B **20**
Chamberlain Av. *Donc* —3A **32**
Chamberlain Ct. *C'town* —1D **64**
Chambers Av. *Con* —3C **58**
Chambers Dri. *C'town* —6E **51**
Chambers Gro. *C'town* —6E **51**
Chambers La. *S4* —2B **88**
Chambers Rd. *Hoy* —4H **37**
Chambers Rd. *Roth* —6H **67**
Chambers Valley Rd. *C'town* —6E **51**
Chambers Vw. *C'town* —6E **51**
Chamossaire. *New R* —6C **62**

Champion Clo. *S5* —3H **75**
Champion Rd. *S5* —3H **75**
Chancel Way. *B'ley* —4C **14**
Chancery Pl. *Donc* —6C **32**
Chancet Ct. *S8* —6C **110**
Chancet Wood. *S8* —1D **122**
Chancet Wood Clo. *S8* —1D **122**
Chancet Wood Dri. *S8* —1D **122**
Chancet Wood Ri. *S8* —1D **122**
Chancet Wood Rd. *S8* —6D **110**
Chancet Wood Vw. *S8* —1D **122**
Chandler Gro. *Tree* —6E **91**
Chandos Cres. *Kil* —3A **126**
Chandos St. *S10* —3A **98**
Chaneyfield Way. *Ches* —4D **130**
Channing Gdns. *S6* —4B **86**
Channing St. *S6* —4B **86**
Chantrey Av. *Ches* —5H **131**
Chantrey Rd. *S8* —4D **110**
Chantry Bri. *Roth* —2D **78**
Chantry Clo. *Donc* —4E **49**
Chantry Gro. *Roy* —2E **9**
Chantry Pl. *Kiv P* —4B **119**
Chantry Vw. *Mexb* —6G **43**
Chantry Vw. *Roth* —3C **78**
Chapel Av. *Bram* —3A **40**
Chapel Clo. *S10* —4F **97**
Chapel Clo. *Birdw* —4C **36**
Chapel Clo. *Burn* —2C **64**
Chapel Clo. *Roth* —3A **68**
Chapel Clo. *Shaf* —2C **10**
Chapel Clo. *Thur* —4A **94**
Chapel Ct. *Birdw* —4C **36**
Chapel Ct. *Wath D* —6E **41**
Chapelfield Cres. *Thpe H* —2B **66**
Chapelfield Dri. *Thpe H* —2B **66**
Chapel Fld. La. *P'stne* —5C **142**
Chapelfield La. *Thpe H* —2B **66**
Chapelfield Mt. *Thpe H* —2B **66**
Chapelfield Pl. *Thpe H* —2B **66**
Chapelfield Rd. *Thpe H* —1B **66**
Chapel Fld. Wlk. *P'stne* —5C **142**
Chapelfield Way. *Thpe H* —2B **66**
Chapel Hill. *Bla H* —2H **37**
Chapel Hill. *Swint* —2A **56**
Chapel Hill. *Whis* —2H **91**
Chapel La. *S9* —5C **88**
Chapel La. *S17* —5D **120**
Chapel La. *B'ley* —5E **9**
Chapel La. *Bran* —3H **49**
Chapel La. *Con* —4E **59**
Chapel La. *Gt Hou* —1G **27**
Chapel La. *L Hou* —3B **28**
Chapel La. *P'stne* —5C **142**
Chapel La. *Roth* —4D **78**
Chapel La. *Thurn* —1H **29**
Chapel La. *Wort* —1G **141**
Chapel La. E. *Has* —6D **138**
Chapel La. W. *Ches* —3E **137**
Chapel Pl. *B'ley* —1F **25**
Chapel Ri. *Ans* —2F **119**
Chapel Rd. *Burn & C'town* —3C **64**
Chapel Rd. *High G* —5C **50**
Chapel Rd. *Tank* —5A **36**
Chapel St. *B'ley* —1F **25**
Chapel St. *Ben* —1B **32**
Chapel St. *Birdw* —4C **36**
Chapel St. *Bol D* —1A **42**
Chapel St. *Brim* —3F **133**
Chapel St. *Ches* —3A **138**
(Brimington Rd.)
*Chapel St. Ches —3A **132***
(off Station Rd.)
Chapel St. *Greasb* —3B **68**
Chapel St. *Grim* —6G **11**
Chapel St. *Hoy* —6F **37**
Chapel St. *Mexb* —6C **42**
Chapel St. *Mosb* —3C **124**
Chapel St. *Rawm* —2F **69**
Chapel St. *Shaf* —2C **10**
Chapel St. *Thurn* —1E **29**
Chapel St. *Woodh* —1B **114**
Chapel Ter. *S10* —4F **97**
Chapeltown. —2F 65
Chapeltown Baths. —2E 65
Chapeltown Rd. *E'fld* —2D **65**
Chapel Vw. *Arm* —2D **34**
*Chapel Vw. Thurls —3A **142***
(off View Rd.)
Chapel Wlk. *S1* —2E **99** (3E **5**)
Chapel Wlk. *Ans* —3F **119**

Chapel Wlk. *Cat* —6C **90**
Chapel Wlk. *Mexb* —1E **57**
Chapel Wlk. *Rawm* —6D **54**
Chapel Wlk. *Roth* —3C **78**
(in two parts)
Chapel Way. *Kiv P* —5H **117**
Chapel Way. *Rawm* —6D **54**
Chapelwood Rd. *S9* —5D **88**
Chapel Yd. *Dron* —1E **129**
Chapman St. *S9* —5D **76**
Chapman St. *Thurn* —1G **29**
Chappell Clo. *H'swne* —1F **143**
Chappell Dri. *Donc* —4C **32**
Chappell Rd. *H'swne* —1F **143**
Chapter Way. *B'ley* —4C **14**
Charity St. *B'ley* —1F **15**
Charles Ashmore Rd. *S8* —1D **122**
Charles Cres. *Arm* —2D **34**
Charles Cres. Flats. *Arm* —2D **34**
Charles La. *S1* —2E **99** (4E **5**)
(in two parts)
Charles Rd. *Wath D* —6G **41**
Charles Sq. *High G* —6B **50**
Charles St. *S1* —2E **99** (4E **5**)
(in two parts)
Charles St. *B'ley* —1G **23**
Charles St. *Ches* —2G **137**
Charles St. *Cud* —5C **10**
Charles St. *Dinn* —3F **107**
Charles St. *Donc* —4E **33**
Charles St. *Gold* —4F **29**
Charles St. *Kiln* —6C **56**
Charles St. *L Hou* —2A **28**
Charles St. *Rawm* —6H **55**
Charles St. *Swint* —3B **56**
Charles St. *Thur* —4A **94**
Charles St. *Wors* —5A **24**
Charlotte La. *S1* —4B **4**
Charlotte Rd. *S1 & S2* —4E **99**
Charltonbrook. —1C 64
Charlton Brook Cres. *C'town* —1C **64**
Charlton Clough. *C'town* —2B **64**
Charlton Dri. *High G* —1C **64**
Charlton Hill Ri. *C'town* —2B **64**
Charnell Av. *Maltby* —4G **83**
Charnley Av. *S11* —2A **110**
Charnley Clo. *S11* —1H **109**
Charnley Dri. *S11* —2A **110**
Charnley Ri. *S11* —2A **110**
Charnock Av. *S12* —5D **112**
Charnock Cres. *S12* —4C **112**
Charnock Dale Rd. *S12* —5C **112**
Charnock Dri. *S12* —4D **112**
Charnock Gro. *S12* —5D **112**
Charnock Hall. —5D 112
Charnock Hall Rd. *S12* —5C **112**
Charnock Vw. Rd. *S12* —5C **112**
Charnock Wood Rd. *S12* —5D **112**
Charnwood Ct. *Soth* —5G **115**
Charnwood Dri. *Donc* —6H **45**
Charnwood Gro. *Roth* —2H **77**
Charnwood Ho. *Swint* —2B **56**
Charnwood St. *Swint* —2B **56**
Charter Arc. *B'ley* —6H **13**
Charter Dri. *Scawt* —1F **31**
Charter Row. *S1* —3E **99** (6C **4**)
Charter Sq. *S1* —3E **99** (5D **4**)
Chasecliff Clo. *Ches* —6F **131**
Chase Rd. *S6* —3D **84**
Chase, The. *S6* —3D **84**
*Chase, The. S10 —4B **98***
(off Clarkegrove Rd.)
Chase, The. *Ast* —1C **116**
Chatfield Rd. *S8* —5C **110**
*Chatham Ho. Roth —3E **79***
(off Doncaster Ga.)
Chatham St. *S3* —6E **87**
Chatham St. *Roth* —3E **79**
Chatsworth Av. *Ches* —3D **136**
Chatsworth Av. *Mexb* —5H **43**
Chatsworth Clo. *Ast* —6D **104**
Chatsworth Ct. *S11* —3F **109**
Chatsworth Ct. *Stav* —3A **134**
Chatsworth Cres. *Donc* —1H **31**
Chatsworth Dri. *Ross* —5F **63**
Chatsworth Pk. Av. *S12* —2C **112**
Chatsworth Pk. Dri. *S12* —2C **112**
Chatsworth Pk. Gro. *S12* —2C **112**
Chatsworth Pk. Ri. *S12* —2C **112**
Chatsworth Pk. Rd. *S12* —2C **112**

Chatsworth Pl. *Dron W* —1B **128**
Chatsworth Ri. *B'wth* —3D **90**
Chatsworth Ri. *Dod* —2A **22**
Chatsworth Rd. *S17* —3E **121**
Chatsworth Rd. *B'ley* —1A **14**
Chatsworth Rd. *Ches* —3B **136**
Chatsworth Rd. *Roth* —3B **78**
Chatterton Dri. *Roth* —5H **79**
Chaucer Clo. *S5* —3B **74**
Chaucer Dri. *Dron* —4G **129**
Chaucer Ho. Roth —4H **79**
(off Browning Rd.)
Chaucer Rd. *S5* —4B **74**
Chaucer Rd. *Ches* —3H **131**
Chaucer Rd. *Mexb* —5F **43**
Chaucer Rd. *Roth* —5H **79**
Cheadle St. *S6* —3A **86**
Cheapside. *B'ley* —6H **13**
Checkstone Av. *Donc* —6C **48**
Chedworth Clo. *Dart* —6C **6**
Cheedale Av. *Ches* —6E **131**
Cheedale Clo. *Ches* —5F **131**
Cheedale Wlk. *Ches* —6F **131**
Cheetham Dri. *Maltby* —3G **83**
Chelmsford Av. *Ast* —5C **104**
Chelmsford Dri. *Donc* —3F **33**
Chelsea Ct. *S11* —6A **98**
Chelsea Ri. *S11* —6A **98**
Chelsea Rd. *S11* —6A **98**
Cheltenham Ri. *Donc* —4F **31**
Cheltenham Rd. *Donc* —4A **34**
Chemist La. *Roth* —2C **78**
Cheney Row. *S1* —4E **5**
Chepstow Clo. *Ches* —5H **137**
Chepstow Dri. *Mexb* —5F **43**
Chepstow Gdns. *Ches* —6H **137**
Chepstow Gdns. *Donc* —4F **31**
Chequer Av. *Donc* —1E **47**
Chequer Rd. *Donc* —6D **32**
Cheriton Av. *Adw S* —1C **16**
Cherry Bank Rd. *S8* —4E **111**
Cherry Brook. *Roth* —1H **79**
Cherry Clo. *Cud* —5B **10**
Cherry Clo. *Roy* —1C **8**
Cherry Gth. *Ben* —4B **18**
Cherry Gro. *Con* —5B **58**
Cherry Gro. *Gold* —4E **29**
Cherry Gro. *New R* —5E **63**
Cherry Hills. *Dart* —4E **7**
Cherry La. *Donc* —5B **32**
Cherrys Rd. *B'ley* —5D **14**
Cherry St. *S2* —5E **99**
Cherry St. S. *S2* —5E **99**
Cherry Tree Clo. *S11* —6B **98**
Cherry Tree Clo. *B'wth* —3D **90**
Cherry Tree Clo. *M'well* —4G **7**
Cherry Tree Ct. *S11* —6B **98**
Cherry Tree Cres. *Wick* —4G **81**
Cherry Tree Dell. *S11* —6B **98**
Cherry Tree Dri. *S11* —6B **98**
Cherry Tree Dri. *Kil* —4B **126**
Cherry Tree Hill. —6B 98
Cherry Tree Pl. *Wath D* —4F **41**
Cherry Tree Rd. *S11* —6B **98**
Cherry Tree Rd. *Arm* —3F **35**
Cherry Tree Rd. *Donc* —1B **46**
Cherry Tree Rd. *Maltby* —4D **82**
Cherry Tree Rd. *Wal* —5E **117**
Cherry Tree Rd. *Hoy & Else* —5B **38**
Cherry Wlk. *C'town* —2E **65**
Chertsey Clo. *Ches* —5H **137**
Cherwell Clo. *Brim* —2E **133**
Chesham Rd. *B'ley* —6F **13**
Cheshire Rd. *Donc* —4E **33**
Chessel Clo. *S8* —3E **111**
Chesterfield. —2A 138
Chesterfield Av. *New W* —1E **133**
Chesterfield Crematorium. *Brim* —5D **132**
Chesterfield Golf Course. —6G **137**
Chesterfield Inner Relief Rd. *Ches* —1G **131**
Chesterfield Mus. & Art Gallery. —2B **138**
Chesterfield Rd. *S8* —5D **110**
Chesterfield Rd. *Bsvr* —6H **135**
Chesterfield Rd. *Brim* —4D **132**
Chesterfield Rd. *Cal* —3E **139**
Chesterfield Rd. *Dron* —2E **129**
Chesterfield Rd. *Eck* —6G **125**
Chesterfield Rd. *Holl & Stav* —3G **133**
Chesterfield Rd. *Swal* —1H **115**
(in two parts)

Chesterfield Rd. S. *S8* —4E **123**
Chesterfield Small Bus. Cen. Ches —4A **132**
(off Pottery La. W.)
Chesterhill Av. *Dalt* —6C **70**
Chester Ho. *Ches* —2G **137**
Chester Rd. *Donc* —3F **33**
Chester St. *Ches* —2G **137**
Chesterton Clo. *Brim* —1F **139**
Chesterton Rd. *Donc* —5C **46**
Chesterton Rd. *E'wd T* —1G **79**
Chesterton Way. *E'wd T* —6H **69**
Chesterwood Dri. *S10* —1H **97**
Chestnut Av. *S9* —2G **101**
Chestnut Av. *Arm* —2F **35**
Chestnut Av. *Beig* —2F **115**
Chestnut Av. *Brie* —3F **11**
Chestnut Av. *Donc* —2H **33**
Chestnut Av. *Eck* —6G **125**
Chestnut Av. *Kil* —4A **126**
Chestnut Av. *Kiv P* —4G **117**
Chestnut Av. *New R* —5E **63**
Chestnut Av. *Roth* —2F **79**
Chestnut Av. *S'bri* —4D **140**
Chestnut Av. *Wath D* —1F **55**
Chestnut Av. *Dron* —3G **129**
Chestnut Clo. *Flan* —3F **81**
Chestnut Clo. *B'ley* —2H **23**
Chestnut Ct. *Ben* —5A **18**
Chestnut Cres. *B'ley* —2B **24**
Chestnut Dri. *C'town* —3C **64**
Chestnut Gro. *Con* —4C **58**
Chestnut Gro. *Dinn* —3F **107**
Chestnut Gro. *Maltby* —4D **82**
Chestnut Gro. *Mexb* —5D **42**
(in two parts)
Chestnut Gro. *Spro* —3D **44**
Chestnut Gro. *Thurn* —2F **29**
Chestnut Rd. *Swal* —5H **103**
Chestnut Wlk. *Hoot L* —5E **83**
Chevet Ho. Donc —1C **46**
(off St James St.)
Chevet Ri. *Roy* —1D **8**
Chevet Vw. *Roy* —1D **8**
Cheviot Dri. *Donc* —2H **31**
Cheviot Wlk. *B'ley* —5D **12**
Cheviot Way. *Ches* —6E **131**
Chevril Ct. *Wick* —5E **81**
Chichester Rd. *S10* —1H **97**
Chilcombe Pl. *Birdw* —5D **36**
Childers St. *Donc* —2E **47**
Chiltern Clo. *Ches* —1E **137**
Chiltern Ct. Ches —1E **137**
(off Brendon Av.)
Chiltern Cres. *Spro* —2C **44**
Chiltern Ri. *B'wth* —4D **90**
Chiltern Rd. *S6* —3H **85**
Chiltern Rd. *Donc* —2H **31**
Chiltern Wlk. *B'ley* —5D **12**
Chilton St. *B'ley* —1A **24**
Chilwell Clo. *B'ley* —4B **8**
Chilwell Gdns. *B'ley* —4B **8**
Chilwell M. *B'ley* —4B **8**
Chindit Ct. *Dinn* —4F **107**
Chinley St. *S9* —6C **88**
Chippingham Pl. *S9* —5B **88**
Chippingham St. *S9* —5B **88**
Chippinghouse Rd. *S7 & S8* —6D **98**
Chiverton Clo. *Dron* —1E **129**
Chorley Av. *S10* —5C **96**
Chorley Dri. *S10* —5C **96**
Chorley Pl. *S10* —6C **96**
Chorley Rd. *S10* —6C **96**
Christchurch Av. *Ast* —5C **104**
Christchurch Flats. Wath D —4C **40**
(off Masefield Rd.)
Christ Chu. Rd. *S3* —4F **87**
Christ Chu. Rd. *Donc* —5D **32**
Christchurch Rd. *Wath D* —4C **40**
Christ Chu. Ter. *Donc* —6E **33**
Church Av. *Rawm* —3E **69**
Church Balk. *E'thpe* —4C **20**
Church Balk Gdns. *E'thpe* —4D **20**
Church Balk La. *E'thpe* —5D **20**
Church Clo. *Dart* —5C **6**
Church Clo. *Ink* —4A **134**
Church Clo. *Kiv P* —5F **117**
Church Clo. *Maltby* —5F **83**
Church Clo. *O'bri* —2D **72**
Church Clo. *Rav* —4G **71**
Church Clo. *Swint* —2A **56**
Church Corner. *Lghtn* —6F **95**

Church Cottage M. *Donc* —4G **45**
Church Ct. *Ans* —3G **119**
Church Ct. *Donc* —4D **48**
Church Cft. *E'thpe* —4C **20**
Church Cft. *Rawm* —3E **69**
Churchdale Rd. *S12* —3F **113**
Church Dri. *Brie* —3F **11**
Church Dri. *W'wth* —4C **52**
Churchfield. *B'ley* —5G **13**
Churchfield Av. *Cud* —1H **15**
Churchfield Av. *Dart* —5A **6**
Churchfield Clo. *Ben* —1A **32**
Churchfield Clo. *Dart* —5A **6**
Churchfield Ct. *B'ley* —5G **13**
Churchfield Ct. *Dart* —5B **6**
Churchfield Cres. *Cud* —1H **15**
Churchfield La. *Dart* —5A **6**
Church Fld. Dri. *Wick* —5F **81**
Churchfield Gdns. *Car* —4F **9**
Churchfield La. *W'wth* —5B **52**
Church Fields. *Roth* —2G **77**
Churchfields. *Wick* —6F **81**
Churchfields Cvn. Site. Ben —1A **32**
(off Church St.)
Churchfields Clo. *B'ley* —5G **13**
Church Fields Rd. *Ross* —3F **63**
Churchfield Ter. *Cud* —1H **15**
Church Fld. Vw. *Bal* —4G **45**
Church Fold. *B'ley* —5G **13**
Church Grn. *Wath D* —5E **41**
Church Gro. *B'ley* —3C **14**
Church Heights. *H'swne* —1F **143**
Church Hill. *Roy* —2F **9**
Church Hill. *Whis* —2A **92**
Churchill Av. *Donc* —3A **32**
Churchill Av. *Maltby* —3G **83**
Churchill Rd. *S10* —2A **98**
Churchill Rd. *Donc* —3E **33**
Churchill Rd. *S'bri* —2B **140**
Church La. *S9* —5B **88**
Church La. *S12* —4C **114**
Church La. *S17* —3D **120**
Church La. *Adw S* —1E **17**
Church La. *Ast* —1D **116**
(in two parts)
Church La. *Barn* —1G **21**
Church La. *Beig* —4G **115**
Church La. *Bes* —5C **48**
Church La. *Braml* —4H **81**
Church La. *Cal* —2F **139**
Church La. *Cat* —5C **90**
Church La. *Ches* —2A **138**
Church La. *Dinn* —4D **106**
Church La. *H'ton* —1G **43**
Church La. *Kil* —3C **126**
Church La. *Maltby* —5F **83**
Church La. *Rav* —4H **71**
Church La. *Tank* —2C **50**
Church La. *Tree* —1E **103**
Church La. *Wadw* —6H **61**
(in two parts)
Church La. *Warm* —4F **45**
(in two parts)
Church La. *Wath D* —5E **41**
Church La. *Wick* —5F **81**
Church La. *Woodh* —1B **114**
Church La. *Wors* —5G **13**
(Churchfield)
Church La. *Wors* —1D **36**
(Worsbrough Dale)
Church La. *Braml* —4H **81**
Church Lea. *Hoy* —1A **52**
Church Mdw. Rd. *Ross* —4F **63**
Church Meadows. *Cal* —2F **139**
Church M. *Ben* —1A **32**
Church M. *Bol D* —2A **42**
Church M. *Kil* —2C **126**
Church M. *Mexb* —1G **57**
Church M. *Mosb* —2D **124**
Church Rein Clo. *Warm* —5E **45**
Church Rd. *Barn D* —1G **21**
Church Rd. *Den M* —1C **58**
Church Rd. *Edl'tn* —2B **60**
Church Rd. *Kirk S* —3D **20**
Church Rd. *Wadw* —6H **61**
Churchside. *Cal* —2F **139**
Churchside. *Has* —6D **138**
Church St. *S1* —2E **99** (3E **5**)
Church St. *S6* —6C **84**
Church St. *Arm* —3E **35**
Church St. *B'ley* —5G **13**

Church St. *Ben* —1A **32**
Church St. *Bol D* —1A **42**
Church St. *Brie* —2F **11**
Church St. *Brim* —4E **133**
Church St. *Cal* —2F **139**
Church St. *Car* —4F **9**
Church St. *Con* —3E **59**
Church St. *Cud* —1H **15**
Church St. *D'fld* —4F **27**
Church St. *Dart* —5C **6**
Church St. *Donc* —5C **32**
Church St. *Dron* —2E **129**
Church St. *E'fld* —6E **65**
Church St. *Eck* —5E **125**
Church St. *Else* —6C **38**
Church St. *Gawber* —4C **12**
Church St. *Greasb* —2G **77**
Church St. *Jump* —4B **38**
Church St. *M'well* —4G **7**
Church St. *Mexb* —1F **57**
Church St. *O'bri* —2C **72**
Church St. *P'stne* —4D **142**
Church St. *Rawm* —3E **69**
Church St. *Roth* —3D **78**
(S60)
Church St. *Roth* —3A **68**
(S61)
Church St. *Roy* —2E **9**
Church St. *Stav* —1C **134**
Church St. *Swint* —2H **55**
Church St. *Thur* —5B **94**
Church St. *Thurn* —1E **29**
Church St. *Wal* —5F **117**
Church St. *Wath D* —5E **41**
Church St. *Womb* —1F **39**
Church St. Clo. *Thurn* —1E **29**
Church St. N. *Old W* —1A **132**
Church St. S. *Ches* —6H **137**
(in two parts)
Church St. W. *Ches* —3E **137**
Church Town. —3C **126**
Church Vw. *Ast* —6D **104**
Church Vw. *Barn* —1G **43**
Church Vw. *B'ley* —4F **13**
Church Vw. *Ches* —3E **137**
Church Vw. *Cud* —1H **15**
Church Vw. *D'fld* —4G **27**
Church Vw. *Donc* —5C **32**
Church Vw. *Edl'tn* —4A **60**
Church Vw. *Hoy* —6F **37**
Church Vw. *Kil* —2C **126**
Church Vw. *Swint* —2A **56**
Church Vw. *Thry* —4D **70**
Church Vw. *Tod* —2B **118**
Church Vw. *Wadw* —6H **61**
Church Vw. *Wick* —5F **81**
Church Vw. *Woodh* —1C **114**
Church Vw. Cres. *P'stne* —4D **142**
Church Vw. Rd. *P'stne* —4D **142**
Church Wlk. Ches —2A **138**
(off Stephenson Pl.)
Church Wlk. *Den M* —1C **58**
Church Wlk. Thurn —1E **29**
(off Church St.)
Church Way. *Adw S* —1D **16**
Church Way. *Ches* —2A **138**
Church Way. *Donc* —5C **32**
Churcroft. *B'ley* —3C **12**
Churston Rd. *Ches* —2F **137**
Cinder Bri. Rd. *Roth* —3C **68**
Cinderhill La. *S8* —1F **123**
Cinder Hill La. *Gren & E'fld* —1B **74**
Cinderhill Rd. *Roth* —5G **67**
Cinder Hills Way. *Dod* —2C **22**
Cinder La. *Kil* —2D **126**
Circle Clo. *S2* —5D **100**
Circle, The. *S2* —4C **100**
Circle, The. *High G* —6C **50**
Circle, The. *New R* —4C **62**
Circuit, The. *W'land* —1B **16**
Circular Rd. *Has* —5B **138**
Circular Rd. *Stav* —3B **134**
City Rd. *S2 & S12* —3H **99**
City Road Cemetery & Crematorium. *S2*
—5A **100**
Clanricarde St. *B'ley* —3G **13**
Clara Pl. *K'wth* —3H **77**
Clare Ct. *Roth* —2D **78**
Clarehurst Rd. *D'fld* —3E **27**
Clarel Clo. *P'stne* —5C **142**

Clarell Gdns. *Donc* —2C **48**
Clarel St. *P'stne* —5C **142**
Claremont Cres. *S10* —2B **98**
Claremont Pl. *S10* —2B **98**
Claremont St. *Roth* —3H **77**
Clarence Av. *Donc* —3B **46**
Clarence La. *S3* —4D **98**
Clarence Pl. *Maltby* —3G **83**
Clarence Rd. *B'ley* —3B **14**
Clarence Rd. *Ches* —2H **137**
Clarence Sq. *Dinn* —4G **107**
Clarence St. *Ches* —2H **137**
Clarence St. *Dinn* —4G **107**
Clarence St. *Wath D* —4C **40**
Clarence Ter. Thurn —1G **29**
(off Stuart St.)
Clarendon Ct. *S11* —5E **97**
Clarendon Dri. *S10* —5E **97**
Clarendon Rd. *S10* —5E **97**
Clarendon Rd. *Ink* —5A **134**
Clarendon Rd. *Roth* —2F **79**
Clarendon St. *B'ley* —6F **13**
Clark Av. *Donc* —1E **47**
Clark Av. *Edl'tn* —5B **60**
Clarke Av. *Dinn* —2C **106**
Clarke Av. *Thur* —5C **94**
Clarke Ct. *Dinn* —3F **107**
Clarke Dell. *S10* —4B **98**
Clarke Dri. *S10* —4B **98**
Clarkegrove Rd. *S10* —4B **98**
Clarkehouse Rd. *S10* —4A **98**
Clarkes Cft. *Womb* —6A **82**
Clarke Sq. *S2* —5D **98**
Clarke St. *S10* —4B **98** (6A 4)
Clarke St. *B'ley* —4F **13**
Clarke St. *Thurn* —1G **29**
Clark Gro. *S6* —5D **84**
Clarks Ct. *Adw S* —1D **16**
Clarkson Av. *Ches* —5H **137**
Clarkson St. *S10* —2C **98**
Clarkson St. *Wors* —4C **24**
Clark St. *Hoy* —4H **37**
Clarney Av. *D'fld* —3D **26**
Clarney Pl. *D'fld* —3E **27**
Claycliffe Av. *B'ley* —3B **12**
Claycliffe Bus. Pk. *B'ley* —2B **12**
Claycliffe Rd. *Bar G & B'ley* —1B **12**
Claycliffe Ter. *B'ley* —1F **23**
Claycliffe Ter. *Gold* —4G **29**
Clayfield Av. *Mexb* —6H **43**
Clayfield Clo. *Mexb* —6H **43**
Clayfield Ct. *Mexb* —6H **43**
Clayfield La. *W'wth* —4D **52**
Clayfield Rd. *Hoy* —3H **37**
Clayfield Rd. *Mexb* —6H **43**
Clayfields. *Donc* —6A **46**
Clayfield Vw. *Mexb* —5H **43**
(in three parts)
Clay Flat La. *New R* —5D **62**
Clay La. *S1* —5E **5**
Clay La. *Donc* —6B **20**
(in two parts)
Clay La. W. *Donc* —5A **20**
(in two parts)
Clay Pit La. *Rawm* —2G **69**
Clay Pits La. *S'bri* —2A **140**
Clayroyd. *Wors* —5B **24**
Clay St. *S9* —4B **88**
(in two parts)
Clayton Av. *Thurn* —1D **28**
Clayton Cres. *Wat* —5E **115**
Clayton Dri. *Thurn* —1D **28**
Clayton Hollow. *Wat* —5E **115**
Clayton La. *Thurn* —1D **28**
Clayton St. *Ches* —3B **138**
Clay Wheels La. *S6* —5H **73**
Claywood Dri. *S2* —3G **99** (6H 5)
Claywood Rd. *S2* —3G **99** (5H 5)
(Claywood Dri.)
Claywood Rd. *S2* —4G **99**
(Granville Rd.)
Clayworth Dri. *Donc* —5H **47**
Clear Vw. *Grim* —5G **11**
Cleeve Hill Gdns. *Wat* —5D **114**
Clematis Rd. *S5* —6B **76**
Clement M. *Roth* —3G **77**
Clementson Rd. *S10* —1A **98**
Clement St. *S9* —5D **88**
Clement St. *Roth* —3G **77**

Clevedon Cres. *Donc* —6H **17**
Clevedon Way. *Maltby* —2H **83**
Clevedon Way. *Roy* —1D **8**
Cleveland Rd. *Arm* —3G **35**
Cleveland St. *S6* —6C **86**
Cleveland St. *Donc* —1C **46**
Cleveland Way. *Ches* —1D **136**
Cliff Ct. *Den M* —2B **58**
Cliff Cres. *Warm* —5E **45**
Cliff Dri. *D'fld* —4G **27**
Cliffe Av. *Wors* —4B **24**
Cliffe Bank. *Swint* —2B **56**
Cliffe Clo. *Brie* —2F **11**
Cliffe Ct. *B'ley* —4C **14**
Cliffe Cres. *Dod* —2A **22**
Cliffedale Cres. *Wors* —3B **24**
Cliffe Farm Dri. *S11* —6G **97**
Cliffe Fld. Rd. *S8* —2D **110**
Cliffefield Rd. *Swint* —2B **56**
Cliffe Ho. Rd. *S5* —5F **75**
Cliffe La. *B'ley* —4C **14**
Cliffe Rd. *S6* —5G **85**
Cliffe Rd. *Bram* —3A **40**
Cliffe Vw. Rd. *S8* —2E **111**
Cliff Hill. *Maltby* —4D **82**
Cliff Hills Clo. *Maltby* —4E **83**
Cliff La. *Brie* —3E **11**
Cliff La. *Con* —6H **57**
Clifford Av. *Thry* —5E **71**
Clifford Clo. *Ches* —3D **136**
Clifford Lister Bus. Cen., The. *Wick* —5E **81**
Clifford Rd. *S11* —6B **98**
Clifford Rd. *H'by* —5A **82**
Clifford Rd. *Roth* —6G **67**
Clifford St. *Cud* —4C **10**
Clifford Wlk. *Den M* —2A **58**
Cliff Rd. *S6* —5D **84**
Cliff Rd. *D'fld* —4G **27**
Cliff St. *S11* —4D **98**
Cliff St. *Mexb* —1E **57**
Cliff Ter. *B'ley* —6A **14**
Cliff Vw. *Den M* —1B **58**
Clifton. —3F **79**
Clifton Av. *S9* —2G **101**
Clifton Av. *B'ley* —5A **8**
Clifton Av. *Roth* —3G **79**
Clifton Bank. *Roth* —3F **79**
Clifton Clo. *B'ley* —5A **8**
Clifton Cres. *S9* —2F **101**
Clifton Cres. *Donc* —3H **33**
Clifton Cres. N. *Roth* —3F **79**
Clifton Cres. S. *Roth* —3F **79**
Clifton Dri. *Spro* —1F **45**
Clifton Gdns. *Brie* —2E **11**
Clifton Gro. *Roth* —3F **79**
Clifton Hill. *Con* —4E **59**
Clifton La. *S9* —3G **101**
Clifton La. *Con* —5F **59**
Clifton La. *Roth* —3F **79**
Clifton Mt. *Roth* —3E **79**
Clifton Pk. Mus. —3F **79**
Clifton Ri. *Maltby* —3E **83**
Clifton Rd. *Grim* —6G **11**
Clifton St. *S9* —3D **88**
Clifton St. *B'ley* —1A **24**
Clifton St. *Ches* —2G **137**
Clifton Ter. *Con* —3F **59**
Clifton Ter. *Roth* —3E **79**
Clinton La. *S10* —3C **98** (6A 4)
Clinton Pl. *S10* —4C **98** (6A 4)
Clinton Wlk. *S10* —3C **98** (6A 4)
Clipstone Av. *B'ley* —5B **8**
Clipstone Gdns. *S9* —5E **89**
Clipstone Rd. *S9* —5E **89**
Clixby Rd. *S9* —4B **88**
Cloisters, The. *Donc* —4E **49**
Cloisters, The. *Wors* —1D **36**
Cloisters Way. *B'ley* —4D **14**
Cloonmore Cft. *S8* —6G **111**
Cloonmore Dri. *S8* —6G **111**
Close, The. *B'ley* —4E **15**
Close, The. *Bran* —3H **49**
Close, The. *Car* —4E **9**
Cloudberry Way. *M'well* —5H **7**
Clough Bank. *S2* —5F **99**
Clough Bank. *Roth* —2B **78**
(in two parts)
Clough Field. —1F **97**
Clough Fields. *S10* —1F **97**
Clough Fields Rd. *Hoy* —6G **37**
Clough Grn. *Roth* —2C **78**

Clough Gro. *O'bri* —2E **73**
Clough Head. *P'stne* —6D **142**
Clough La. *S10* —2A **108**
Clough Rd. *S1 & S2* —4E **99**
Clough Rd. *Hoy* —6H **37**
Clough Rd. *Roth* —3B **78**
(in two parts)
Clough St. *Roth* —2B **78**
Clough, The. *Ches* —4E **139**
Clough Wood Vw. *O'bri* —3D **72**
Clovelly Rd. *E'thpe* —5D **20**
Clover Ct. *S8* —5H **111**
Clover Gdns. *S5* —6A **76**
Clover Grn. *Roth* —5G **67**
Cloverlands Dri. *M'well* —5G **7**
Clover Wlk. *Bol D* —6D **28**
Club Garden Rd. *S11* —5D **98**
(in two parts)
Club Garden Wlk. S11 —4D 98
(off London Rd.)
Club Mill Rd. *S6* —2C **86**
Clubmill Ter. *Ches* —1G **137**
Club St. *S11* —5D **98**
Club St. *B'ley* —3C **14**
Club St. *Hoy* —6F **37**
Clumber Pl. *Ink* —5A **134**
Clumber Ri. *Ast* —1C **116**
Clumber Rd. *S10* —4E **97**
Clumber Rd. *Donc* —2F **47**
Clumber St. *B'ley* —5E **13**
Clun Rd. *S4* —5G **87**
Clun St. *S4* —5G **87**
Clyde Rd. *S8* —1D **110**
Clyde St. *B'ley* —6H **13**
Coach Ho. Dri. *Donc* —5F **31**
Coach Ho. La. *B'ley* —3H **23**
Coach Houses, The. S10 —1B 98
(off Moorgate Av.)
Coach Rd. *Roth* —3B **68**
Coach Rd. *W'wth* —4H **51**
Coal Aston. —5G 123
Coalbrook Av. *S13* —5D **102**
Coalbrook Gro. *S13* —5D **102**
Coalbrook Rd. *S13* —5D **102**
Coalby Wlk. B'ley —5G 13
(off Prospect St.)
Coal Pit La. *Brie* —3D **10**
Coal Pit La. *O'bri* —4A **72**
Coal Pit La. *S'bri* —5D **140**
Coalpit La. *Wal* —6F **117**
Coalpit La. *Den M* —2A **58**
Coal Riding La. *Roth* —3D **80**
Coates St. *S2* —3G **99**
Cobb Ct. *Swint* —4B **56**
Cobb Dri. *Swint* —4A **56**
Cobcar Av. *Else* —6D **38**
Cobcar Clo. *Else* —5C **38**
Cobcar La. *Else* —5C **38**
Cobcar St. *Else* —6C **38**
Cobden Av. *Mexb* —6F **43**
Cobden Pl. *S10* —1A **98**
Cobden Rd. *Ches* —1H **137**
Cobden Ter. *S10* —1A **98**
Cobden Vw. Rd. *S10* —1H **97**
Cobnar Av. *S8* —5E **111**
Cobnar Dri. *S8* —5E **111**
Cobnar Dri. *Ches* —3F **131**
Cobnar Gdns. *S8* —5D **110**
Cobnar Rd. *S8* —5D **110**
Cock Alley. —4G 139
Cockayne Pl. *S8* —2D **110**
Cockerham Av. *B'ley* —4G **13**
Cockerham La. *B'ley* —4G **13**
Cockhill La. *S'ton* —6A **60**
(in two parts)
Cockpit La. *P'stne* —4D **142**
Cockshot La. *Deep* —5E **141**
Cockshot Pit La. *M'well* —5E **7**
Cockshutt Av. *S8* —1B **122**
Cockshutt Dri. *S8* —1B **122**
Cockshutt Rd. *S8* —1B **122**
Cockshutts La. *O'bri* —1B **72**
Coggin Mill Way. *Roth* —4A **78**
Coisley Hill. —2H 113
Coisley Hill. *S13* —1H **113**
Coisley Rd. *S13* —2A **114**
Coit La. *S11* —4D **108**
Coke Hill. *Roth* —4D **78**
Coke La. *Roth* —4D **78**
Colbeck Clo. *Arm* —3E **35**
Colby Pl. *S6* —6F **85**

Colchester Ct. *Donc* —3G **31**
Colchester Rd. *S10* —1H **97**
Coldstream Av. *Warm* —5F **45**
Coldwell Hill. *O'bri* —2B **72**
Coldwell La. *S10* —2E **97**
Coldwell's Fold. *Thurls* —3A **142**
Coleford Rd. *S9* —5E **89**
Coleman St. *P'gte* —4B **69**
Coleridge Av. *B'ley* —3B **14**
Coleridge Gdns. *S9* —5D **88**
Coleridge Rd. *S9* —4C **88**
Coleridge Rd. *Barn D* —1H **21**
Coleridge Rd. *Maltby* —5G **83**
Coleridge Rd. *Roth* —2F **79**
Coleridge Rd. *Wath D* —4C **40**
Coley La. *Bram B & W'wth* —6H **39**
Colister Dri. *S9* —1E **101**
Colister Gdns. *S9* —2D **100**
College Av. *Stav* —2B **134**
College Clo. *S4* —3G **87**
College Ct. *S4* —3G **87**
College Ct. *Mexb* —6F **43**
College La. Roth —3D 78
(off College St.)
College Pk. Clo. *Roth* —6E **79**
College Rd. *Donc* —1C **46**
(in two parts)
College Rd. *Mexb* —6F **43**
College Rd. *Roth* —3B **78**
(in two parts)
College Rd. Roundabout. *Roth* —2C **78**
College St. *S10* —3B **98**
College St. *Roth* —3D **78**
College Ter. *D'fld* —4E **27**
College Wlk. Roth —2D 78
(off Frederick St.)
College Wlk. Shop. Cen. Roth —2D 78
(off Frederick St.)
Collegiate Cres. *S10* —4B **98** (6A **4**)
Colley Av. *S5* —3E **75**
Colley Av. *B'ley* —3D **24**
Colley Clo. *S5* —3E **75**
Colley Cres. *S5* —3F **75**
Colley Cres. *B'ley* —2C **24**
Colley Dri. *S5* —3F **75**
Colley Pl. *B'ley* —2C **24**
Colley Rd. *S5* —3E **75**
Colliers Clo. *S13* —1B **114**
Colliery Clo. *Dinn* —3E **107**
Colliery Clo. *Stav* —2D **134**
Colliery La. *Thurn* —3F **29**
Colliery Rd. *S4* —2C **88**
Colliery Rd. *Kiv P* —5H **117**
Colliery Vs. *Thur* —3B **94**
Colliery Yd. *Tank* —1B **50**
Collin Av. *S6* —2G **85**
Collindridge Rd. *Womb* —1F **39**
Collingbourne Av. *Soth* —6G **115**
Collingbourne Dri. *Soth* —6G **115**
Collingham Rd. *Swal* —1A **116**
Collins Clo. *Dod* —2A **22**
Collinson Rd. *S5* —5E **75**
Collins Yd. Dron —2F 129
(off Mill La.)
Collishaw Clo. *Has* —5C **138**
Colne Ct. *Roth* —1E **91**
Colonel Ward Dri. *Swint* —2C **56**
Colonnades Shop. Cen. Donc —6C 32
(off Duke St.)
Colster Clo. *B'ley* —5C **12**
Coltfield. *Birdw* —2D **36**
Coltishall Av. *Braml* —3H **81**
Colton Clo. *Ches* —2G **131**
Columbia St. *S2* —2G **23**
Columbus Way. *Maltby* —3E **83**
Colver Rd. *S2* —5E **99**
(in two parts)
Colvin Clo. *Arm* —6E **19**
Colwall St. *S9* —5B **88**
Commerce St. *C'town* —1F **65**
Commercial Rd. *Gold* —5E **29**
Commercial St. *S1* —2F **99** (3G **5**)
Commercial St. *B'ley* —1A **24**
Common Farm Clo. *Rav* —1H **81**
Common La. *S11* —1D **108**
Common La. *Ark* —2G **19**
Common La. *Bram M* —6G **93**
Common La. *Con & Clif* —6F **59**
Common La. *Cut* —3A **130**
Common La. *Deep* —5G **141**
Common La. *Harw* —6F **63**

Common La. *Rav* —1A **82**
Common La. *Roy* —1E **9**
(in two parts)
Common La. *Thur* —6D **94**
Common La. *Warm* —5F **45**
Common La. *Wath D* —5H **41**
(Doncaster Rd.)
Common La. *Wath D* —3B **42**
(Mexborough Rd., in two parts)
Common Rd. *Ans* —3D **106**
(Monk's Bri. Rd.)
Common Rd. *Ans* —4A **106**
(Pocket Handkerchief La.)
Common Rd. *Brie* —3G **11**
Common Rd. *Con* —4G **59**
Common Rd. *Thurn* —1D **28**
Common Side. —2B 112
Commonside. *S10* —1A **98**
Common, The. *E'fld* —6F **65**
Commonwealth Vw. *Bol D* —1H **41**
Compton St. *S6* —5H **85**
Compton St. *Ches* —2H **137**
Conalan Av. *S17* —4H **121**
Conanby. —3C 58
Conan Rd. *Con* —3D **58**
Concord Leisure Cen. —4A 76
Concorde M. *Donc* —5D **32**
Concord Pk. Golf Course. —4B 76
Concord Rd. *S5* —3A **76**
Concord Vw. Rd. *Roth* —4E **77**
Conduit La. *S10* —1A **98**
Conduit Rd. *S10* —1A **98**
Conery Clo. *Thry* —5E **71**
Coney Rd. *Toll B* —3A **18**
Congress St. *S1* —2D **98** (3C **4**)
Coningsburgh Rd. *E'thpe* —5D **20**
Coningsby Ho. *S10* —3D **96**
Coningsby Rd. *S5* —2G **87**
Conisborough Castle. —3E 59
Conisborough Castle Vis. Cen. —3E 59
Conisbrough. —3E 59
Coniston Av. *Dart* —3E **7**
Coniston Clo. *Ans* —1H **119**
Coniston Clo. *P'stne* —3D **142**
Coniston Ct. *Mexb* —5H **43**
Coniston Dri. *Bol D* —2A **42**
Coniston Dri. *Donc* —1H **31**
Coniston Rd. *S8* —2C **110**
Coniston Rd. *B'ley* —6A **14**
Coniston Rd. *Ches* —3F **131**
Coniston Rd. *Donc* —5A **34**
Coniston Rd. *Dron W* —3B **128**
Coniston Rd. *Kirk S* —3D **20**
Coniston Rd. *Mexb* —5G **43**
Coniston Ter. *S8* —2C **110**
Coniston Way. *Ches* —3F **131**
Connaught Dri. *Kirk S* —3D **20**
Connelly Ct. *Ches* —2G **137**
Conrad Dri. *Maltby* —3E **83**
Constable Clo. *S14* —5H **111**
Constable Clo. *Dron* —2C **128**
Constable Clo. *Flan* —3F **81**
Constable Dri. *S14* —5H **111**
Constable La. *Dinn* —4F **107**
Constable Pl. *S14* —5A **112**
Constable Rd. *Wath D* —5E **41**
Constable Rd. *S14* —5H **111**
Constable Way. *S14* —5H **111**
Constable Way. *Dalt* —6A **70**
Constitution Hill. *Cad* —1F **59**
(in two parts)
Convent Gro. *Donc* —3B **48**
Convent Pl. *S3* —2D **98** (4B **4**)
Convent Wlk. *S3* —2D **98** (4B **4**)
Conway Ct. *Bes* —6B **48**
Conway Cres. *Roth* —1A **80**
Conway Dri. *Barn* —1G **43**
Conway Dri. *Bran* —3H **49**
Conway Pl. *Womb* —2H **39**
Conway St. *S3* —2C **98** (4A **4**)
Conway St. *B'ley* —1D **24**
Conway Ter. *Mexb* —5E **43**
Conyers Dri. *Ast* —5B **104**
Conyers Rd. *Donc* —4B **32**
Coo Hill. *S13* —1C **114**
Cook Av. *Maltby* —3E **83**
Cooke & Beard Homes. *S8* —2F **111**
Cooke St. *Ben* —1A **32**
Cookson Clo. *S5* —5B **74**
Cookson Rd. *S5* —6B **74**
Cookson St. *Donc* —3B **46**

Cooks Rd. *Beig* —5G **115**
Cooks Wood Rd. *S3* —4B **87**
Coombe Pl. *S10* —2A **98**
Coombe Rd. *S10* —2A **98**
Co-operative Cotts. *Brie* —2F **11**
Co-operative Cotts. *Pool* —4E **135**
Co-operative St. *Cud* —1G **15**
Co-operative St. *Gold* —4G **29**
Co-operative St. *Wath D* —4D **40**
Cooper Gallery. —5H **13**
Cooper Rd. *Dart* —5A **6**
Coopers Ter. *Donc* —6D **32**
Cooper St. *Donc* —2E **47**
Copeland Rd. *Womb* —1E **39**
Cope St. *B'ley* —2H **23**
Copley Av. *Con* —3C **58**
Copley Cres. *Donc* —3E **31**
Copley Pl. *Roth* —1A **78**
Copley Rd. *Donc* —5D **32**
Copley St. *S8* —1E **111**
Copper Beech Clo. *Beig* —4G **115**
Copper Beech Cres. *Hoot L* —6E **83**
Copper Clo. *C'ley* —1H **23**
Copper St. *S3* —1E **99** (1D **4**)
Coppice Av. *B'ley* —3D **12**
Coppice Clo. *Has* —6D **138**
Coppice Gdns. *Roth* —5B **68**
Coppice La. *S6* —1B **96**
Coppice La. *Harl* —4H **51**
Coppice Rd. *S10* —2B **96**
Coppice Rd. *High* —5D **16**
Coppice, The. *Roth* —5E **67**
Coppice Vw. *S10* —2F **97**
Coppicewood Ct. *Bal* —1H **57**
Coppins Clo. *Braml* —3H **81**
Coppin Sq. *S5* —2D **74**
Copse, The. *Braml* —3H **81**
Coquet Av. *Braml* —5H **81**
Coral Clo. *Aug* —3A **104**
Coral Dri. *Aug* —3A **104**
Coral Pl. *Aug* —3A **104**
Coral Way. *Aug* —3A **104**
Corby Rd. *S4* —2B **88**
Corby St. *S4* —5H **87**
Cordwell Av. *Ches* —3E **131**
Cordwell Clo. *Stav* —3B **134**
Corker Bottoms. —3C 100
Corker Bottoms La. *S2* —2B **100**
Corker Rd. *S12* —1C **112**
Cornfield Clo. *Ash* —6C **130**
Corn Hill. *Con* —4F **59**
Cornish St. *S6* —6D **86**
(in two parts)
Cornish Way. *P'gte* —5E **69**
Cornwall Av. *Brim* —3F **133**
Cornwall Clo. *B'ley* —3B **14**
Cornwall Clo. *Brim* —3F **133**
Cornwall Dri. *Brim* —3F **133**
Cornwall Rd. *Donc* —4H **33**
Cornwell Clo. *Rawm* —5C **54**
Coronach Way. *New R* —5C **62**
Coronation Av. *Dinn* —3F **107**
Coronation Av. *Kiv P* —5G **117**
Coronation Av. *Roy* —1G **9**
Coronation Av. *Shaf* —2B **10**
Coronation Bri. *Roth* —3B **78**
Coronation Cotts. *Barn D* —1G **21**
Coronation Ct. *Mexb* —5E **43**
Coronation Cres. *Birdw* —2D **36**
Coronation Dri. *Birdw* —2D **36**
Coronation Dri. *Bol D* —1H **41**
Coronation Gdns. *Warm* —5E **45**
Coronation Rd. *Bar G* —3A **12**
Coronation Rd. *Brim* —3E **133**
Coronation Rd. *Donc* —4B **46**
Coronation Rd. *Hoy* —5H **37**
Coronation Rd. *Rawm* —1A **70**
Coronation Rd. *S'bri* —3D **140**
Coronation Rd. *Swint* —2C **56**
Coronation Rd. *Wath D* —5G **41**
Coronation St. *B'ley* —3C **14**
Coronation St. *D'fld* —3F **27**
Coronation St. *Thurn* —1G **29**
Coronation Ter. *B'ley* —1F **25**
Coronation Ter. *H'fld* —3E **39**
Corporation Bldgs. *S3* —2F **5**
Corporation St. *S3* —1E **99** (1E **5**)
Corporation St. *B'ley* —2A **24**
Corporation St. *Ches* —2B **138**
(in two parts)

Corporation St. *Roth* —3D **78**
Cortina Ri. *D'fld* —3C **26**
Corton Wood Dri. *Bram* —3H **39**
Cortonwood Ho. Donc —1C 46
(off Bond Clo.)
Cortworth. —4F 53
Cortworth La. *W'wth* —4F **53**
Cortworth Pl. *Else* —5D **38**
Cortworth Rd. *S11* —3G **109**
Corve Way. *Ches* —6B **130**
Corwen Pl. *S13* —1A **114**
Cosgrove Ct. *E'thpe* —5E **21**
Cossey Rd. *S4* —5H **87**
Coterel Cres. *Donc* —2D **48**
Cotleigh Av. *S12* —4A **114**
Cotleigh Clo. *S12* —4A **114**
Cotleigh Cres. *S12* —4A **114**
Cotleigh Dri. *S12* —4A **114**
Cotleigh Gdns. *S12* —4A **114**
Cotleigh Pl. *S12* —4A **114**
Cotleigh Rd. *S12* —4A **114**
Cotleigh Way. *S12* —4A **114**
Cotswold Av. *C'town* —2C **64**
Cotswold Clo. *B'ley* —5D **12**
Cotswold Clo. *Ches* —6E **131**
Cotswold Cres. *Whis* —2A **92**
Cotswold Dri. *Ast* —6C **104**
Cotswold Dri. *Spro* —2C **44**
Cotswold Gdns. *Donc* —2H **31**
Cotswold Rd. *S6* —3H **85**
Cottage Clo. *Pool* —3E **135**
Cottage La. *S11* —2C **108**
Cottam Clo. *Whis* —2A **92**
Cottam Rd. *High G* —6A **50**
Cottenham Rd. *Roth* —2F **79**
Cotterdale Gdns. *Womb* —6D **26**
Cotterhill La. *Brim* —4E **133**
Cottesmore Clo. *B'ley* —4E **13**
Cottingham St. *S9* —1D **8**
Cotton Mill Hill. *Holy* —6A **136**
Cotton Mill Row. *S3* —6E **87** (1E **5**)
Cotton Mill Wlk. *S3* —6E **87**
Cotton St. *S3* —6E **87** (1E **5**)
Coultas Av. *Deep* —5F **141**
Countess Rd. *S1* —4E **99**
County Ct. *B'ley* —5H **13**
County Way. *B'ley* —5H **13**
(in two parts)
Coupe St. *S3* —5F **87**
Coupland Rd. *Roth* —1A **80**
Court Clo. *Donc* —3F **31**
Court Pl. *Stav* —3A **134**
Courtyard, The. *B'ley* —6C **12**
Courtyard, The. *Old De* —2G **57**
Coventry Gro. *Donc* —2H **33**
Coventry Rd. *S9* —6E **89**
Cover Clo. *Harl* —4H **51**
Coverdale Rd. *S7* —2C **110**
Cover Dri. *D'fld* —3F **27**
Coverleigh Rd. *Wath D* —1F **55**
Coward Dri. *O'bri* —2D **72**
Cow Ho. La. *Arm* —3G **35**
Cow La. *S11* —4G **109**
(Abbey La.)
Cow La. *S11* —5G **97**
(Greystones)
Cow La. *Brim* —2E **133**
Cowley. —4B 133
Cowley Clo. *Ches* —2B **138**
Cowley Dri. *C'town* —3G **65**
Cowley Gdns. *W'fld* —1E **125**
Cowley Grn. *Womb* —1D **38**
Cowley Hill. *C'town & Thpe H* —3G **65**
Cowley La. *C'town* —2F **65**
Cowley La. *Holm* —3A **128**
Cowley Pl. *Kirk S* —3D **20**
Cowley Rd. *O'bri* —3D **72**
Cowley Vw. Rd. *C'town* —3F **65**
Cowlishaw Rd. *S11* —5A **98**
Cowood St. *Mexb* —1D **56**
Cowper Av. *S6* —3B **74**
Cowper Cres. *S6* —3B **74**
Cowper Dri. *S6* —3B **74**
Cowper Dri. *Roth* —5H **79**
Cowper Rd. *Mexb* —6F **43**
Cowpingle La. *Brim* —2E **133**
(in two parts)
Cowrakes Clo. *Whis* —2A **92**
Cow Rakes La. *Whis* —2A **92**
Cox Pl. *S6* —2F **85**
Cox Rd. *S6* —2F **85**

Crabtree Av. *S5* —3G **87**
Crabtree Clo. *S5* —2G **87**
Crabtree Ct. *B'ley* —1F **25**
Crabtree Cres. *S5* —2F **87**
Crabtree Dri. *S5* —2G **87**
Crab Tree Hill La. *H'swne* —1E **143**
Crabtree La. *S5* —2G **87**
Crabtree Pl. *S5* —2G **87**
Crabtree Rd. *S5* —2F **87**
Cradley Dri. *Ast* —6C **104**
Cradock M. *S2* —6A **100**
Cradock Rd. *S2* —6A **100**
Craganour Pl. Den M —2B 58
(off Bolton St.)
Cragdale Gro. *Mosb* —2D **124**
Craglands Gro. *Ches* —6C **130**
Crags Rd. *Den M* —2D **58**
Crag Vw. Clo. *O'bri* —1D **72**
Crag Vw. Cres. *O'bri* —1D **72**
Craigholme Cres. *Donc* —2A **34**
Craig Wlk. *Braml* —1E **81**
Craithie Rd. *Donc* —5F **33**
Crakehall Rd. *E'fld* —4F **65**
Cramfit Clo. *Ans* —1F **119**
Cramfit Cres. *Dinn* —4D **106**
Cramfit Rd. *Ans* —6C **106**
Cramlands. *Dod* —2C **22**
Cranborne Dri. *Dart* —4D **6**
Cranborne Rd. *Ches* —4G **131**
Cranbrook Rd. *Donc* —4E **33**
Cranbrook St. *B'ley* —1F **23**
Crane Dri. *Roth* —2G **77**
Crane Moor Clo. *H'ton* —1G **43**
Crane Rd. *Roth* —5G **67**
Crane Well La. *Bol D* —1C **42**
Cranfield Clo. *Arm* —4F **35**
Cranford Ct. *Owl* —5A **114**
Cranford Dri. *Owl* —4A **114**
Cranford Gdns. *Roy* —1D **8**
Cranleigh Gdns. *Adw S* —2C **16**
Cranleigh Rd. *Mas M* —1F **135**
Cranston Clo. *B'ley* —3D **14**
Cranswick Way. Con —3G 59
(off Milner Ga. Ct.)
Cranwell Ct. *Gold* —5E **29**
Cranwell Rd. *Cant* —4F **49**
Cranworth Clo. *Roth* —2G **79**
Cranworth Pl. *S3* —5F **87**
Cranworth Rd. *S3* —5F **87**
Cranworth Rd. *Roth* —1F **79**
Craven Clo. *S9* —6B **89**
Craven Clo. *Donc* —3C **48**
Craven Clo. *Roy* —1D **8**
Craven Rd. *Ches* —6H **131**
Craven St. *S3* —1D **98** (1B **4**)
Craven St. *P'gte* —4F **69**
Craven Wood Clo. *B'ley* —4C **12**
Crawford Rd. *S8* —3D **110**
Crawshaw Av. *S8* —1B **122**
Crawshaw Gro. *S8* —1B **122**
Crawshaw Rd. *Donc* —1A **46**
Cream St. *S2* —4F **99**
Crecy Av. *Donc* —5A **34**
Creighton Av. *Rawm* —2H **69**
Cresacre Av. *Barn* —1G **43**
Crescent E., The. *S'side* —2G **81**
Crescent End, The. *Thur* —5B **94**
Crescent Rd. *S7* —6C **98**
Crescent Rd. *Holy* —6A **136**
Crescent, The. *S17* —4E **121**
Crescent, The. *Arm* —4G **35**
Crescent, The. *B'ley* —3D **12**
Crescent, The. *Bol D* —6F **29**
Crescent, The. *Brim* —4C **132**
Crescent, The. *Con* —3C **58**
Crescent, The. *Cud* —6B **10**
Crescent, The. *Dinn* —4G **107**
Crescent, The. *E'thpe* —5E **21**
Crescent, The. *Edl'tn* —2B **60**
Crescent, The. *Holy* —6A **136**
Crescent, The. *Hood G* —6A **22**
Crescent, The. *Roth* —2E **79**
Crescent, The. *Swint* —3H **55**
Crescent, The. *Thur* —5B **94**
Crescent, The. *W'land* —3B **16**
Crescent W., The. *S'side* —2F **81**
Cresswell Rd. *S9* —1E **101**
Cresswell Rd. *Wath D* —1B **56**
Cresswell St. *B'ley* —5E **13**
Crest Rd. *S5* —5F **75**
Crestwood Ct. *S5* —5G **75**

Cuttholme Rd. *Ches* —1D **136**
Cuttholme Way. *Ches* —1E **137**
Cutthorpe. —4B 130
Cutthorpe Common End. —4C 130
Cutthorpe Grange. *Ches* —4C **130**
Cutthorpe Rd. *Ches* —4B **130**
Cutts Av. *Wath D* —6D **40**
Cutts Fld. Vw. *Roy* —1D **8**
Cutts Ter. *S8* —6D **98**
Cutty La. *B'ley* —4F **13**
Cyclops St. *S4* —3A **88**
Cypress Av. *S8* —6G **111**
Cypress Clo. *Kil* —4A **126**
Cypress Ga. *C'town* —3D **64**
Cypress Gro. *Con* —5B **58**
Cypress Rd. *B'ley* —2B **24**
Cyprus Rd. *S8* —2E **111**
Cyprus Ter. S6 —5B 86
  (off Burgoyne Rd.)

Dade Av. *Ink* —5H **133**
Daffodil Rd. *S5* —6B **76**
Dagnam Clo. *S2* —1B **112**
Dagnam Cres. *S2* —6B **100**
Dagnam Dri. *S2* —6B **100**
Dagnam Pl. *S2* —1C **112**
Dagnam Rd. *S2* —6B **100**
Daisy Bank. *S3* —1C **98** (1A 4)
Daisy Wlk. *S3* —1D **98** (2B 4)
Daisy Wlk. *Beig* —4F **13**
Dalbury Rd. *Dron W* —2A **128**
Dalby Gdns. *Soth* —6G **115**
Dalby Gro. *Soth* —5H **115**
Dale Av. *Roth* —4A **80**
Dalebrook Ct. *S10* —4E **97**
Dalebrook M. *S10* —4E **97**
Dale Clo. *B'ley* —6C **8**
Dale Clo. *Stav* —3A **134**
Dale Ct. *Rawm* —2F **69**
Dale Grn. Rd. *Wors* —5H **23**
Dale Gro. *Bol D* —2H **41**
Dale Hill Clo. *Maltby* —3F **83**
Dale Hill Rd. *Maltby* —3D **82**
Dale Rd. *Con* —3E **59**
Dale Rd. *Dron* —3F **129**
Dale Rd. *Kil* —3C **126**
Dale Rd. *Rawm* —2F **69**
Dale Rd. *Roth* —5A **80**
Dale Rd. *Wick* —5E **81**
Dale Side. *S10* —4H **97**
Dale St. *Rawm* —1F **69**
Daleswood Av. *B'ley* —6D **12**
Daleswood Dri. *Wors* —4D **24**
Dale, The. *S8* —4D **110**
Daleview Rd. *S8* —5B **110**
Dalewood Av. *S8* —6A **110**
Dalewood Clo. *Ches* —4E **139**
Dalewood Dri. *S8* —6A **110**
Dalewood Rd. *S8* —6A **110**
Dalmore Rd. *S7* —2A **110**
Dalton. —1A 80
Dalton Ct. *S8* —6D **98**
Dalton Ct. *Den M* —2B **58**
Dalton Ho. *Roth* —6H **79**
Dalton La. *Roth* —6B **70**
Dalton Magna. —2D 80
Dalton Parva. —1B 80
Dalton Ter. *B'ley* —1A **24**
Damasel Clo. *Whar S* —1B **72**
Damer St. *S10* —2B **98**
Dam Head. —2B **68**
Dam Ings La. *Ast* —6E **105**
Damon Dri. *Brim* —3F **133**
Damsteads. *Dod* —2C **22**
Danby Av. *Old W* —1B **132**
Danby Rd. *Kiv P* —4B **118**
Danebrook Clo. *S2* —4E **101**
Danebrook Ct. *S2* —4E **101**
Danebrook Dri. *S2* —4E **101**
Danesthorpe Clo. *Donc* —3A **34**
Dane St. *Thurn* —1G **29**
Dane St. N. *Thurn* —1G **29**
Dane St. S. *Thurn* —1G **29**
Danesway. *Donc* —6H **17**
Danethorpe Way. *Con* —5C **58**
Danewood Av. *S2* —4E **101**
Danewood Cft. *S2* —4E **101**
Danewood Gdns. *S2* —4E **101**
Danewood Gro. *S2* —4E **101**
Daniel Hill. *S6* —6C **86**

Daniel Hill Ct. *S6* —6B **86**
Daniel Hill St. *S6* —6B **86**
Daniel Hill Ter. *S6* —6C **86**
Daniel Hill Wlk. *S6* —6C **86**
Daniel La. *Rawm* —1B **68**
Daniels Dri. *Aug* —4A **104**
Dannemora Clo. *S9* —4E **89**
Dannemora Dri. *S9* —4E **89**
Danum Ct. *Den M* —2B **58**
Danum Dri. *Roth* —2F **79**
Danum Retail Pk. *Donc* —4A **32**
Danum Rd. *Donc* —1F **47**
Dara St. S9 —5D 76
  (off Fife St.)
Darcy Clo. *Swal* —5B **104**
Darcy Rd. *Eck* —6C **124**
Daresbury Clo. *S2* —1H **111**
Daresbury Dri. *S2* —1H **111**
Daresbury Pl. *S2* —1H **111**
Daresbury Rd. *S2* —1H **111**
Daresbury Vw. *S2* —1H **111**
Darfield. —4F 27
Darfield Av. *Owl* —5H **113**
Darfield Clo. *Owl* —5H **113**
Darfield Clo. *Ross* —4F **63**
Darfield Ho. Donc —1C 46
  (off St James St.)
Darfield Rd. *Cud* —2H **15**
Dargle Av. *Donc* —4G **33**
Darhaven. *D'fld* —3E **27**
Dark La. *B'ley* —2D **22**
Dark La. *Brim* —1E **139**
Dark La. *Cal* —3F **139**
Dark La. *Wors* —6B **24**
Darley. *Wors* —4C **24**
Darley Av. *B'ley* —1A **14**
Darley Av. *Wors* —3G **23**
Darley Cliff Cotts. *Wors* —3B **24**
Darley Clo. *B'ley* —6C **8**
Darley Clo. *H'hill* —3H **127**
Darley Clo. *Stav* —2C **134**
Darley Gro. *S6* —4D **84**
Darley Gro. *Wors* —4C **24**
Darley Pk. *Roth* —4H **77**
Darley Ter. *B'ley* —6C **8**
Darley Yd. *Wors* —4B **24**
Darnall. —1E 101
Darnall Dri. *S9* —6D **88**
Darnall Rd. *S9* —5C **88**
Darnley Dri. *S2* —5C **100**
Darrington Dri. *Warm* —6F **45**
Darrington Pl. *B'ley* —4E **15**
Dartmouth Rd. *Donc* —5F **49**
Darton. —4C 6
Darton Hall Clo. *Dart* —4D **6**
Darton Hall Dri. *Dart* —4D **6**
Darton La. *Dart & M'well* —5D **6**
Darton St. *B'ley* —1D **24**
Dartree Clo. *D'fld* —3D **26**
Dartree Wlk. *D'fld* —3D **26**
Dart Sq. *S3* —1C **98** (2A 4)
Darwall Clo. *High G* —5B **50**
Darwent La. *Worr* —5B **72**
Darwent Rd. *Ches* —5C **132**
Darwin Av. *Ches* —6G **131**
Darwin Clo. *S10* —3F **97**
Darwin La. *S10* —3F **97**
Darwin Rd. *S6* —1H **85**
Darwin Yd. *Ches* —1H **137**
Darwin Yd. Else —1D 52
  (off Distillery Side)
Darwynn Av. *Swint* —2G **55**
Davey Rd. *Thurn* —3F **29**
Davian Way. *Ches* —5G **137**
David Clo. *S13* —6D **102**
David La. *S10* —4A **96**
Davies Dri. *Swint* —4B **56**
Davis Clo. *Dalt* —6B **70**
Davis St. *Roth* —2G **79**
Davy Dri. *Maltby* —3F **83**
Davy Rd. *Den M* —2A **58**
Dawber La. *Kil* —2D **126**
Daw Cft. Av. *Wors* —4A **24**
Dawlands Clo. *S2* —3D **100**
  (in two parts)
Dawlands Dri. *S2* —4D **100**
Daw La. *Ben* —5B **18**
Dawson Av. *Rawm* —5C **54**
Dawson Cft. *Roth* —3A **68**
Dawson La. *Wath D* —1E **55**
Dawson Ter. *Kiv P* —5H **117**

Daw Wood. *Ben* —4C **18**
Dayhouse La. *B'ley* —2D **12**
Dayhouse Way. *B'ley* —3D **12**
Daykin Clo. *Dart* —5B **6**
Daylands Av. *Con* —4C **58**
Day St. *B'ley* —1G **23**
Deacon Clo. *Ross* —4F **63**
Deacon Cres. *Maltby* —5G **83**
Deacon Cres. *New R* —4C **62**
Deacons Way. *B'ley* —4C **14**
Deadman's Hole La. *S9* —5G **77**
Deadman's Hole La. *Roth* —4A **78**
Deakins Wlk. *S10* —4F **97**
Dean Clo. *Ross* —4F **63**
Dean Clo. *Spro* —1F **45**
Deane Fld. Vw. *Wat* —5D **114**
Deanhead Ct. *Owl* —5A **114**
Deanhead Dri. *Owl* —5H **113**
Dean La. *Roth* —3C **80**
Deansfield Clo. *Arm* —4F **35**
Dean St. *B'ley* —6F **13**
Deans Way. *B'ley* —3C **14**
Dearden Ct. *E'fld* —1F **75**
Dearne. —4G 29
Dearne Clo. *Womb* —2H **39**
Dearne Ct. *S9* —1C **88**
Dearne Hall Fold. *Bar G* —1B **12**
Dearne Hall Rd. *Bar G* —1B **12**
Dearne Rd. *Bram* —3A **40**
Dearne Rd. *Wath D & Bol D* —3G **41**
Dearne Rd. Flatlets. Bol D —2H 41
  (off Dearne Rd.)
Dearneside Leisure Cen. —5G 29
Dearne St. *S9* —1C **88**
Dearne St. *Con* —2F **59**
Dearne St. *Dart* —4D **6**
Dearne Valley Parkway. *L Hou* —4A **28**
Dearne Valley Parkway. *Womb* —2A **38**
Dearne Vw. *Gold* —4F **29**
Dearneway. *Wath D* —5F **41**
Dearnley Vw. *B'ley* —7F **13**
Deben Clo. *Ches* —5E **137**
Decoy Bank. *Donc* —3D **46**
Decoy Bank. (North). *Donc* —2D **46**
Decoy Bank. (South). *Donc* —3D **46**
Deepcar. —3H 141
Deepdale Cft. *Bar G* —2B **12**
Deepdale Rd. *Roth* —3G **77**
Deep La. *S5* —2A **76**
Deep Pit. —5B 100
Deepwell Av. *Half* —3F **125**
Deepwell Bank. *Half* —3F **125**
Deepwell Ct. *Half* —3F **125**
Deepwell Vw. *Half* —3F **125**
Deerlands Av. *S5* —3C **74**
Deerlands Clo. *S5* —3C **74**
Deerlands Mt. *S5* —3B **74**
Deerlands Rd. *Ches* —2D **136**
Deer Leap Dri. *Thry* —5E **71**
Deer Pk. Clo. *S6* —5E **85**
Deer Pk. Pl. *S6* —5E **85**
Deer Pk. Rd. *S6* —5E **85**
Deer Pk. Rd. *Thry* —4F **71**
Deer Pk. Vw. *S6* —5E **85**
Deer Pk. Way. *S6* —5F **85**
De Houton Clo. *Tod* —2A **118**
Deightonby St. *Thurn* —1G **29**
De Lacy Dri. *Wors* —4A **24**
Delamere Clo. *Soth* —5G **115**
De La Salle Dri. *S4* —4G **87**
Delf St. *S2* —6F **99**
Della Av. *B'ley* —1F **23**
Dell Cres. *Donc* —2H **45**
Dell, The. *Ches* —2D **136**
Delmar Way. *Flan* —3F **81**
Delph Bank. *Ches* —5G **137**
Delph Edge. *Wort* —1G **141**
Delph Ho. Rd. *S10* —2F **97**
Delta Pl. *Roth* —2H **79**
Delta Way. *Maltby* —3H **83**
Delves Av. *S12* —3C **114**
Delves Clo. *S12* —3C **114**
Delves Clo. *Ches* —4F **137**
Delves Dri. *S12* —4C **114**
Delves La. *S26* —4B **116**
Delves Pl. *S12* —4B **114**
Delves Rd. *S12* —4B **114**
Delves Rd. *Kil* —3B **126**
Delves Ter. *S12* —4C **114**
Denaby Av. *Con* —4B **58**

Denaby La. *Old De & Den M* —6E **57**
Denaby La. Ind. Est. *Den M* —2A **58**
(Coal Pit Rd.)
Denaby La. Ind. Est. *Den M* —2A **58**
(Pitman Rd.)
Denaby Main. —1C **58**
Den Bank. —2E **97**
Den Bank Av. *S10* —2E **97**
Den Bank Clo. *S10* —2F **97**
Den Bank Cres. *S10* —2E **97**
Den Bank Dri. *S10* —2E **97**
Denbrook La. *Con* —5F **59**
Denby Rd. *Ink* —4A **134**
Denby Rd. *Ink* —4A **134**
Denby St. *S2* —4D **98**
Denby St. *Ben* —5A **18**
Denby Way. *H'by* —4A **82**
Dene Clo. *Wick* —5G **81**
Dene Cres. *Roth* —1H **79**
Denehall Rd. *Kirk S* —4E **21**
Dene La. *S3* —3D **98** (6B **4**)
Dene Rd. *Roth* —1H **79**
Denham Rd. *S11* —4C **98**
Denison Rd. *Donc* —1B **46**
Denman Rd. *Wath D* —5D **40**
Denman St. *Roth* —1E **79**
Denmark Rd. *S2* —1F **111**
Denson Clo. *S2* —1F **111**
Dent La. *S12* —5H **113**
Dentons Grn. La. *Kirk S* —3D **20**
Denton St. *B'ley* —5H **13**
Derby Pl. *S2* —1G **111**
Derby Rd. *Ches & Wing* —6A **138**
Derby Rd. *Donc* —1A **34**
Derbyshire Ct. *Arm* —2H **35**
Derbyshire La. *S8* —2D **110**
Derby St. *Cal* —1F **111**
Derby St. *B'ley* —6F **13**
Derby Ter. *S2* —1G **111**
Derriman Av. *S11* —3H **109**
Derriman Clo. *S11* —3H **109**
Derriman Dri. *S11* —3H **109**
Derriman Glen. *S11* —3H **109**
Derriman Gro. *S11* —3H **109**
Derry Gro. *Thurn* —2E **29**
Derwent Clo. *Ans* —6F **107**
Derwent Clo. *B'ley* —6D **8**
Derwent Clo. *Dron* —6F **123**
Derwent Ct. *S17* —4G **121**
Derwent Ct. *Roth* —1F **91**
Derwent Cres. *B'ley* —6D **8**
Derwent Cres. *B'wth* —4B **90**
Derwent Cres. *Ches* —4F **131**
Derwent Dri. *C'town* —2C **64**
Derwent Dri. *Kirk S* —4D **20**
Derwent Dri. *Mexb* —5G **43**
Derwent Dri. *Rawm* —3F **69**
Derwent Gdns. *Gold* —5G **29**
Derwent Ho. Ches —4F **131**
(off Ullverston Rd.)
Derwent Pl. *Spro* —2D **44**
Derwent Pl. *Womb* —2H **39**
Derwent Rd. *B'ley* —6C **8**
Derwent Rd. *Dron* —6F **123**
Derwent Rd. *Mexb* —5G **43**
Derwent Rd. *Roth* —4A **68**
Derwent St. *S2* —1H **99**
Derwent Ter. *Mexb* —5E **43**
Derwent Way. *Wath D* —3B **40**
De Sutton Pl. *T'hill* —4H **127**
Deveron Rd. *Half* —2F **125**
Devizes Clo. *Ches* —5H **137**
Devon Ct. *Den M* —3B **58**
Devon Dri. *Brim* —3F **133**
Devon Pk. Vw. *Brim* —3F **133**
Devon Rd. *S4* —3G **87**
Devonshire Av. E. *Has* —5C **138**
Devonshire Clo. *S17* —3F **121**
Devonshire Clo. *Ches* —3H **131**
Devonshire Clo. *Dron* —3D **128**
Devonshire Clo. *Stav* —1C **134**
Devonshire Ct. *S17* —3F **121**
Devonshire Ct. *Brim* —4D **132**
Devonshire Dri. *S17* —2E **121**
Devonshire Dri. *B'ley* —3F **13**
Devonshire Dri. *Ans* —5E **107**
Devonshire Glen. *S17* —3F **121**
Devonshire Gro. *S17* —3F **121**
Devonshire La. *S1* —2D **98** (4C **4**)

Devonshire Rd. *S17* —2E **121**
Devonshire Rd. *Donc* —4H **33**
Devonshire Rd. *Maltby* —3G **83**
Devonshire Rd. E. *Has* —5C **138**
Devonshire St. *S3* —2D **98** (4B **4**)
Devonshire St. *Brim* —3E **133**
Devonshire St. Ches —2A **138**
(off Holywell Rd.)
Devonshire St. *Roth* —3B **78**
Devonshire St. *Stav* —1C **134**
Devonshire Ter. Rd. *S17* —2D **120**
Devonshire Vs. Ches —3H **131**
(off Occupation Rd.)
Dewar Dri. *S7* —3A **110**
Dewhill Av. *Whis* —2H **91**
Dial Clo. *S5* —5G **75**
Dial Ho. Rd. *S6* —3G **85**
Dial, The. *S5* —5H **75**
Dial Way. *S5* —5G **75**
Diamond St. *Womb* —6B **26**
Dickan Gdns. *Arm* —4H **35**
Dickens Clo. *Cat* —5B **90**
Dickenson Ct. *C'town* —2D **64**
Dickenson Rd. *Ches* —4B **138**
Dickens Rd. *Rawn* —6H **55**
Dickey La. *S6* —4G **73**
Dickinson Pl. *B'ley* —2H **23**
Dickinson Rd. *S5* —2H **75**
Dickinson Rd. *B'ley* —2H **23**
Didcot Clo. *Ches* —5H **137**
Digby Clo. *Roth* —1G **77**
Dike Hill. *Harl* —4A **52**
Dikelands Mt. *High G* —1B **64**
Dillington Rd. *B'ley* —2H **23**
Dillington Sq. *B'ley* —2H **23**
Dillington Ter. B'ley —2H **23**
(off Hornby St.)
Dingle Bank. *Cal* —4E **139**
Dingle La. *Cal* —4E **139**
(in two parts)
Dinmore Clo. *Donc* —1G **61**
Dinnington. —4F **107**
Dinnington Bus. Cen. *Dinn* —3E **107**
Dinnington Rd. *S8* —3D **110**
Dinnington Rd. *Tod* —1B **118** & 6A **106**
(in two parts)
Dirleton Dri. *Warm* —5F **45**
Discovery Way. *Maltby* —3D **82**
Discovery Way. *Whit M* —2A **132**
Disraeli Gro. *Maltby* —3E **83**
Distillery M. *Else* —1D **52**
Distillery Side. *Else* —1D **52**
Ditchingham St. *S4* —5G **87**
Division La. *S1* —2E **99** (4D **4**)
Division St. *S1* —2D **98** (4C **4**)
Division St. *Stav* —3A **134**
Dixon Cres. *Donc* —4H **45**
Dixon La. *S1* —1F **99** (2G **5**)
Dixon Rd. *S6* —2H **85**
Dixon Rd. *Ches* —3B **138**
Dixon Rd. *Edl'tn* —3A **60**
Dixon St. *S6* —6D **86**
Dixon St. *Roth* —2E **79**
Dobbin Ct. *S11* —6G **97**
Dobbin Hill. *S11* —1G **109**
Dobbin La. *Barl* —6A **128**
Dobcroft Av. *S7* —5H **109**
Dobcroft Rd. *S11 & S7* —3G **109**
Dobie St. *B'ley* —1H **23**
Dobroyd Ter. *Jump* —4B **38**
Dobson Pl. *Ink* —5H **133**
Dobsyke Clo. *Wors* —4D **24**
Dockin Hill Rd. *Donc* —5D **32**
Dock Wlk. *Ches* —3G **137**
Doctor La. *S9* —5C **88**
Dodds Clo. *Roth* —5C **78**
Dodd St. *S6* —4A **86**
Dodson Dri. *S13* —3H **101**
Dodsworth St. *Mexb* —1D **56**
Dodworth. —2B **22**
Dodworth Bottom. —3B **22**
Dodworth Bus. Pk. *Dod* —1A **22**
Dodworth Grn. Rd. *Dod* —3A **22**
Dodworth Rd. *B'ley* —1C **22**
Doe La. *Wors* —6G **23**
Doe Quarry La. *Dinn* —3F **107**
Doe Quarry Pl. *Dinn* —4F **107**
Doe Quarry Ter. *Dinn* —4F **107**
Doe Royd Cres. *S5* —4B **74**
Doe Royd Dri. *S5* —4C **74**

Doe Royd La. *S5* —4B **74**
Dog Cft. La. *Kiv S* —6G **19**
Dog Hill. *Shaf* —2B **10**
Dog Hill Dri. *Shaf* —2C **10**
Dog Kennels Hill. *Kiv S* —5D **118**
Dog Kennels La. *Kiv S & Ans* —5D **118**
Dog La. *B'ley* —6G **13**
Dolcliffe Clo. *Mexb* —6D **42**
Dolcliffe Common. —6F **43**
Dolcliffe Rd. *Mexb* —6E **43**
Doles Av. *Roy* —2D **8**
Doles Cres. *Roy* —2D **8**
Doles La. *Whis* —3A **92**
Doleswood Dri. *Lghtn* —1E **107**
Dome Leisure Cen., The. —2H **47**
Domine La. *Roth* —3D **78**
Dominoe Gro. *S12* —2F **113**
Don Av. *S6* —6G **73**
Doncaster. —6C **32**
Doncaster Ga. *Roth* —3E **79**
Doncaster Golf Course. —1E **63**
Doncaster Ind. Pk. *Donc* —3H **31**
Doncaster La. *W'land* —2E **17**
(in two parts)
Doncaster Leisure & Bus. Pk. —2H **47**
Doncaster Mus. & Art Gallery. —6D **32**
Doncaster Rd. *Roth* —2G **79**
Doncaster Race Course. —1H **47**
Doncaster Rd. *Arm & Bran* —3D **34**
Doncaster Rd. *Barn* —1H **43**
(in two parts)
Doncaster Rd. *B'ley & S'foot* —6H **13**
Doncaster Rd. *Bran* —3H **49**
Doncaster Rd. *Cant & Bran* —3F **49**
Doncaster Rd. *Con* —3F **59**
Doncaster Rd. *Dalt & Thry* —6A **70**
Doncaster Rd. *D'fld* —3F **27**
Doncaster Rd. *E'thpe & Kirk S* —5B **20**
Doncaster Rd. *Gold & Hick* —4G **29**
Doncaster Rd. *H'ton* —1F **43**
Doncaster Rd. *Mexb* —1F **57**
Doncaster Rd. *Pick* —3A **16**
Doncaster Rd. *Roth* —3E **79**
Doncaster Rd. *Thry & Con* —2E **71**
Doncaster Rd. *Toll B* —2H **17**
Doncaster Rd. *Wath D* —5G **41**
Doncaster Rovers F.C. —1G **47**
Doncaster Squash Club. —6E **33**
Doncaster St. *S3* —1D **98** (1C **4**)
Doncaster Town Moor Golf Course. —6A **34**
Don Dri. *B'ley* —2D **24**
Donetsk Way. *S12* —5B **114**
Don Hill Height. *Wort & Deep* —1E **141**
Donnington Rd. *S2* —4H **99**
Donnington Rd. *Mexb* —5H **43**
Donovan Clo. *S5* —6C **74**
Donovan Rd. *S5* —6C **74**
Don Rd. *S9* —4B **88**
Donstone Vw. *Dinn* —5D **106**
Don St. *Con* —2F **59**
Don St. *Donc* —4D **32**
Don St. *P'stne* —5F **143**
Don St. *Roth* —4D **78**
Don Ter. *Thurls* —3B **142**
Don Valley Stadium. —5C **88**
Don Vw. *Donc* —3E **31**
Don Vw. Row. *Mexb* —6H **43**
Dorchester Pl. *Wors* —4H **23**
Dorcliffe Lodge. *S10* —5G **97**
Dore. —2D **120**
Dore & Totley Golf Course. —4B **122**
Dore Clo. *S17* —2G **121**
Dore Ct. S17 —2G **121**
(off Ladies Spring Ct.)
Dore Hall Cft. *S17* —2D **120**
Dore Ho. Ind. Est. *S13* —5C **102**
Dore Rd. *S17* —2D **120**
Dore St. *S10* —3C **98**
Dorking St. *S4* —6G **87**
Dorothy Hyman Sports Cen. —1H **15**
Dorothy Rd. *S6* —2H **85**
Dorothy Va. *Ches* —1E **137**
Dorset Av. *Brim* —3F **133**
Dorset Clo. *Brim* —3F **133**
Dorset Cres. *Donc* —4A **34**
Dorset Dri. *Brim* —3F **133**
Dorset St. *S10* —3C **98**
Douglas Rd. *S3* —5D **86**
Douglas Rd. *Ches* —5C **132**
Douglas Rd. *Donc* —4G **45**
Douglas St. *Roth* —3E **79**
Douse Cft. La. *S10* —1A **108**

Dovebush Way—Eastfield Rd.

Dovebush Way. *Bar G* —2B **12**
Dovecliffe Rd. *Womb* —6E **25**
Dove Clo. *Bol D* —1B **42**
Dove Clo. *Womb* —2H **39**
Dovecote La. *Rav* —4G **71**
Dovecote M. *Monk B* —3C **14**
Dovecott Lea. *Soth* —4H **115**
Dovedale. *Wors* —5B **24**
Dovedale Av. *Ink* —6H **133**
Dovedale Ct. *Ches* —4G **131**
Dovedale Pl. *Wors* —5B **24**
Dovedale Rd. *S7* —2B **110**
Dovedale Rd. *Roth* —5A **80**
Dove Hill. *Roy* —1F **9**
Dove La. *Ast* —1C **116**
Dovercourt Rd. *S2* —4A **100**
Dovercourt Rd. *Roth* —2A **78**
Dover Gdns. *S3* —1D **98** (1B **4**)
Doveridge Clo. *Old W* —1A **132**
Dove Rd. *Womb* —2H **39**
Dover Rd. *S11* —4A **98**
Dover St. *S3* —1D **98** (1B **4**)
Doveside Dri. *D'fld* —5D **26**
Dove Valley Trail. *Silk C* —4A **22**
Dove Valley Trail. *Wors* —5C **24**
Dowcar La. *H'hill* —4G **127**
Dowdeswell St. *Ches* —1A **138**
Dowfin. *High G* —6B **50**
Dowland Av. *High G* —5B **50**
Dowland Clo. *High G* —5C **50**
Dowland Ct. *High G* —5B **50**
Dowland Gdns. *High G* —5C **50**
Downes Cres. *B'ley* —4D **12**
Downgate Dri. *S4* —3B **88**
Downham Rd. *S5* —6G **75**
Downing La. *S3* —6D **86** (1B **4**)
Downing Rd. *S8* —1C **122**
Downing Sq. *P'stne* —5D **142**
Downland Clo. *Donc* —1F **61**
Downlands. *Brim* —4D **132**
Down's Row. *Roth* —3D **78**
Dragoon Ct. *S6* —4B **86**
Drake Clo. *Burn* —2C **64**
Drake Head La. *Con* —3G **59**
(in two parts)
Drakehouse. —4D 114
Drake Ho. Cres. *Wat* —4D **114**
Drakehouse La. *Beig* —4F **115**
Drake Ho. La. W. *Beig* —4F **115**
Drake Ho. Retail Pk. *Beig* —4D **114**
Drake Ho. Way. *Wat* —4E **115**
Drake Rd. *Donc* —3E **33**
Drake Rd. Maltby —5H **83**
(off Tickhill Rd.)
Drake Ter. *Brim* —3C **132**
Dransfield Av. *P'stne* —5D **142**
Dransfield Clo. *S10* —3F **97**
Dransfield Rd. *S10* —3E **97**
Draycott Pl. *Dron W* —3B **128**
Driver St. *S13* —5D **102**
Drive, The. *S8* —5A **88**
Drive, The. *E'thpe* —5E **21**
Dronfield. —2E 129
Dronfield Ind. Est. *Dron* —2G **129**
Dronfield Rd. *Eck* —6A **124**
Dronfield Woodhouse. —2B 128
Dropping Well. —1G 77
Droppingwell Farm Clo. *Roth* —6F **67**
Droppingwell Rd. *Roth* —3D **76**
Drover Clo. *High G* —1C **64**
Drummond Av. *Donc* —2E **31**
Drummond Cres. *S5* —4F **75**
Drummond Rd. *S5* —4F **75**
Drummond St. *Roth* —2D **78**
(in two parts)
Drury Farm Ct. *B'ley* —6C **12**
Drury La. *S17* —2D **120**
Drury La. *Coal A* —6G **123**
Dryden Av. *S5* —5C **74**
Dryden Dri. *Ches* —5A **138**
Dryden Dri. *S5* —5C **74**
Dryden Rd. *S5* —5C **74**
Dryden Rd. *B'ley* —5A **14**
Dryden Rd. *Donc* —5C **46**
Dryden Rd. *Mexb* —6F **43**
Dryden Rd. *Roth* —5H **79**
Dryden Rd. *Wath D* —4C **40**
Dryden Way. *S5* —6C **74**
Dublin Rd. *Donc* —4G **33**
Duchess Rd. *S2* —4B **99** (6F **5**)
Duckham Dri. *Ast* —1C **116**

Duckmanton. —3H **139**
(Calow)
Duckmanton. —6E **135**
(Inkersall Green)
Duckmanton Rd. *Duck* —6E **135**
Ducksett La. *Eck* —6D **124**
Dudley Rd. *S6* —1H **85**
Dudley Rd. *Donc* —6H **33**
Dudley St. *P'gte* —4F **69**
Duftons Clo. *Con* —2F **59**
Dugdale Dri. *S5* —2D **74**
Dugdale Rd. *S5* —2G **74**
Duke Av. *Maltby* —5H **83**
Duke Av. *New R* —4C **62**
Duke Cres. *B'ley* —1H **23**
Duke Cres. *Roth* —6G **67**
Duke La. *S1* —3E **99** (6E **5**)
Duke of Norfolk La. *Wick* —5C **80**
Dukeries Dri. *Ans* —6E **107**
Duke's Cres. *Edl'tn* —2B **60**
Dukes Dri. *Ches* —5G **131**
Dukes La. *Roth* —1F **77**
(in two parts)
Dukes Pl. *Roth* —5H **79**
Duke St. *S2* —2G **99** (3H **5**)
Duke St. *B'ley* —1H **23**
Duke St. *Ches* —3A **132**
Duke St. *Dinn* —3F **107**
Duke St. *Donc* —6C **32**
Duke St. *Hoy* —5A **38**
Duke St. *Mosb* —3D **124**
Duke St. *Stav* —1C **134**
Duke St. *Swint* —1B **56**
Dumbleton Rd. *Kil* —4C **126**
Dumble Wood Grange. *Ches* —4E **131**
Dumfries Row. *B'ley* —2A **24**
Duncan Rd. *S10* —1H **97**
Duncan St. *B'wth* —2C **90**
Duncombe St. *S6* —6A **86**
Dundas Rd. *S9* —6G **77**
Dundas Rd. *Donc* —3E **33**
Dundonald Rd. *Ches* —4A **138**
Dunedin Glen. *Half* —3E **125**
Dunedin Gro. *Half* —3E **125**
Dunella Dri. *S6* —2H **85**
Dunella Pl. *S6* —2G **85**
Dunella Rd. *S6* —2H **85**
Dun Fields. *S3* —6D **86**
Dunford Ct. *Wath D* —5G **41**
Dunkeld Rd. *S11* —2H **109**
Dunkerley Rd. *S6* —2D **84**
Dun La. *S3* —6D **86**
Dunleary Rd. *Donc* —5G **33**
Dunlin Clo. *Thpe H* —1B **66**
Dunlop St. *S9* —2D **88**
Dunmere Clo. *B'ley* —2A **14**
Dunmow Rd. *S4* —2A **88**
Dunninc Rd. *S5* —2H **75**
Dunninc Ter. *S5* —2H **75**
Dunniwood Av. *Donc* —6C **48**
Dunniwood Reach. *Bes* —5D **48**
Dunns Dale. *Maltby* —4H **83**
Dunscroft Gro. *Ross* —4F **63**
Dunstan Rd. *Maltby* —5E **83**
Dunston. —3F 131
Dunston Ct. *Ches* —2H **131**
Dunston La. *Ches* —2F **131**
Dunston Pl. *Ches* —2H **131**
Dunston Rd. *Ches* —3C **130**
Dunston Trad. Est. *Ches* —1G **131**
Dun St. *S3* —6D **86**
Dun St. *Swint* —2C **56**
Durham Av. *New W* —1C **132**
Durham Clo. *New W* —1D **132**
Durham La. *S10* —2B **98**
Durham La. *Arm* —2H **35**
Durham Pl. *Roth* —5H **79**
Durham Rd. *S10* —2C **98**
Durham Rd. *Donc* —2F **33**
Durham St. *Maltby* —5H **83**
Durley Chine Dri. *Has* —5C **138**
Durlstone Clo. *S12* —2C **112**
Durlstone Cres. *S12* —2C **112**
Durlstone Dri. *S12* —2C **112**
Durlstone Gro. *S12* —2C **112**
Durmast Gro. *S6* —5D **84**
Durnan Gro. *Rawm* —5C **54**
Durnford Rd. *Donc* —4E **33**
Durrant Rd. *Ches* —2A **138**
Durvale Ct. *S17* —3E **121**
Dutton Rd. *S6* —2B **86**

Duxford Ct. *Donc* —5E **49**
Dyche Clo. *S8* —3F **123**
Dyche Dri. *S8* —3F **123**
Dyche La. *S8 & Coal A* —2E **123**
Dyche Pl. *S8* —3F **123**
Dyche Rd. *S8* —3F **123**
Dycott Rd. *Roth* —2H **77**
Dyer Rd. *Jump* —4C **38**
Dye Works Yd. *Holy* —6A **136**
Dykes Hall Gdns. *S6* —3H **85**
Dykes Hall Pl. *S6* —2H **85**
Dykes Hall Rd. *S6* —2G **85**
Dykes La. *S6* —3G **85**
Dyke Va. Av. *S12* —3A **114**
Dyke Va. Clo. *S12* —3A **114**
Dyke Va. Pl. *S12* —3A **114**
Dyke Va. Rd. *S12* —2H **113**
Dyke Va. Way. *S12* —3A **114**
Dykewood Dri. *S6* —1F **85**
Dyson Pl. *S11* —5B **98**
Dyson St. *B'ley* —2F **23**

E

Eaden Cres. *Hoy* —5B **38**
Eagleton Dri. *High G* —5C **50**
Eagleton Ri. *High G* —5C **50**
Eagle Vw. *Ast* —1C **116**
Ealand Way. *Con* —2G **59**
Eaming Vw. *B'ley* —4A **14**
Earl Av. *Maltby* —5G **83**
Earl Av. *New R* —4B **62**
Earldom Clo. *S4* —5G **87**
Earldom Dri. *S4* —5G **87**
Earldom Rd. *S4* —4G **87**
Earldom St. *S4* —5G **87**
Earlesmere Av. *Donc* —3A **46**
Earl Marshal Clo. *S4* —2H **87**
Earl Marshal Dri. *S4* —2G **87**
Earl Marshall Sports Cen. — 2H **87**
Earl Marshal Rd. *S4* —3G **87**
Earl Marshal Vw. *S4* —2G **87**
Earlsmere Dri. *B'ley* —1G **25**
Earlston Dri. *Donc* —3B **32**
Earl St. *S1* —3E **99** (6D **4**)
(in two parts)
Earl Way. *S1* —3E **99** (6D **4**)
Earnshaw Hall. *S10* —4H **97**
Earnshaw Ter. *B'ley* —4F **13**
Earsham St. *S4* —5G **87**
Earth Cen., The. —1D 58
Easedale Clo. *Ches* —6B **130**
East Av. *Rawm* —1F **69**
East Av. *Swint* —3H **55**
East Av. *Womb* —6H **25**
East Av. *W'land* —3C **16**
E. Bank Clo. *S2* —1H **111**
E. Bank Pl. *S2* —1H **111**
E. Bank Rd. *S2* —4F **99**
E. Bank Vw. *S2* —1H **111**
E. Bank Way. *S2* —1H **111**
E. Bawtry Rd. *Roth* —2H **91**
E. Cliffe Dri. *S2* —5G **99**
E. Coast Rd. *S9* —5A **88**
East Cres. *Duck* —5E **135**
East Cres. *Roth* —2H **79**
East Cres. *S'bri* —3C **140**
East Cft. *Bol D* —1A **42**
Eastcroft Clo. *W'fld* —1F **125**
Eastcroft Dri. *W'fld* —2E **125**
Eastcroft Glen. *W'fld* —1F **125**
Eastcroft Vw. *W'fld* —2F **125**
Eastcroft Way. *W'fld* —1F **125**
East Dene. —2G 79
E. Earsham St. *S4* —5H **87**
E. End Cres. *Roy* —2G **9**
Eastern Av. *S2* —1H **111**
Eastern Av. *Dinn* —5G **107**
Eastern Clo. *Dinn* —4G **107**
Eastern Cres. *S2* —1H **111**
Eastern Dri. *S2* —6H **99**
Eastern Wlk. *S2* —6H **99**
Eastfield Av. *P'stne* —4D **142**
Eastfield Clo. *M'well* —5H **7**
Eastfield Cres. *Lghtn* —6G **95**
Eastfield Cres. *M'well* —5H **7**
E. Field La. *Lghtn* —6H **95**
Eastfield Pl. *Rawm* —6A **56**
Eastfield Rd. *S10* —6H **85**
(in two parts)
Eastfield Rd. *Arm* —4F **35**
Eastfield Rd. *Dron* —3G **129**

Eastfields. *Wors* —5B **24**
Eastgate. *B'ley* —5G **13**
Eastgate Ct. *Roth* —3H **79**
E. Glade Av. *S12* —4G **113**
E. Glade Clo. *S12* —4G **113**
E. Glade Cres. *S12* —4G **113**
E. Glade Pl. *S12* —4G **113**
E. Glade Rd. *S12* —3G **113**
E. Glade Sq. *S12* —4G **113**
E. Glade Way. *S12* —3G **113**
East Herringthorpe. —2B 80
E. Laith Ga. *Donc* —6D **32**
Eastleigh. *Roth* —1G **79**
Eastleigh Ct. *Has* —5D **138**
E. Lodge La. *Roth* —3C **68**
East Mall. *Cry P* —4E **115**
Eastmoor Gro. *B'ley* —3E **9**
Eastmoor Rd. *Brim* —1F **139**
East Pde. *S1* —2E **99** (3E **5**)
East Pinfold. *Roy* —2E **9**
East Rd. *S2* —6F **99**
East Rd. *Oxs* —6G **143**
East Rd. *Roth* —2H **79**
E. Side Clo. *Ches* —3B **132**
E. Side Rd. *Ches* —3B **132**
East St. *D'fld* —3E **27**
East St. *Dinn* —4F **107**
East St. *Donc* —2C **46**
East St. *Gold* —3H **29**
East Ter. *Kiv P* —4D **116**
E. Vale Dri. *Thry* —5D **70**
East Vw. *Ches* —3A **138**
East Vw. *Cud* —6B **10**
East Vw. *H'by* —4B **82**
East Vw. *Jump* —4B **38**
E. View Av. *Eck* —6H **125**
E. View Ter. *S6* —2H **85**
East Whitwell. —4D 140
Eastwood. —1G 79
Eastwood Av. *Ans* —2G **119**
Eastwood Clo. *Has* —5D **138**
Eastwood Ct. *Roth* —1G **79**
Eastwood Dri. *Cal* —3H **139**
Eastwood Ho. Roth —2F **79**
 (off Doncaster Rd.)
Eastwood La. *Roth* —2E **79**
Eastwood Mt. *Roth* —3G **79**
Eastwood Pk. Dri. *Has* —5D **138**
Eastwood Rd. *S11* —5B **98**
Eastwood Trad. Est. *Roth* —6G **69**
Eastwood Va. *Roth* —1G **79**
Eastwood Vw. *Roth* —1H **79**
Eaton Pl. *S2* —2H **99**
Eaton Sq. *Barn* —1H **43**
Ebenezer Pl. *S3* —6E **87** (1D **4**)
Ebenezer Pl. *Else* —6C **38**
Ebenezer St. *S3* —6E **87** (1D **4**)
Eben St. *S9* —1C **88**
Ecclesall. —2G 109
Ecclesall Rd. *S11* —3G **109**
Ecclesall Rd. S. *S11* —5E **109**
Ecclesall Woods Forest Walks.
 —1D **120**
Eccles Dri. *Edl'tn* —5B **60**
Ecclesfield. —6E 65
Ecclesfield Common. —6G 65
Ecclesfield Rd. *S5 & S9* —1H **75**
Ecclesfield Rd. *C'town* —2F **65**
Eccles St. *S9* —5D **76**
Eccleston Rd. *Kirk S* —2E **21**
Eckington. —6E 125
Eckington Hall. *Mosb* —4D **124**
Eckington Rd. *Beig* —1F **125**
 (in two parts)
Eckington Rd. *Coal A* —5G **123**
Eckington Rd. *Stav* —1C **134**
Eckington Way. *Cry P* —3D **114**
Ecton Dri. *Kirk S* —2C **20**
Edale Ct. *Ches* —4G **131**
Edale Ri. *Dod* —2A **22**
Edale Rd. *S11* —6G **97**
Edale Rd. *Roth* —3H **77**
Edderthorpe. —1E 27
Edderthorpe La. *D'fld* —1E **27**
Eddyfield Rd. *Oxs* —5G **143**
Eden Clo. *Bar G* —2A **12**
Eden Clo. *H'by* —4B **82**
Edencroft Dri. *E'thpe* —4E **21**
Eden Dri. *S6* —3E **85**
Edenfield Clo. *B'ley* —1D **14**

Eden Fld. Rd. *E'thpe* —5E **21**
Eden Glade. *Swal* —5B **104**
Eden Gro. *Donc* —1A **46**
Eden Gro. *Swal* —5B **104**
Eden Gro. Rd. *E'thpe* —5E **21**
Edenhall Rd. *S2* —5B **100**
Edensor Ct. *Stav* —3A **134**
Edensor Rd. *S5* —1F **87**
Eden Ter. *Mexb* —5E **43**
Edenthorpe. —5E 21
Edenthorpe Dell. *Owl* —5B **114**
Edenthorpe Gro. *Owl* —5C **114**
Edgar Allan Ho. *S3* —4B **4**
Edgar La. *New R* —4B **62**
Edgbaston Way. *Edl'tn* —2C **60**
Edge Bank. *S7* —1C **110**
Edgebrook Rd. *S7* —1B **110**
Edgecliffe Pl. *B'ley* —2A **14**.
Edge Clo. *S6* —3A **74**
Edgedale Rd. *S7* —2B **110**
Edgefield Rd. *S7* —2C **110**
Edge Grn. *Kirk S* —3D **20**
Edge Hill Rd. *S7* —1B **110**
Edgehill Rd. *Donc* —2A **34**
Edgehill Rd. *M'well* —3E **7**
Edgelands Ri. *Cud* —2H **15**
Edge La. *S6* —3A **74**
 (in three parts)
Edgemount Rd. *S7* —2C **110**
Edge Well Clo. *S6* —3A **74**
Edge Well Cres. *S6* —3A **74**
Edge Well Dri. *S6* —4A **74**
Edge Well La. *S6* —3H **73**
Edge Well Pl. *S6* —3A **74**
Edge Well Ri. *S6* —3A **74**
Edge Well Way. *S6* —3A **74**
Edinburgh Av. *Bol D* —1H **41**
Edinburgh Clo. *B'ley* —3B **14**
Edinburgh Ct. Ches —1H **137**
 (off Highfield Rd.)
Edinburgh Dri. *Ans* —6D **106**
Edinburgh Rd. *Ches* —6H **131**
Edinburgh Rd. *Hoy* —4A **38**
Edith Ter. *Donc* —2G **31**
Edlington La. *Edl'tn & Warm* —2C **60**
Edlington La. *Old E & Edl'tn* —6A **60**
Edlington Riding. *Edl'tn* —4C **60**
Edlington Sports Cen. & Swimming Pool.
 —5B **60**
Edmonton Clo. *B'ley* —5C **12**
Edmund Av. *S17* —3A **122**
Edmund Av. *B'wth* —4D **90**
Edmund Clo. *S17* —3B **122**
Edmund Dri. *S17* —3B **122**
Edmund Rd. *S2* —5F **99** (6F **5**)
Edmunds Rd. *Wors* —5C **24**
Edmund St. *Ches* —3H **131**
Edmund St. *Wors* —5A **24**
Edna St. *Bol D* —1A **42**
Edward. *S11* —1B **110**
Edward Clo. *B'ley* —2C **24**
Edward Rd. *Adw S* —1F **17**
Edward Rd. *Gold* —5E **29**
Edward Rd. *Wath D* —3C **40**
Edward St. *Arm* —2D **34**
Edward St. *S3* —1D **98** (2B **4**)
Edward St. *Ben* —6B **18**
Edward St. *D'fld* —4E **27**
Edward St. *Dinn* —4F **107**
Edward St. *Eck* —6D **124**
Edward St. *Hoy* —5H **37**
Edward St. *M'well* —5G **7**
Edward St. *New R* —4B **62**
Edward St. *Stav* —3A **134**
Edward St. *S'bri* —3D **140**
Edward St. *Swint* —1B **56**
Edward St. *Thurn* —1E **29**
Edward St. *Womb* —6C **26**
Edward St. Flats. *S3* —1D **98** (2B **4**)
Edwin Av. *Ches* —5F **137**
Edwin Rd. *S2* —1G **111**
Edwin Rd. *W'land* —3C **16**
Edwins Clo. *B'ley* —6B **8**
Effingham La. *S4* —1G **99** (1H **5**)
Effingham Rd. *S4 & S9* —6H **87**
Effingham Sq. Roth —2D **78**
 (off Effingham St.)
Effingham St. *S4* —1G **99** (1H **5**)
Effingham St. *Roth* —3D **78**
 (in two parts)

Egerton Clo. *S3* —3D **98** (5C **4**)
Egerton La. *S1* —3D **98** (6B **4**)
Egerton Rd. *Dron* —1F **129**
Egerton Rd. *Mexb* —6B **104**
Egerton St. *S1* —3D **98** (6B **4**)
Egerton Wlk. *S3* —5B **4**
Eggington Clo. *Donc* —4F **49**
Egmanton Rd. *B'ley* —4B **8**
Egremont Ct. *Maltby* —2D **82**
Egremont Ri. *Maltby* —2D **82**
Eilam Clo. *Roth* —1G **77**
Eilam Rd. *Roth* —1G **77**
Eland Clo. *Ross* —3D **62**
Elcroft Gdns. *Beig* —5F **115**
Elder Av. *Ans* —2H **119**
Elder Ct. *Kil* —4A **126**
Elder Dri. *Roth & S'side* —3F **81**
Elder Gro. *Con* —4C **58**
Eldertree Rd. *Thpe H* —3B **66**
Elder Way. *Ches* —2A **138**
Eldon Arc. B'ley —6H **13**
 (off Eldon St.)
Eldon Ct. *S1* —2D **98** (4C **4**)
Eldon Rd. *Roth* —1F **79**
Eldon St. *S1* —2D **98** (4C **4**)
Eldon St. *B'ley* —6H **13**
Eldon St. N. *B'ley* —5H **13**
Eleanor Ct. *E'thpe* —6C **20**
Eleanor St. *S9* —5D **88**
Elgin Clo. *Ches* —6E **137**
Elgin St. *S10* —2H **97**
Elgitha Dri. *Thur* —5A **94**
Eliot Clo. *Brim* —6F **133**
Elizabeth Av. *Kirk S* —3E **21**
Elizabeth Rd. *Ast* —1B **116**
Elizabeth St. *Gold* —4G **29**
Elizabeth St. *Grim* —6G **11**
Elizabeth Way. Roth —3C **78**
 (off Vine Clo.)
Elkstone Rd. *Ches* —6C **130**
Ellaline Cotts. *Rav* —1A **82**
Elland Clo. *B'ley* —6A **8**
Ella Rd. *S4* —4G **87**
Ellavale. *Else* —5C **38**
Ellenborough Rd. *S6* —3H **85**
Ellen Tree Clo. *B'wth* —2B **90**
Ellerker Av. *Donc* —1B **46**
Ellers Av. *Donc* —3A **48**
Ellers Cres. *Donc* —3A **48**
Ellers Dri. *Donc* —3A **48**
Ellershaw La. *Con* —4C **58**
Ellershaw Rd. *Con* —4D **58**
Ellers Rd. *Donc* —3A **48**
Ellerton Gdns. *Donc* —2C **48**
Ellerton Rd. *S5* —1H **87**
Ellesmere Rd. *S4* —5G **87**
 (in two parts)
Ellesmere Rd. N. *S4* —4G **87**
Ellesmere Ter. *Roth* —3F **79**
Ellesmere Wlk. *S4* —5G **87**
Ellington Ct. *B'ley* —2E **23**
Elliot Rd. *S6* —1B **98**
Elliott Av. *Womb* —2F **39**
Elliott Clo. *Wath D* —4C **40**
Elliott Ct. *Roth* —2E **79**
Elliott Dri. *Ink* —5A **134**
Elliott Dri. *Roth* —5H **67**
Elliott La. *Gren* —4B **64**
Elliott M. Roth —2H **77**
 (off Benton Way)
Elliottville St. *S6* —5A **86**
Ellis Av. *Wath D* —1D **54**
Ellis Ct. *H'fld* —3E **39**
Ellis Cres. *Bram* —4A **40**
Ellis Cres. *New R* —4C **62**
Ellisons Rd. *Kil* —1C **126**
Ellison St. *S3* —1D **98** (1B **4**)
 (in two parts)
Ellis St. *S3* —1D **98** (1C **4**)
Ellis St. *B'wth* —2C **90**
Elliston Av. *M'well* —4G **7**
Ellorslie Dri. *S'bri* —3E **141**
Elmbridge Clo. *Roy* —2G **9**
Elm Clo. *Barn D* —2H **21**
Elm Clo. *Ches* —4H **131**
Elm Clo. *Kil* —4A **126**
Elm Clo. *Ross* —5F **63**
Elm Ct. *Wors* —5B **24**
Elm Cres. *Ben* —5C **18**
Elm Cres. *Mosb* —1C **124**
Elmdale Clo. *Swint* —5B **56**

Elmdale Dri.—Falmouth Clo.

Falmouth Rd. *S7* —2C **110**
Falstaff Cres. *S5* —5D **74**
Falstaff Gdns. *S5* —5D **74**
Falstaff Rd. *S5* —4D **74**
Fane Cres. *Swal* —5B **104**
Fanny Av. *Kil* —4C **126**
Fan Rd. *Stav* —2D **134**
Fan Rd. Ind. Est. *Stav* —2C **134**
Fanshaw Av. *Eck* —6H **125**
Fanshaw Bank. *Dron* —2E **129**
Fanshaw Clo. *Eck* —6H **125**
Fanshaw Dri. *Eck* —6H **125**
Fanshaw Rd. *Dron* —1F **129**
Fanshaw Rd. *Eck* —6H **125**
Fanshaw Way. *Eck* —6H **125**
Faraday Rd. *S9* —5A **88**
Faranden Rd. *S9* —6C **88**
Farcliff. *Spro* —2D **44**
Far Cres. *Roth* —2H **79**
Far Cft. *Bol D* —1A **42**
Farcroft Gro. *S4* —2B **88**
Far Dalton La. *Roth* —6C **70**
Fardell Gdns. *Braml* —5H **81**
Far Fld. Clo. *E'thpe* —4E **21**
Far Fld. La. *B'ley* —1E **15**
Far Fld. La. *Wath D* —5H **41**
Farfield Pk. *Manv* —4H **41**
Farfield Rd. *S3* —5C **86**
Far Fld. Rd. *E'thpe* —4E **21**
Far Fld. Rd. *Roth* —4A **80**
Fargate. *S1* —2E **99** (3E **5**)
Far Golden Smithies. *Swint* —1A **56**
Farhouse La. *O'bri* —2A **72**
Farish Pl. *S2* —1F **111**
Far La. *S6* —2H **85**
Far La. *Roth* —1H **79**
Far Lawns. *Car* —4F **9**
Farlawns Ct. *Bal* —1H **61**
Farlow Cft. *High G* —5A **50**
Farm Bank Rd. *S2* —3G **99** (6H **5**)
Farm Clo. *S12* —5D **112**
Farm Clo. *B'ley* —3C **14**
Farm Clo. *B'wth* —4B **90**
Farm Clo. *Ches* —6H **137**
Farm Clo. *Coal A* —5F **123**
Farm Clo. *E'thpe* —6E **21**
Farm Ct. *Adw S* —1E **17**
Farm Cres. *Mosb* —3C **124**
Farm Fields Clo. *Wat* —6D **114**
Farm Grange. *Donc* —1G **61**
Farmhill Clo. *Donc* —4G **31**
Farm Ho. La. *B'ley* —5C **12**
Far Moor Clo. *H'ton* —1G **43**
Farmoor Gdns. *Soth* —5H **115**
Farm Rd. *S2* —4F **99** (6G **5**)
Farm Rd. *B'ley* —3B **24**
Farmstead Clo. *S14* —2H **111**
Farm Vw. Clo. *S12* —4B **114**
Farm Vw. Clo. *Roth* —1F **77**
Farm Vw. Dri. *S12* —4B **114**
Farm Vw. Gdns. *S12* —4B **114**
Farm Vw. Rd. *Roth* —1F **77**
Farm Wlk. *Mosb* —2C **124**
Farm Way. *D'fld* —3E **27**
Farnaby Dri. *High G* —5B **50**
Farnaby Gdns. *High G* —5B **50**
Farnborough Dri. *Donc* —5E **49**
Farndale Av. *Walt* —5D **136**
Farndale Rd. *S6* —1A **86**
Farndale Rd. *Donc* —2F **31**
Farnley Av. *S6* —5B **74**
Farnon Clo. *Ches* —4B **138**
Farnsworth Ct. *Has* —5D **138**
Farnsworth St. *Has* —5C **138**
Farnworth Rd. *Roth* —2A **80**
Far Pl. *Roth* —2H **79**
Farquhar Rd. *Maltby* —4H **83**
Farrand St. *Birdw* —4C **36**
Farrar Rd. *S7* —6D **98**
Farrar Str. *B'ley* —6F **13**
Farrier Ga. *High G* —1C **64**
Farringdon Dri. *New R* —6E **63**
Farrington Ct. *Wick* —5G **81**
Farrow Clo. *Dod* —2C **22**
Farthing Gale M. *Donc* —4H **31**
Far Townend. *Dod* —2B **22**
Far Vw. Rd. *S5* —5F **75**
Far Vw. Ter. *B'ley* —2G **23**
Farwater Clo. *Dron* —3E **129**
Farwater La. *Dron* —2D **128**
Fathers Gdns. *Kiv P* —5H **117**

Favell Rd. *S3* —2C **98** (3A **4**)
Favell Rd. *Roth* —2B **80**
Fawcett St. *S3* —1C **98** (1A **4**)
(in two parts)
Fearn Ho. Cres. *Hoy* —6G **37**
Fearnley Rd. *Hoy* —6G **37**
Fearn's Bldgs. P'stne —4C **142**
(off Stottercliffe Rd.)
Fearnville Gro. *Roy* —2E **9**
Felkin St. *Ches* —2B **138**
Felkirk Vw. *Shaf* —2B **10**
Fellbrigg Rd. *S2* —6H **99**
Fellowsfield Way. *Roth* —2G **77**
Fellows Wlk. *Womb* —5H **25**
Fell Rd. *S9* —4C **88**
Fell St. *S9* —3B **88**
Fence. —5F 103
Fen Ct. *E'thpe* —5E **21**
Fenland Way. *Ches* —5G **137**
Fenney La. *S11* —5E **109**
Fenn Rd. *Tank* —6D **36**
Fensome Way. *D'fld* —3E **27**
Fenton Clo. *Arm* —4F **35**
Fenton Cft. *Roth* —1A **78**
Fenton Fields. *Roth* —1A **78**
Fenton Rd. *S Elm* —5A **68**
Fenton St. *Eck* —6G **125**
Fenton St. *Roth* —2H **77**
Fentonville St. *S11* —5C **98**
Fenton Way. *Roth* —5B **68**
Feoffees Rd. *E'fld* —1F **75**
Ferguson St. *S9* —5B **88**
Ferham Clo. *Roth* —3A **78**
Ferham Pk. Av. *Roth* —3A **78**
Ferham Rd. *Roth* —3A **78**
Fern Av. *Beig* —3F **115**
Fern Av. *Donc* —2A **32**
Fern Av. *Stav* —3A **134**
Fern Bank. *Adw S* —1D **16**
Fernbank. *K'wth* —2G **77**
Fernbank Clo. *Wors* —3H **23**
Fernbank Dri. *Arm* —1F **35**
Fernbank Dri. *Eck* —6B **124**
Fern Clo. *D'fld* —5E **27**
Fern Clo. *Donc* —3A **34**
Fern Clo. *Eck* —6B **124**
Ferncroft Av. *Mosb* —2C **124**
Ferndale Clo. *Coal A* —6H **123**
Ferndale Dri. *Braml* —3G **81**
Ferndale Ri. *Coal A* —6H **123**
Ferndale Rd. *Coal A* —6H **123**
Ferndale Rd. *Con* —3D **58**
Ferndale Vw. *Donc* —4H **31**
Fernhall Clo. *Kirk S* —4E **21**
Fern Hollow. *Wick* —6G **81**
Fernhurst Rd. *Donc* —3A **34**
Fernlea Clo. *Cusw* —4H **31**
Fern Lea Gro. *Bol D* —1H **41**
Fern Lea Gro. *E'fld* —1F **75**
Fernleigh Dri. *B'wth* —1B **90**
Fern Rd. *S6* —5H **85**
Fernvale Wlk. *Swint* —5B **56**
Fern Way. *Eck* —6B **124**
Fernwood Clo. *Has* —6E **139**
Ferrara Clo. *D'fld* —3C **26**
Ferrars Clo. *S9* —1H **89**
Ferrars Dri. *S9* —2H **89**
Ferrars Rd. *S9* —6G **77**
Ferrars Way. *S9* —2H **89**
Ferrers Rd. *Donc* —4F **33**
Ferriby Rd. *S6* —1H **85**
Ferry Boat La. *Roth* —1G **57**
(in two parts)
Ferry La. *Con* —2E **59**
Ferry Moor La. *Cud* —6D **10**
Ferrymoor Way. *Grim* —6E **11**
Ferrymore Ho. Donc —1C **46**
(off St James St.)
Ferry Ter. *Con* —2E **59**
Fersfield St. *S4* —5H **87**
Festival Clo. *Kiv P* —5G **117**
Festival Rd. *Wath D* —6F **41**
Fewston Way. *Donc* —3H **47**
Fiddler's Dri. *Arm* —5G **35**
Field Clo. *D'fld* —3E **27**
Field Clo. *Dron W* —1A **128**
Field Dri. *Cud* —2H **15**
Fielders Way. *Edl'tn* —2C **60**
Fieldfare Ho. *Old W* —1B **132**
Field Ga. *Ross* —3E **63**
Field Head Ct. *Hoy* —5A **38**

Fieldhead Rd. *S8* —6E **99**
Field Head Rd. *Hoy* —6A **38**
Fieldhead Way. *Ches* —5E **131**
Field Ho. Rd. *Spro* —3D **44**
Fieldhouse Way. *S4* —4H **87**
Fielding Dri. *Braml* —4H **81**
Fielding Gro. *Rawm* —6F **55**
Fielding Rd. *S6* —1A **86**
Field La. *B'ley* —2E **25**
Field La. *Kil* —4H **125**
Field La. *Upt* —4D **92**
Fields End. *Oxs* —6H **143**
Fields End Bus. Pk. *Thurn* —3F **29**
Fieldsend Gdns. *E'fld* —1F **75**
Fields End Rd. *Gold* —3F **29**
Fieldside. *E'thpe* —6D **20**
Field Vw. *B'wth* —2C **90**
Field Vw. Cres. —6A **138**
Fieldview Pl. *Ches* —5E **131**
Field Way. *Roth* —1D **78**
Fife Clo. *S9* —5C **76**
Fife Gdns. *S9* —5C **76**
Fife St. *S9* —5C **76**
Fife St. *B'ley* —1F **23**
Fife Way. *S9* —5C **76**
Fifth Av. *W'land* —4D **16**
Fig Tree La. *S1* —2E **5**
Filby Rd. *Donc* —4G **31**
Filey Av. *Roy* —1F **9**
Filey La. *S3* —3C **98** (5A **4**)
Filey St. *S10* —2C **98** (4A **4**)
Finch Clo. *Thry* —5D **70**
Finch Gdns. *Braml* —2E **81**
Finch Ri. *Ast* —1C **116**
Finch Rd. *Donc* —5H **45**
Finchwell Clo. *S13* —3H **101**
Finchwell Cres. *S13* —3H **101**
Finchwell Rd. *S13* —3H **101**
Findon Cres. *S6* —3G **85**
Findon Gro. *S6* —3G **85**
Findon Rd. *S6* —3G **85**
Findon St. *S6* —3H **85**
Finkle St. *Ben* —1B **32**
Finlay Rd. *Roth* —1G **79**
Finlay St. *S3* —1C **98** (1A **4**)
Finningley Lodge. Kiv P —5H **117**
(off Station Rd.)
Firbeck Av. *Lghtn* —1E **107**
Firbeck Ho. Donc —1C **46**
(off St James St.)
Firbeck La. *Lghtn* —6G **95**
Firbeck Rd. *S8* —4C **110**
Firbeck Rd. *Donc* —1F **47**
Firbeck Way. *Ross* —3F **63**
Fir Clo. *Wath D* —6F **41**
Fircroft Av. *S5* —4H **75**
Fircroft Rd. *S5* —4A **76**
Fire & Police Mus. —1E **99** (1E **5**)
Firham Clo. *Roy* —1C **8**
Fir Pl. *S6* —6A **86**
Fir Pl. *Kil* —4A **126**
Fir Rd. *Eck* —6H **125**
Firsby La. *Con* —6A **58**
Firshill Av. *S4* —3F **87**
Firshill Clo. *S4* —3F **87**
Firshill Cres. *S4* —3E **87**
Firshill Cft. *S4* —3E **87**
Firshill Gdns. *S4* —3E **87**
Firshill Glade. *S4* —3E **87**
Firshill M. S3 —3F **87**
(off Pitsmoor Rd.)
Firshill Ri. *S4* —3F **87**
Firshill Rd. *S4* —3F **87**
Firshill Wlk. *S4* —3E **87**
Firshill Way. *S4* —3E **87**
Firs La. *H'swne* —1D **142**
First Av. *Roth* —1G **79**
First Av. *Roy* —1F **9**
First Av. *W'land* —3E **17**
Firs, The. *B'ley* —3C **24**
Firs, The. *Roy* —1C **8**
First La. *Ans* —4G **119**
First La. *Wick* —6G **81**
Fir St. *S6* —6A **86**
Fir St. *Holl* —2H **133**
Firth Av. *Cud* —2G **15**
Firth Cres. *Maltby* —5G **83**
Firth Cres. *New R* —4C **62**
Firth Dri. *S4* —5H **87**
Firth Park. —6H 75
Firth Pk. Av. *S5* —6A **76**

Firth Pk. Cres. *S5* —6H **75**
Firth Pk. Rd. *S5* —6H **75**
Firth Rd. *Wath D* —5B **40**
Firth's Homes. *S11* —5F **97**
Firth St. *B'ley* —5H **13**
Firth St. *Donc* —2B **46**
Firth St. *Roth* —4C **68**
Firthwood Av. *Coal A* —6H **123**
Firthwood Clo. *Coal A* —6H **123**
Firthwood Rd. *Coal A* —6H **123**
Fir Tree Dri. *Wal* —5E **117**
Firtree Ri. *C'town* —3E **65**
Fir Vale. —2H 87
Fir Va. Pl. *S5* —2G **87**
Fir Va. Rd. *S5* —2G **87**
Firvale Rd. *Walt* —5D **136**
Fir Vw. Gdns. *S4* —3H **87**
Fir Wlk. *Maltby* —4C **82**
Fish Dam La. *B'ley* —5F **9**
Fisher Clo. *Ches* —6H **137**
Fisher Clo. *Roth* —3C **78**
Fisher La. *S9* —6E **89**
Fisher Rd. *Maltby* —5H **83**
Fisher St. *Ben* —5B **18**
Fisher Ter. *Donc* —4A **32**
Fish Pond La. *B'well* —1G **83**
Fishponds Rd. *S13* —5E **101**
Fishponds Rd. W. *S13* —5E **101**
Fitzalan Rd. *S13* —4H **101**
Fitzalan Sq. *S1* —2F **99** (3F **5**)
Fitzgerald Rd. *S10* —1H **97**
Fitzhubert Rd. *S2* —5C **100**
Fitzmaurice Rd. *S9* —5D **88**
Fitzroy Rd. *S2* —1F **111**
Fitzwalter Rd. *S2* —3H **99**
Fitzwilliam Av. *Con* —3B **58**
Fitzwilliam Av. *Wath D* —6E **41**
Fitzwilliam Ct. *Rawm* —3F **69**
Fitzwilliam Ct. *Wath D* —5E **41**
Fitzwilliam Dri. *H'ton* —2G **43**
Fitzwilliam Ga. *S1* —3E **99** (6C **4**)
Fitzwilliam Rd. *D'fld* —3G **27**
Fitzwilliam Rd. *S Kirk* —2E **79**
Fitzwilliam St. Else —1D *52*
  (off Wath Rd.)
Fitzwilliam Sq. *Roth* —3B **68**
Fitzwilliam St. *S1* —2D **98** (4B **4**)
Fitzwilliam St. *B'ley* —6G **13**
Fitzwilliam St. *Else* —6C **38**
Fitzwilliam St. *H'fld* —4D **38**
Fitzwilliam St. *Hoy* —6F **37**
Fitzwilliam St. *P'gte* —4F **69**
Fitzwilliam St. *Swint* —2A **56**
  (in three parts)
Fitzwilliam St. *Wath D* —6E **41**
Five Oaks. *Ark* —4E **19**
Five Trees Av. *S17* —3G **121**
Five Trees Clo. *S17* —3G **121**
Five Trees Dri. *S17* —3G **121**
Five Weirs Wlk. *S9* —5B **88**
Fixby Ho. Donc —1C *46*
  (off St James St.)
Flamsteed Cres. *Ches* —5A **132**
Flanders Ct. *Thpe H* —2B **66**
Flanderwell. —3F 81
Flanderwell Av. *Braml* —4G **81**
Flanderwell Ct. *Braml* —3G **81**
Flanderwell Gdns. *Braml* —3G **81**
Flanderwell La. *Braml* —2F **81**
Flash La. *Braml* —2E **81**
Flask Vw. *S6* —4C **84**
Flat La. *L Hou* —4A **28**
Flat La. *Whis* —2H **91**
Flat St. *S1* —2F **99** (3F **5**)
Flatts Clo. *Tree* —6E **91**
Flatts La. *Tree* —6E **91**
Flatts La. *Wath D* —5D **40**
Flaxby Rd. *S9* —6D **88**
Flax Lea. *Wors* —4A **24**
Fleet Clo. *Bram B* —4B **40**
Fleet Hill Cres. *B'ley* —2A **14**
Fleet La. *Worr* —5E **73**
Fleet St. *S9* —4B **88**
Fleetwood Av. *B'ley* —2C **14**
Fleming Pl. *B'ley* —1G **23**
Fleming Sq. *Wath D* —5E **41**
Fleming Way. *Flan* —4E **81**
Fletcher Av. *Dron* —2E **129**
Fletcher Ho. Roth —2E *79*
  (off Wharncliffe Hill)
Fleury Clo. *S14* —3A **112**

Fleury Cres. *S14* —3A **112**
Fleury Pl. *S14* —3A **112**
Fleury Ri. *S14* —3A **112**
Fleury Rd. *S14* —3A **112**
Flint Rd. *Donc* —3A **34**
Flintway. *Wath D* —2F **55**
Flockton Av. *S13* —5C **102**
Flockton Ct. *S1* —2D **98** (4C **4**)
Flockton Cres. *S13* —5B **102**
Flockton Dri. *S13* —5C **102**
Flockton Ho. *S1* —4C **4**
Flockton Rd. *S13* —5B **102**
Flodden St. *S10* —1H **97**
Floodgate Dri. *E'fld* —1F **75**
Flora St. *S6* —5C **86**
Florence Av. *Donc* —3A **46**
Florence Av. *Swal* —6B **104**
Florence Ri. *D'fld* —4D **26**
Florence Rd. *Roth* —3B **78**
Florence Rd. *Roth* —3B **78**
Flower St. *Gold* —4H **29**
Flowitt St. *Donc* —1B **46**
Flowitt St. *Mexb* —6D **42**
Folderings La. *Bols* —6E **141**
Folder La. *Spro* —2C **44**
Foldrings. —1A 72
Folds Cres. *S8* —6A **110**
Folds Dri. *S8* —6A **110**
Folds La. *S8* —6A **110**
Fold, The. *Roth* —1B **80**
Foley Av. *Womb* —1E **39**
Foley St. *S4* —6H **87**
Foljambe Av. *Ches* —5F **137**
Foljambe Cres. *New R* —4B **62**
Foljambe Dri. *Dalt* —6C **70**
Foljambe Rd. *Brim* —3E **133**
Foljambe Rd. *Ches* —2H **137**
Foljambe Rd. *Roth* —1H **79**
Foljambe St. *P'gte* —3F **69**
Follett Rd. *S5* —4G **75**
Folly La. *Thurls* —2A **142**
Fonteyn Ho. *Donc* —3F **33**
Fontwell Dri. *Mexb* —5F **43**
Foolow Av. *Ches* —4H **137**
Foolow Ct. *Ches* —4H **137**
Footgate Clo. *O'bri* —2D **72**
Forbes Rd. *S6* —4A **86**
Ford Clo. *Dron* —2D **128**
Ford La. *S'bri* —2E **141**
Fordoles Head La. *Maltby* —1C **82**
Ford Rd. *S11* —1H **109**
Fordstead La. *Ark* —2F **19**
Fore Hill Av. *Donc* —5B **48**
Foremark Rd. *S5* —5H **75**
Fore's Rd. *Arm* —4G **35**
Forest Clo. *O'bri* —5F **73**
Forest Edge. *S11* —6G **109**
Forest Ri. *Donc* —6G **45**
Forest Rd. *B'ley* —5B **8**
Forge Hill. *O'bri* —2D **72**
Forge La. *Else* —1D **52**
Forge La. *Kil* —2H **125**
Forge La. *O'bri* —2D **72**
Forge La. *O'bri & Wort* —1H **141**
Forge La. *Roth* —3D **78**
Forge Rd. *Wal* —4F **117**
Formby Ct. *B'ley* —1D **14**
Forncett St. *S4* —5H **87**
Fornham St. *S2* —3F **99** (6F **5**)
  (in two parts)
Forres Av. *S10* —2G **97**
Forres Rd. *S10* —2G **97**
Forrester Clo. *Flan* —3F **81**
Forrester's La. *Coal A* —5G **123**
Forster Rd. *Donc* —5B **46**
Forth Av. *Dron W* —1B **128**
Fort Hill Rd. *S9* —6B **76**
Fortway Rd. *B'wth* —1C **90**
Fossard Clo. *Donc* —2G **33**
Fossard Way. *Scawt* —6H **17**
Fossdale Rd. *S7* —2B **110**
Foster Rd. *Wick* —4F **81**
Foster's Clo. *Swint* —2A **56**
Fosters, The. *High G* —6B **50**
Foster St. *B'ley* —1D **24**
Foster Way. *High G* —6B **50**
Foston Dri. *Ches* —6D **130**
Fothergill Dri. *E'thpe* —4E **21**
Foulstone Row. *Womb* —1G **39**
Foundry Climbing Cen., The. —6E **87**
Foundry Ct. *S3* —4F **87**

Foundry Rd. *Donc* —2B **46**
Foundry St. *B'ley* —1G **23**
  (in two parts)
Foundry St. *Ches* —3A **132**
Foundry St. *Else* —6C **38**
Foundry St. *P'gte* —4F **69**
Foundry St. Ind. Est. Ches —3A *132*
  (off Foundry St.)
Fountain Clo. *Dart* —4C **6**
Fountain Ct. *B'ley* —4A **8**
Fountain Precinct. *S1* —3E **5**
Fountain Sq. *Dart* —4C **6**
Fountains Way. *B'ley* —4D **14**
Fountside. *S7* —1B **110**
Fourlands Clo. *Bar G* —2A **12**
Four Lane Ends. —2F 113
  (Frecheville)
Fourlane Ends. —3D 110
  (Norton Woodseats)
Fourth Av. *W'land* —4D **16**
Fourwells Dri. *S12* —3A **114**
Fowler Bri. Rd. *Ben* —1C **32**
Fowler Cres. *New R* —4C **62**
Fowler St. *Old W* —1H **131**
Foxbrook Clo. *Ash* —6B **130**
Foxbrook Ct. *Ches* —5D **136**
Foxbrook Dri. *Ches* —4D **136**
Fox Clo. *Roth* —5F **67**
Foxcote Lea. *Thry* —5E **71**
Foxcote Way. *Walt* —5D **136**
Fox Ct. *Swint* —4B **56**
Foxcovert Clo. *Gold* —6E **29**
Fox Cft. *Hoy* —6H **37**
Foxcroft Chase. *Kil* —3A **126**
Foxcroft Dri. *Kil* —3A **126**
Foxcroft Gro. *Kil* —3A **126**
Foxcroft Meadows. *Maltby* —5F **83**
Foxdale Av. *S12* —2D **112**
Fox Fields. *Oxs* —6G **143**
Foxfield Wlk. *B'ley* —3D **24**
Fox Glen Rd. *Deep* —4F **141**
Foxglove Clo. *Cal* —2G **139**
Foxglove Rd. *S5* —5A **76**
Fox Gro. *Warm* —5E **45**
Foxhall La. *S10* —1A **108**
Fox Hill. *S3* —5F **87**
Fox Hill Av. *S6* —4A **74**
Fox Hill Clo. *S6* —4A **74**
Fox Hill Cres. *S6* —4A **74**
Fox Hill Dri. *S6* —4A **74**
Fox Hill Pl. *S6* —3A **74**
Fox Hill Rd. *S6* —5A **74**
Fox Hill Way. *S6* —3A **74**
Foxland Av. *Swint* —3G **55**
Fox La. *S12* —5E **113**
Fox La. *S17* —3B **122**
Fox La. *Barn* —1G **63**
Fox La. Ct. *S12* —3E **113**
Fox La. Vw. *S12* —3E **113**
Foxley Oaks. *Old W* —2B **132**
Fox Rd. *S6* —5C **86**
Foxroyd Clo. *B'ley* —1F **25**
Fox's Pl. *Ches* —3F **137**
Fox St. *S3* —5E **87**
Fox St. *Roth* —3G **77**
Foxtone Clo. *Stav* —3B **134**
Fox Wlk. *S6* —5B **86**
Foxwood Av. *S12* —1D **112**
Foxwood Clo. *Ches* —2G **131**
Foxwood Clo. *Has* —6D **138**
Foxwood Dri. *S12* —1D **112**
Foxwood Gro. *S12* —2D **112**
Foxwood Ind. Pk. *Ches* —2H **131**
Foxwood Rd. *S12* —1D **112**
Foxwood Rd. *Ches* —1G **131**
Foxwood Way. *Ches* —1G **131**
Framlingham Pl. *S2* —6H **99**
Framlingham Rd. *S2* —6H **99**
France Rd. *S6* —2D **84**
Frances St. *Donc* —6D **32**
France St. *P'gte* —4F **69**
Francis Clo. *Brim* —4D **132**
Francis Cres. N. *Roth* —6B **80**
Francis Cres. S. *Roth* —6B **80**
Francis Dri. *Roth* —5B **80**
Francis Gro. *High G* —6B **50**
Francis St. *Roth* —4E **79**
Francus Royd. *B'ley* —4E **9**
Frank Hillock Fld. *Deep* —3G **141**
Franklin Cres. *Donc* —6F **33**
Franklyn Rd. *Ches* —1G **137**

Frank Pl. *S9* —4C **88**
Frank Rd. *Donc* —3B **32**
Fraser Clo. *S8* —4C **110**
Fraser Cres. *S8* —4C **110**
Fraser Dri. *S8* —4D **110**
Fraser Rd. *S8* —4D **110**
Fraser Rd. *Roth* —4F **79**
Fraser Wlk. *S8* —5D **110**
Frecheville. —3F 113
Frecheville St. *Stav* —2B **134**
Frederick Av. *B'ley* —1F **23**
Frederick Dri. *Gren* —6A **69**
Frederick Rd. *S7* —6D **98**
Frederick St. *S9* —6D **88**
Frederick St. *Cat* —6C **90**
Frederick St. *Gold* —4G **29**
Frederick St. *Mexb* —1D **56**
Frederick St. *Roth* —2D **78**
Frederick St. *Wath D* —4D **40**
Frederick St. *Womb* —6A **26**
Frederic Pl. *B'ley* —2H **23**
Freebirch Vw. *Ches* —4D **130**
Freedom Ct. *S6* —4B **86**
Freedom Rd. *S6* —5A **86**
Freeman Gdns. *High G* —1B **64**
Freeman Rd. *Wick* —4F **81**
Freeman St. *B'ley* —1H **23**
Freemans Yd. *B'ley* —6H **13**
Freesia Clo. *Ans* —3E **119**
Freeston Pl. *S9* —4C **88**
French Ga. *Donc* —5C **32**
(in two parts)
Frenchgate Shop. Cen. *Donc* —6C **32**
French St. *Ben* —5B **18**
Fretson Clo. *S2* —5C **100**
Fretson Grn. *S2* —5C **100**
Fretson Rd. *S2* —5C **100**
Fretson Rd. S. *S2* —6C **100**
Fretwell Clo. *Maltby* —3E **83**
Fretwell Rd. *H'by* —4B **82**
Fretwell Rd. *Roth* —1A **80**
Freydon Way. *Cal* —2G **139**
Friar Clo. *S6* —5D **84**
Friars Ga. *Donc* —5C **32**
Friar's Rd. *B'ley* —4E **15**
Frickley Bri. La. *Brie* —1E **11**
Frickley Rd. *S11* —5F **97**
Friers Cft. *W'wth* —4D **52**
Frinton Clo. *Ches* —6H **137**
Frithbeck Clo. *Arm* —3F **35**
Frith Clo. *S12* —2D **112**
Frith Rd. *S12* —2D **112**
Frobisher Gro. *Maltby* —3E **83**
Froggatt Clo. *Ink* —5A **134**
Froggatt La. *S1* —3E **99** (5E 5)
Frogmore Clo. *Braml* —3H **81**
Frog Wlk. *S11* —5C **98**
Frostings Clo. *Gren* —6A **64**
(in two parts)
Frostings, The. *Gren* —6A **64**
Fulford Clo. *S9* —6E **89**
Fulford Clo. *Ches* —5E **137**
Fulford Clo. *Dart* —4E **7**
Fulford Pl. *S9* —6E **89**
Fulford Way. *Con* —2G **59**
Fuller Dri. *Ches* —5C **132**
Fullerton Av. *Con* —3B **58**
Fullerton Dri. *Thry* —4C **70**
Fullerton Dri. *B'wth* —3B **90**
Fullerton Rd. *Roth* —5C **78**
Fulmar Way. *Thpe H* —1C **66**
Fulmer Clo. *B'ley* —1B **14**
Fulmere Cres. *S5* —3C **74**
Fulmere Rd. *S5* —3C **74**
Fulmer Rd. *S11* —6A **98**
Fulney Rd. *S11* —5F **97**
Fulton Rd. *S6* —6A **86**
Fulwood. —5C 96
Fulwood Chase. *S10* —5E **97**
Fulwood Dri. *Donc* —1H **61**
Fulwood La. *S10* —3A **108**
Fulwood Rd. *S10* —6D **96**
Furlong Ct. *Gold* —6F **29**
Furlong Rd. *Bol D & Gold* —1B **42**
Furlong Rd. *H'ton* —2E **43**
Furlong Vw. *Barn* —1F **43**
Furlong Vw. *H'ton* —1F **43**
Furnace Hill. *S3* —1E **99** (1D 4)
Furnace Hill. *Ches* —3G **137**
Furnace La. *S13* —6E **103**

Furnace La. *Barl* —1B **130**
Furnace La. *Brim* —5F **133**
Furnace Yd. *Else* —1D **52**
Furness Clo. *S6* —4D **84**
Furness Clo. *Dinn* —6F **107**
Furness Dene. *B'ley* —2D **14**
Furness Rd. *High G* —6A **50**
Furniss Av. *S17* —3D **120**
Furniss M. *S17* —3E **121**
Furnival Clo. *Tod* —2A **118**
Furnival Ga. *S1* —3E **99** (5D 4)
Furnivall Rd. *Donc* —3A **46**
Furnival Rd. *S4* —1F **99** (2G 5)
Furnival Rd. *Tod* —2A **118**
Furnival Sq. *S1* —3E **99** (5E 5)
Furnival St. *S1* —3E **99** (5E 5)
Furnival Way. *Whis* —2B **92**
Future Wlk. *Ches* —2H **137**
Fylde Clo. *B'ley* —1D **14**

Gainsborough Clo. *Flan* —4F **81**
Gainsborough Rd. *S11* —6B **98**
Gainsborough Rd. *Dron* —3C **128**
Gainsborough Way. *B'ley* —3B **14**
Gainsford Rd. *S9* —1E **101**
Gaitskell Clo. *Gold* —6F **29**
Gaitskell Clo. *Maltby* —5H **83**
Gala Cres. *Maltby* —3D **82**
Gallery, The. *S1* —1F **99** (2G 5)
Galley Dri. *Wat* —6D **114**
Gallow Tree Rd. *Roth* —5A **80**
Galpharm Way. *Dod* —1A **22**
Galsworthy Av. *S5* —6D **74**
Galsworthy Clo. *Donc* —6H **45**
(in two parts)
Galsworthy Rd. *S5* —1C **86**
Galway Clo. *Rawm* —1G **69**
Galway Clo. *Roy* —1E **9**
Gamston Rd. *S8* —6D **98**
Gannow Clo. *Kil* —2D **126**
Gannow Hill. —2D 126
Ganton Pl. *B'ley* —6A **8**
Ganton Rd. *S6* —1H **85**
Garbroads Cres. *Thry* —5C **70**
Garbutt St. *Bol D* —2B **42**
Garden Ct. *B'ley* —6D **12**
Garden Cres. *Roth* —1G **91**
Garden Dri. *Bram* —3A **40**
Garden Gro. *H'fld* —3E **39**
Garden Ho. Clo. *B'ley* —2C **14**
Garden Ho. Dri. *Kiv P* —4B **118**
Gardenia Rd. *Kirk S* —4C **20**
Garden La. *Donc* —2H **45**
Garden La. *Rav* —4H **71**
Garden La. Rav —2C *78*
(off Amen Corner)
Gardens La. *Con* —3D **58**
Gardens, The. *S7* —5C **98**
Gardens, The. *Donc* —4B **48**
Garden St. *S1* —1D **98** (2C 4)
Garden St. *B'ley* —1H **23**
Garden St. *D'fld* —4E **27**
Garden St. *Gold* —4H **29**
Garden St. *Mexb* —6E **43**
Garden St. *Roth* —2B **78**
Garden St. *Thurn* —1F **29**
Garden St. *Wath D* —4D **40**
Garden Ter. *Ben* —1B **32**
Garden Village. —3C 140
Garden Wlk. *Beig* —4G **115**
Garden Wlk. *Roth* —1G **91**
Gardom Clo. *Dron W* —2B **128**
Garfield Mt. *Roth* —3E **79**
Garland Clo. *W'fld* —1E **125**
Garland Cft. *W'fld* —2E **125**
Garland Dri. *Roth* —1B **78**
Garland Mt. *W'fld* —1E **125**
Garland Way. *W'fld* —2E **125**
Garry Rd. *S6* —2H **85**
Garside's Bldgs. P'stne —4C *142*
(off Stottercliffe Rd.)
Garter St. *S4* —4H **87**
Garth Clo. *S9* —6C **88**
Garth Way. *Dron* —2D **128**
Garth Way Clo. *Dron* —2D **128**
Gartrice Gdns. *Half* —4G **125**
Gartrice Gro. *Half* —4G **125**
Gashouse La. *Mosb & Eck* —4D **124**
Gate Cres. *Dod* —1B **22**
Gatefield Clo. *Ches* —5E **131**

Gatefield Rd. *S7* —1C **110**
Gateland La. *Dron* —6C **128**
Gate, The. *Dod* —1B **22**
Gateway Clo. *P'gte* —6E **69**
Gateway Ct. *P'gte* —5E **69**
Gateway Ind. Est., The. *P'gte* —5E **69**
Gateway Pl. *P'gte* —6E **69**
Gateway, The. *P'gte* —5E **69**
Ga. Wood La. *Cant & Bran* —1G **49**
Gattison La. *New R* —5D **62**
Gatty Rd. *S5* —2H **75**
Gaunt Clo. *S14* —4H **111**
Gaunt Clo. *Braml* —3H **81**
Gaunt Clo. *Kil* —3A **126**
Gaunt Dri. *S14* —4H **111**
Gaunt Dri. *Braml* —3H **81**
Gaunt Pl. *S14* —3H **111**
Gaunt Rd. *S14* —4H **111**
Gaunt Rd. *Braml* —3H **81**
Gaunt Way. *S14* —4H **111**
Gawber. —4D 12
Gawber Rd. *B'ley* —4E **13**
Gawtress Row. *Wath D* —5E **41**
Gayle Ct. *B'ley* —5F **13**
Gayton Clo. *Donc* —6A **46**
Gayton Ct. *Donc* —6A **46**
Gayton Rd. *S4* —3G **87**
Gelderd Pl. *Dron* —3E **129**
Gell St. *S3* —2C **98** (4A 4)
Genn La. *B'ley & Wors* —3F **23**
Genoa Clo. *D'fld* —2C **26**
Genoa St. *Mexb* —6F **43**
George Pl. *Mexb* —6G **43**
George Pl. *Rawm* —2G **69**
George Sq. *B'ley* —6G **13**
George St. *S1* —2F **99** (3F 5)
George St. *Arm* —2D **34**
George St. *B'ley* —6G **13**
George St. *Ben* —5A **18**
George St. *Brim* —3E **133**
George St. *Cud* —5C **10**
George St. *Gold* —4E **29**
George St. *Hoy* —6A **38**
George St. *L Hou* —2H **27**
George St. *M'well* —4F **7**
George St. *Old W* —1H **131**
George St. *Roth* —2D **78**
(in two parts)
George St. *Thurn* —2H **29**
George St. *Womb* —1F **39**
(High St.)
George St. *Womb* —5D **26**
(Stonyford Rd.)
George St. *Wors* —5A **24**
(Broomroyd)
George St. *Wors* —5C **24**
(High St.)
George Woofindin Almshouses. *S11* —5A **98**
George Yd. *B'ley* —6G **13**
Gerald Clo. *B'ley* —2C **24**
Gerald Cres. *B'ley* —1C **24**
Gerald Pl. *B'ley* —2C **24**
Gerald Rd. *B'ley* —2C **24**
Gerald St. *S9* —4C **88**
Gerald Wlk. *B'ley* —2C **24**
Gerard Av. *Thry* —5E **71**
Gerard Clo. *S8* —1F **111**
Gerard Clo. *Ches* —4E **137**
Gerard Rd. *Roth* —4E **79**
Gerard St. *S8* —1F **111**
Gertrude St. *S6* —5C **86**
Gervase Av. *S8* —3C **122**
Gervase Dri. *S8* —3C **122**
Gervase Pl. *S8* —3C **122**
Gervase Rd. *S8* —3C **122**
Gervase Wlk. *S8* —3C **122**
Gibbing Greaves Rd. *Roth* —5C **80**
Gibbons Dri. *S14* —5A **112**
Gibbons Wlk. S14 —5A *112*
(off Gibbons Dri.)
Gibbons Way. *S14* —5A **112**
Gibraltar St. *S3* —1E **99** (1D 4)
Gibson La. *S'bri* —2D **140**
Gibson Wlk. Swint —4B *56*
(off Haythorne Way)
Gifford Dri. *Warm* —5F **45**
Gifford Rd. *S8* —6E **99**
Gilbert Av. *Ches* —5F **137**
Gilbert Ct. *S2* —5H **5**
Gilbert Gro. *B'ley* —1D **24**
Gilberthorpe Ct. *Roth* —3F **79**

Gilberthorpe Dri. *Roth* —3G **79**
Gilberthorpe Rd. *Donc* —4H **45**
Gilberthorpe St. *Roth* —3F **79**
Gilbert Row. *S2* —2G **99** (3H **5**)
Gilbert St. *S2* —2F **99** (3G **5**)
Gilder Way. *Shaf* —3C **10**
Gildhurst Ct. *Birdw* —5D **36**
Giles Av. *Wath D* —5C **40**
Gill Clo. *Wick* —6G **81**
Gill Cft. *S6* —5C **84**
Gilleyfield Av. *S17* —2E **121**
Gill Meadows. *S6* —5C **84**
Gillott Dell. *Wick* —6F **81**
Gillott Ind. Est. *B'ley* —5F **13**
Gillott La. *Wick* —6F **81**
(in two parts)
Gillott Rd. *S6* —5A **74**
Gill St. *Donc* —1D **46**
Gill St. *Hoy* —6B **38**
Gilpin La. *S6* —6C **86**
Gilpin St. *S6* —5C **86**
Gilroyd. —3C 22
Gilroyd La. *Dod* —4C **22**
Ginhouse La. *Roth* —1C **78**
Gipsy Grn. La. *Wath D* —1F **55**
Gipsy La. *Old W* —2B **132**
Gisborne Rd. *S11* —1H **109**
Glade Clo. *Ches* —6G **131**
Glade Cft. *S12* —3C **112**
Glade Lea. *S12* —3C **112**
Glade, The. *S10* —4H **97**
Glade, The. *Ches* —2F **137**
Glade Vw. *Kirk S* —3D **20**
Gladstone M. *S10* —4E **97**
Gladstone Pl. *Mexb* —6C **42**
Gladstone Rd. *S10* —4F **97**
Gladstone Rd. *Ches* —1H **137**
Gladstone Rd. *Donc* —2A **46**
Gladstone Rd. *Maltby* —3E **83**
Gladwin Gdns. *Ches* —5F **137**
Gladys St. *Roth* —3G **79**
Glaisdale Clo. *Dinn* —2C **106**
Glaisdale Ct. *Dinn* —2C **106**
Glamis Rd. *Donc* —6G **33**
Glasshouse La. *Kiln* —6C **56**
Glasshouse Rd. *Kiln* —6C **56**
Glasshouse St. *Roth* —2C **78**
Glastonbury Ga. *Donc* —4F **31**
Gleadless. —3C 112
Gleadless Av. *S12* —3B **112**
Gleadless Bank. *S12* —3B **112**
Gleadless Comn. *S12* —1B **112**
Gleadless Ct. *S2* —1F **111**
Gleadless Cres. *S12* —2B **112**
Gleadless Dri. *S12* —3B **112**
Gleadless Mt. *S12* —4C **112**
Gleadless Rd. *S2* —6E **99**
Gleadless Rd. *S14 & S12* —2A **112**
Gleadless Townend. —4C 112
Gleadless Valley. —3A 112
Glebe Clo. *Swint* —4A **56**
Glebe Ct. *Old W* —1A **132**
Glebe Ct. *Tank* —6D **36**
Glebe Cres. *Thry* —6C **70**
Glebe Farm Clo. *Arm* —2E **35**
Glebeland Clo. *Rawm* —6E **55**
Glebelands Rd. *S'bri* —4E **141**
Glebe Rd. *S10* —1A **98**
Glebe Rd. *Swint* —4A **56**
Glebe St. *Warm* —5F **45**
Glebe, The. Old W —1A **132**
(off Glebe Way, The)
Glebe Way, The. *Old W* —1A **132**
Gledhill Av. *P'stne* —6C **142**
Gledhill Clo. *Dron* —2E **129**
Glenalmond Rd. *S11* —6H **97**
Glencairn Clo. Maltby —4H **83**
(off Lumley Clo.)
Glencoe Dri. *S2* —3G **99**
Glencoe Pl. *S2* —3G **99**
Glencoe Rd. *S2* —3G **99** (5H **5**)
Glencoe Way. *Ches* —1D **136**
Glencroft. *S11* —6G **97**
Glendale Clo. *B'ley* —5D **12**
Glendale Rd. *Spro* —2D **44**
Gleneagles Clo. *Ches* —5E **137**
Gleneagles Dri. *Donc* —5F **49**
Gleneagles Ri. *Swint* —3B **56**
Gleneagles Rd. *Dinn* —5F **107**
Glen Fld. Av. *Donc* —2A **46**
Glenfield Cres. *Ches* —4H **131**

Glen Head. *S17* —6D **108**
Glenholme Dri. *S13* —6H **101**
Glenholme Pl. *S13* —6H **101**
Glenholme Rd. *S13* —5H **101**
Glenholme Way. *S13* —5G **101**
Glenmoor Av. *B'ley* —1D **22**
Glenmore Clo. *Ink* —6H **133**
Glenmore Cft. *S12* —1D **112**
Glenmore Ri. *Womb* —2G **39**
Glenorchy Rd. *S13* —6H **101**
Glen Rd. *S7* —1C **110**
Glen Rd. *Bran* —3H **49**
Glen, The. *S10* —4H **97**
Glenthorne Clo. *Ches* —3E **137**
Glentilt Rd. *S7* —2B **110**
Glen Vw. *S11* —5F **97**
Glen Vw. Rd. *S8* —1C **122**
Glenville Clo. *Hoy* —6H **37**
Glenwood Cres. *C'town* —2F **65**
Gliwice Way. *Donc* —2H **47**
Glossop La. *S10* —2C **98**
Glossop Rd. *S10* —3A **98** (4A **4**)
Glossop Row. *O'bri* —2D **72**
Glossop's Cft. *Old W* —1B **132**
Gloucester Av. *Ches* —5H **131**
Gloucester Cres. *S10* —3C **98**
Gloucester Rd. *Ches* —6H **131**
Gloucester Rd. *Donc* —4G **33**
Gloucester Rd. *Roth* —6H **67**
Gloucester St. *S10* —3C **98**
Glover Rd. *S8* —6E **99**
Glover Rd. *S17* —5F **121**
Glumangate. *Ches* —2A **138**
Glyn Av. *Donc* —5E **33**
Goathland Clo. *S13* —6D **102**
Goathland Dri. *S13* —6D **102**
Goathland Pl. *S13* —6D **102**
Goathland Rd. *S13* —6D **102**
Goddard Av. *S'bri* —2B **140**
Goddard Hall Rd. *S5* —2G **87**
Godley Clo. *Roy* —1F **9**
Godley St. *Roy* —1F **9**
Godric Dri. *B'wth* —2B **90**
Godric Grn. *B'wth* —2B **90**
Godric Rd. *S5* —2G **75**
Godstone Rd. *Roth* —4E **79**
Goldcrest Ho. *Old W* —1B **132**
Goldcrest Wlk. *Thpe H* —2C **66**
Gold Cft. *B'ley* —1A **24**
Golden Oak Dell. *S6* —4C **84**
Golden Smithies La. *Swint & Wath D* —2H **55**
Goldsborough Rd. *Donc* —6G **33**
Goldsmith Dri. *Roth* —3H **79**
Goldsmith Rd. *Donc* —5C **46**
Goldsmith Rd. *Roth* —3H **79**
Gold St. *B'ley* —1A **24**
Goldthorpe. —4H 29
Goldthorpe Grn. *Gold* —5F **29**
Goldthorpe Ind. Est. *Gold* —5D **28**
Goldthorpe Rd. *Gold* —5G **29**
Gomersal La. *Dron* —2E **129**
Gomersal Av. *Con* —3B **58**
Gooder Av. *Roy* —2E **9**
Goodison Boulevd. *Donc* —3C **48**
Goodison Ct. *Donc* —3C **48**
Goodison Cres. *S6* —5F **85**
Goodison Ri. *S6* —5F **85**
Goodman Ct. *Cal* —2G **139**
Goodwin Av. *Rawm* —1F **69**
Goodwin Cres. *Swint* —1A **56**
Goodwin Rd. *S8* —1E **111**
Goodwin Rd. *Roth* —3A **68**
Goodwin Way. *Roth* —3A **68**
Goodwood Gdns. *Donc* —1B **48**
Goodyear Cres. *Womb* —1F **39**
Goole Green. —6D 96
Goore Av. *S9* —3D **100**
Goore Dri. *S9* —2D **100**
Goore Rd. *S9* —3D **100**
Gooseacre La. *Thurn* —1E **29**
Goosebutt Ct. *P'gte* —3F **69**
Goosebutt St. *P'gte* —3F **69**
Goose Carr La. *Tod* —6H **105**
Goosecroft Av. *Thry* —5C **70**
Goosehill Ct. *Bal* —1H **61**
Goose La. *Wick* —5G **81**
Gordon Av. *S8* —5E **111**
Gordon Rd. *S11* —5B **98**
Gordon Rd. *Edl'tn* —3B **60**
Gordon St. *B'ley* —1E **25**
Gordon St. *Donc* —6C **32**

Gordon Ter. *Roth* —3F **79**
Gorehill Clo. *Wath D* —5G **41**
Gorman Clo. *Ches* —3G **131**
Gorse Clo. *Bram* —5H **39**
Gorse Dri. *Kil* —4B **126**
Gorseland Ct. *Wick* —5E **81**
Gorse La. *S10* —6A **96**
Gorse, The. *Roth* —4A **80**
Gorse, The. *Wick* —6F **81**
Gorse Valley Rd. *Has* —6E **139**
Gorse Valley Way. *Has* —6E **139**
Gorsey Brigg. *Dron W* —2B **128**
Gosber Rd. *Eck* —6E **125**
Gosber St. *Eck* —6D **124**
Gosforth Clo. *Dron* —2D **128**
Gosforth Cres. *Dron* —2D **128**
Gosforth Dri. *Dron* —2B **128**
Gosforth Grn. *Dron* —2D **128**
Gosforth La. *Dron* —2D **128**
Gosling Ga. Rd. *Gold* —4G **29**
Gotham Rd. *B'wth* —1C **90**
Gough Clo. *Roth* —5A **80**
Goulding St. *Mexb* —1D **56**
Gowdall Grn. *Ben* —4A **18**
Gower Cres. *Ches* —6E **131**
Gower St. *S4* —5G **87**
Gower St. *Womb* —1G **39**
Goyt Side Rd. *Ches* —3F **137**
Goyt Ter. *Ches* —3G **137**
Grace Rd. *Edl'tn* —2C **60**
Grace St. *B'ley* —1F **15**
Graftdyke Clo. *Ross* —4F **63**
Grafton St. *S2* —3G **99** (5H **5**)
Grafton St. *B'ley* —6F **13**
Grafton Way. *Roth* —2E **79**
Graham Av. *B'wth* —4D **90**
Graham Ct. *S10* —5F **97**
Graham Knoll. *S10* —5F **97**
Graham Ri. *S10* —5F **97**
Graham Rd. *S10* —4E **97**
Graham Rd. *Kirk S* —4D **20**
Graham's Orchard. *B'ley* —6G **13**
Grainger Clo. *Edl'tn* —4A **60**
Grainger Ct. *S10* —4E **97**
Grammar St. *S6* —4B **86**
(in two parts)
Grampian Clo. *B'ley* —5D **12**
Grampian Clo. *Donc* —4G **31**
Grampian Cres. *Ches* —1D **136**
Granary Clo. *Ches* —4C **130**
Granary Ct. Ans —1F **119**
(off Quarry La.)
Granby Ct. *Arm* —4G **35**
Granby Cres. *Donc* —1F **47**
Granby La. *New R* —3B **62**
Granby Rd. *S5* —1H **87**
Granby Rd. *Edl'tn* —3C **60**
Grange Av. *Aug* —4A **104**
Grange Av. *Donc* —4A **46**
Grange Av. *Dron W* —2C **128**
Grange Cliffe Clo. *S11* —3H **109**
Grange Clo. *Bram M* —6H **93**
Grange Clo. *Brie* —2F **11**
Grange Clo. *Donc* —5D **48**
Grange Ct. *Bes* —5D **48**
Grange Ct. *Donc* —3B **32**
Grange Ct. *Wick* —6F **81**
Grange Cres. *S11* —5C **98**
Grange Cres. *B'ley* —5E **15**
Grange Cres. *Thurn* —1G **29**
Grange Cres. Rd. *S11* —5C **98**
Grange Dri. *H'by* —5B **82**
Grange Dri. *Roth* —6F **67**
Grange Farm Clo. *B'wth* —4D **90**
Grange Farm Dri. *Worr* —5D **72**
Grangefield Av. *New R* —4D **62**
Grangefield Cres. *New R* —4D **62**
Grangefield Ter. *New R* —4D **62**
Grange Gdns. *Tod* —6H **105**
Grange Ho. *Brie* —2F **11**
Grange Lane. —1B 76
Grange La. *S5 & Thpe H* —1B **76**
Grange La. *S13* —5A **102**
Grange La. *A'ley* —1E **61**
(in two parts)
Grange La. *B'ley* —6E **15**
Grange La. *B'wth* —6A **78**
Grange La. *H'ton* —1H **43**
Grange La. *Maltby* —4G **83**
Grange La. *New R* —5B **62**
(in two parts)

Grange La. Ind. Est. *B'ley* —6D **14**
Grange Mill La. *S5 & S9* —1B **76**
Grangemill Pl. *Stav* —3A **134**
Grange Pk. *Kirk S* —2E **21**
Grange Pk. Av. *Brim* —1F **139**
Grange Pk. Golf Course. —5C **66**
Grange Rd. *S11* —5C **98**
Grange Rd. *Beig* —4F **115**
Grange Rd. *Brie* —2F **11**
Grange Rd. *Donc* —5D **48**
Grange Rd. *New R* —5C **62**
Grange Rd. *Rawm* —6G **55**
Grange Rd. *Roth* —1H **91**
Grange Rd. *Roy* —2C **8**
Grange Rd. *Swint* —3H **55**
Grange Rd. *Toll B* —3A **18**
Grange Rd. *Wath D* —6D **40**
Grange Rd. *W'land* —4E **19**
Grange St. *Thurn* —1G **29**
Grange Ter. Thurn —1G **29**
 (off Chapman St.)
Grange, The. *Ash* —1B **136**
Grange, The. *Scho* —5E **67**
Grange Vw. *Bal* —3A **46**
Grange Vw. *Bla H* —2H **37**
Grange Vw. Cres. *Roth* —1F **77**
Grange Vw. Rd. *Roth* —1F **77**
Grange Way. *Den M* —2B **58**
Grangewood Rd. *Ches* —6H **137**
Grangewood Rd. *Lghtn* —1E **107**
Granham Acre. *Shaf* —3C **10**
Gransden Way. *Ches* —5E **137**
Grantham St. *New R* —4C **62**
Grantley Clo. *Womb* —3H **39**
Granville Clo. *Has* —5D **138**
Granville Rd. *S2* —3F **99** (6G **5**)
Granville Sq. *S2* —3F **99** (6G **5**)
Granville St. *S2* —3F **99** (6G **5**)
Granville St. *B'ley* —4F **13**
Granville Ter. *Roth* —3F **79**
Grasby Ct. *Braml* —2H **81**
Grasmere Av. *Donc* —5A **34**
Grasmere Clo. *Ans* —1H **119**
Grasmere Clo. *Bol D* —2A **42**
Grasmere Clo. *Ches* —4F **131**
Grasmere Clo. *Mexb* —5H **43**
Grasmere Clo. *P'stne* —3D **142**
Grasmere Cres. *Dart* —3E **7**
Grasmere Rd. *S8* —2C **110**
Grasmere Rd. *B'ley* —6A **14**
Grasmere Rd. *Con* —3D **58**
Grasmere Rd. *Dron W* —2B **128**
Grasscroft Clo. *Ches* —5F **131**
Grassdale Vw. *S12* —4H **113**
Grassington Clo. *S12* —4B **114**
Grassington Dri. *S12* —4B **114**
Grassington Way. *C'town* —1D **64**
Grassmoor Clo. *S12* —2B **112**
Grassthorpe Rd. *S12* —3D **112**
Grattan St. *Roth* —3G **77**
Gratton Ct. *Stav* —1D **134**
Graven Clo. *Gren* —1H **73**
Graves Art Gallery. —2F **99** (4F **5**)
Graves Pk. Animal Farm. —5F **111**
Graves Tennis & Leisure Cen.
 —2F **123**
Graves Trust Homes. *S8* —1D **122**
 (Greenhill Av.)
Graves Trust Homes. *S8* —1E **123**
 (Lit. Norton La.)
Graves Trust Homes. *S12* —2C **112**
Gray Av. *Swal* —5B **104**
Gray Clo. *Roth* —1E **79**
Gray Gdns. *Donc* —5B **46**
Grays Ct. *Den M* —1C **58**
Grayshott Wlk. *Ches* —5H **137**
Grayson Clo. *Rav* —1H **81**
Grayson Clo. *S'bri* —4E **141**
Grayson Rd. *Roth* —3A **68**
Gray's Rd. *B'ley* —4E **9**
Gray St. *S3* —5F **87**
Gray St. *Else* —6C **38**
Gray St. *Mosb* —2C **124**
Greasbro Rd. *S9* —1F **89**
Greasbrough. —4C **68**
Greasbrough La. *Rawm* —3C **68**
Greasbrough Rd. *P'gte* —4D **68**
Greasbrough Rd. *Roth* —5C **68**
 (in three parts)
Greasbrough St. *Roth* —2C **78**
Gt. Bank Rd. *Roth* —5A **80**

Gt. Central Av. *Donc* —3B **46**
Gt. Cliffe Rd. *Dod* —1A **22**
Great Cft. *Dron W* —1B **128**
Gt. Eastern Way. *P'gte* —5F **69**
Gt. North Rd. *Adw S & W'land* —1B **16**
Gt. North Rd. *Donc* —4B **48**
Gt. North Rd. *Ross & Baw* —2G **63**
Gt. North Rd. *W'land & Scawt* —5E **17**
Gt. Park Rd. *Roth* —1G **77**
Greaves Clo. *S6* —5C **84**
Greaves Fold. *B'ley* —5D **12**
Greaves La. *S6* —5C **84**
Greaves La. *High G* —3B **50**
Greaves Rd. *S5* —1E **75**
Greaves Rd. *Roth* —2A **78**
Greaves Sike La. *M'brng* —1B **82**
Greaves St. *S6* —4B **86**
Green Acres. *Grim* —6G **11**
Green Acres. *Hoy* —6A **38**
Green Acres. *P'stne* —4E **143**
Green Acres. *Rawm* —2G **69**
Greenacres Clo. *Dron* —4G **129**
Grn. Arbour Ct. *Thur* —6A **94**
Grn. Arbour Rd. *Thur* —5A **94** & 1A **106**
 (in two parts)
Green Bank. *B'ley* —4B **8**
Greenbank Dri. *Ches* —1E **137**
Grn. Bank Dri. *S'side* —1B **91**
Greenbank Wlk. *Grim* —6F **11**
Green Boulevd. *Donc* —3C **48**
Green Chase. *Eck* —6C **124**
Green Clo. *Ink* —5A **134**
Green Comn. *Arm* —4F **35**
Greencroft. *Roth* —5F **79**
Green Cross. *Dron* —1F **129**
Greendale Av. *Holy* —5A **136**
Greendale Ct. *Dron* —1F **129**
Greendale Shop. Cen. *Dron* —1F **129**
Grn. Dyke La. *Donc* —2C **46**
Grn. Dyke Way. *B'ley* —3C **12**
Grn. Farm Clo. *Ches* —5E **131**
Grn. Farm Hamlet. *S'bri* —3A **140**
Greenfield. *Rawm* —2F **69**
Greenfield Clo. *S8* —2D **122**
Greenfield Clo. *Ches* —4G **35**
Greenfield Clo. *Barn D* —1E **21**
Greenfield Clo. *Roth* —1B **80**
Greenfield Cotts. *B'ley* —5E **9**
Greenfield Ct. *Adw D* —3D **42**
Greenfield Ct. *Flan* —3F **81**
Greenfield Dri. *S8* —2D **122**
Greenfield Gdns. *B'ley* —4A **8**
Greenfield Gdns. *Donc* —4E **49**
Greenfield Gdns. *Flan* —3F **81**
Greenfield La. *Donc* —2A **46**
Greenfield Rd. *S8* —2D **122**
Greenfield Rd. *Hoy* —5A **38**
Greenfield Rd. *Roth* —1B **80**
Green Fields. *Eck* —6C **124**
Greenfinch Clo. *B'wth* —3D **90**
Greenfoot Clo. *B'ley* —4F **13**
Greenfoot La. *B'ley* —3F **13**
 (in two parts)
Greengate Clo. *S13* —1D **114**
Grn. Gate Clo. *Bol D* —6F **29**
Greengate Clo. *Ches* —3E **137**
Greengate La. *S13* —1C **114**
Greengate La. *High G* —1B **64**
Greengate Rd. *S13* —1D **114**
Green Glen. *Ches* —3E **137**
Greenhall Rd. *Eck* —6C **124**
Greenhead Gdns. *C'town* —2E **65**
Greenhead La. *C'town* —2E **65**
Greenhill. —2C **122**
Greenhill Av. *S8* —1C **122**
Greenhill Av. *B'ley* —4H **13**
Greenhill Av. *H'by* —5B **82**
Grn. Hill Gro. *H'swne* —1G **143**
Greenhill Main Rd. *S8* —2C **122**
Greenhill Parkway. *S8* —3B **122**
Greenhill Rd. *S8* —5D **110**
Green Ho. Rd. *Donc* —3H **33**
Greenhow St. *S6* —4A **86**
Green Ings La. *Bol D* —4G **41**
Greenland. —4E **89**
Greenland. *Bla H* —2H **37**
Greenland Av. S. *Maltby* —3G **83**
 (in two parts)
Greenland Clo. *S9* —5E **89**
Greenland Clo. *Ans* —1F **119**
Greenland Ct. *S9* —5E **89**

Greenland Dri. *S9* —5E **89**
Greenland Rd. *S9* —4E **89**
Greenland Rd. Ind. & Bus. Pk. *S9* —4E **89**
Greenlands Av. *Ross* —3E **63**
Greenland Vw. *S9* —6E **89**
Greenland Vw. *Wors* —5B **24**
Greenland Wlk. *S9* —5E **89**
Greenland Way. *S9* —5E **89**
 (Greenland Dri.)
Greenland Way. *S9* —4E **89**
 (Greenland Rd.)
Greenland Way. *Maltby* —2G **83**
Green La. *S3* —6D **86** (1D **4**)
Green La. *Ast* —6E **105**
Green La. *Cant* —2F **49**
Green La. *Cat* —4B **90**
Green La. *Ches* —1D **138**
Green La. *Cut* —4A **130**
Green La. *Dod* —3C **22**
Green La. *Dron* —2F **129**
Green La. *D'ville* —4G **21**
Green La. *E'fld* —1G **75**
Green La. *Hoy* —6E **37**
Green La. *Kil* —5A **126**
Green La. *K'wth* —2E **77**
Green La. *Maltby* —3E **95**
Green La. *Rawm* —2F **69**
Green La. *Roth* —1G **91**
Green La. *Scawt* —5A **16**
Green La. *S'bri* —2A **140**
Green La. *Thur* —2H **93**
Green La. *Ulley* —1B **104**
Green La. *Wadw* —6G **61**
Green La. *Wath D* —2D **54**
Green La. *Wick* —4E **81**
Green La. *W'land* —3C **16**
Green La. *Wors* —4E **23**
Green Lea. *Dron W* —1A **128**
Greenleafe Av. *Donc* —2A **34**
Green Moor. —1G **141**
Grn. Moor Rd. *Wort* —1F **141**
Grn. Oak Av. *S17* —5E **121**
Grn. Oak Cres. *S17* —5E **121**
Grn. Oak Dri. *S17* —5E **121**
Grn. Oak Dri. *Wal* —5E **117**
Grn. Oak Gro. *S17* —5E **121**
Grn. Oak Rd. *S17* —5E **121**
Grn. Oak Vw. *S17* —5E **121**
Greenock St. *S6* —3H **85**
Green Ri. *Rawm* —6D **54**
Green Rd. *P'stne* —5D **142**
Greenset Vw. *B'ley* —4A **8**
Greenside. —4G **7**
Greenside. *H'swne* —1G **143**
Greenside. *M'well* —4G **7**
Greenside. *Roth* —4B **68**
Greenside. *Shaf* —1B **10**
Greenside Av. *Ches* —4H **131**
Greenside Av. *Kiv P* —5G **117**
Greenside Av. *M'well* —4G **7**
Greenside Gdns. *H'swne* —1G **143**
Greenside Ho. *M'well* —4G **7**
Greenside La. *Hoy* —4A **38**
Greenside M. *S12* —4B **114**
Greenside Pl. *M'well* —4G **7**
Grn. Spring Av. *Birdw* —3D **36**
Greens Rd. *Roth* —3H **79**
Green St. *Deep* —3F **141**
Green St. *Donc* —5H **45**
Green St. *Hoy* —5A **38**
Green St. *Old W* —1A **132**
Green St. *Roth* —3B **68**
Green St. *Wors* —4C **24**
Green, The. —5D **142**
Green, The. S9 —1E **101**
 (off Avenue, The)
Green, The. *S17* —5D **120**
Green, The. *S26* —4B **116**
Green, The. *Ans* —1F **119**
Green, The. *Barn* —1H **43**
Green, The. *Bol D* —6E **29**
Green, The. *Has* —6D **138**
Green, The. *H'fld* —4E **39**
Green, The. *Hood G* —6A **22**
Green, The. *Old De* —2G **57**
Green, The. *P'stne* —5C **142**
Green, The. *Roth* —6F **79**
Green, The. *Roy* —2E **9**
 (in two parts)
Green, The. *Shaf* —2B **10**
Green, The. *Swint* —3H **55**

Green, The—Hallam Clo.

Green, The. *Thurls* —3A **142**
Green, The. *Whis* —3H **91**
Green Vw., The. *Shaf* —1B **10**
Greenway. *Kiv P* —5H **117**
Greenways. *Ches* —5E **137**
Greenway, The. *S8* —1D **122**
Greenway, The. *Deep* —4G **141**
Greenway Vw. *H'fld* —4F **39**
Greenwood Av. *S9* —2C **100**
Greenwood Av. *Bal* —3H **45**
Greenwood Av. *Wors* —4B **24**
Greenwood Clo. *S9* —2D **100**
Greenwood Cres. *S9* —2C **100**
Greenwood Cres. *Roy* —1D **8**
Greenwood Cres. *Wick* —4G **81**
Greenwood Dri. *S9* —2C **100**
Greenwood La. *S13* —6D **102**
Greenwood Rd. *S9* —2D **100**
Greenwood Rd. *High G* —6D **50**
Greenwood Rd. *Kiln* —6C **56**
Greenwood Ter. *B'ley* —5G **13**
Greenwood Way. *S9* —2C **100**
Greeton Dri. *O'bri* —3E **73**
Gregg Ho. Cres. *S5* —4H **75**
Gregg Ho. Rd. *S5* —3H **75**
Greggs Ct. *B'ley* —2D **24**
Gregory Clo. *Brim* —3D **132**
Gregory La. *Brim* —2D **132**
Gregory Rd. *S8* —1E **111**
Grendon Vs. *Roth* —2G **79**
Grenfell Av. *Mexb* —6F **43**
Grenfolds Rd. *Gren* —1B **74**
Greno Cres. *Gren* —1B **74**
Greno Ga. *Gren* —6A **64**
Greno Ho. *Gren* —6A **64**
Grenomoor Clo. *Gren* —1A **74**
Greno Rd. *Swint* —3B **56**
Grenoside. —6A 64
Grenoside Crematorium. *Gren* —2H **73**
Greno Vw. *Hood G* —6A **22**
Greno Vw. *Hoy* —6G **37**
Greno Vw. Rd. *High G* —6C **50**
Greno Wood Ct. *Gren* —6A **64**
Grenville Pl. *B'ley* —4E **13**
Grenville Rd. *Donc* —5G **45**
Gresham Av. *B'wth* —2C **90**
Gresham Rd. *S6* —5A **86**
Gresley Rd. *S8* —4C **122**
Gresley Rd. *Bal* —2B **46**
Gresley Wlk. *S8* —4C **122**
Greyfriars. *S11* —6G **97**
Greyfriars Rd. *Donc* —5C **32**
Greystock St. *S4* —5A **88**
  (Corby St.)
Greystock St. *S4* —6H **87**
  (Sutherland St.)
Greystones. —6G 97
Greystones Av. *S11* —6H **97**
Greystones Av. *Wors* —5H **23**
Greystones Cliffe. —6F 97
Greystones Clo. *S11* —6G **97**
Greystones Ct. *S11* —6G **97**
Greystones Ct. *H'hill* —3H **127**
Greystones Dri. *S11* —6G **97**
Greystones Grange. *S11* —6G **97**
Greystones Grange Cres. *S11* —6G **97**
Greystones Grange Rd. *S11* —6G **97**
Greystones Hall Rd. *S11* —5G **97**
Greystones Ri. *S11* —6G **97**
Greystones Rd. *S11* —6F **97**
Greystones Gro. *Whis* —3B **92**
Grice Clo. *Donc* —1D **48**
Griffen Clo. *Stav* —3C **134**
Griffin Rd. *Swint* —2H **55**
Griffiths Clo. *P'gte* —3F **69**
Griffiths Rd. *High G* —1C **64**
Griffs. —5A 84
Grimesthorpe. —2B 88
Grimesthorpe Rd. *S4* —5G **87**
  (in three parts)
Grimesthorpe Rd. S. *S4* —5G **87**
Grimethorpe. —6G 11
Grimsell Clo. *S6* —2B **74**
Grimsell Cres. *S6* —2B **74**
Grimsell Dri. *S6* —2B **74**
Grimsell Wlk. *S6* —3B **74**
Grinders Hill. *S1* —5F **5**
Grinders Wlk. *S6* —2F **85**
Grindlow Av. *Ches* —4H **137**

Grindlow Clo. *S14* —1G **111**
Grindlow Dri. *S14* —1G **111**
Grindon Clo. *Ches* —6E **131**
Grinton Wlk. *Ches* —5H **137**
Grisedale Wlk. *Dron W* —2C **128**
Grizedale Av. *Soth* —5G **115**
Grizedale Clo. *Soth* —5G **115**
Grosvenor Cres. *Ark* —5D **18**
Grosvenor Cres. *Warm* —5F **45**
Grosvenor Dri. *B'ley* —4E **13**
Grosvenor Rd. *Roth* —1F **79**
Grosvenor Rd. *W'land* —2D **16**
Grosvenor Sq. *S2* —5D **98**
Grosvenor Ter. *Warm* —5F **45**
Grouse Cft. *S6* —5B **86**
Grouse St. *S6* —4A **86**
Grove Av. *S6* —1G **85**
Grove Av. *S17* —5D **120**
Grove Av. *Donc* —4A **32**
Grove Clo. *P'stne* —6D **142**
Grove Clo. *Wath D* —3C **40**
Grove Cotts. *Ches* —3F **137**
  (off Walton Rd.)
Grove Ct. *Maltby* —4D **82**
  (off Leslie Av.)
Gro. Farm Clo. *Brim* —4E **133**
Grove Gdns. *Brim* —1F **139**
Gro. Hall Clo. *E'thpe* —5E **21**
Gro. Hill Rd. *Donc* —2A **34**
Grove Ho. Ct. *S17* —4E **121**
Grove Pl. *Donc* —1C **46**
Grove Rd. *S7* —4A **110**
Grove Rd. *S17* —4E **121**
Grove Rd. *Brim* —6E **133**
Grove Rd. *Ches* —4A **132**
Grove Rd. *K Ind* —3B **20**
Grove Rd. *M'well* —4E **7**
Grove Rd. *Roth* —4D **78**
Grove Rd. *Wath D* —3C **40**
Grove Sq. *S6* —4C **86**
Grove St. *B'ley* —6A **14**
Grove St. *Deep* —4H **141**
Grove St. *Has* —5C **138**
Grove St. *Wors* —4C **24**
Grove, The. *S6* —3B **85**
Grove, The. *S17* —5D **120**
Grove, The. *Barn D* —1B **21**
Grove, The. *Cud* —4B **10**
Grove, The. *Donc* —6A **33**
  (in two parts)
Grove, The. *Pool* —3E **135**
Grove, The. *Rawm* —2G **69**
Grove, The. *Roth* —2H **79**
Grove, The. *Wick* —4F **81**
Grove Va. *Donc* —2A **34**
Grove Way. *Brim* —6F **133**
Guernsey Rd. *S2* —6E **99**
Guest La. *Warm* —4F **45**
Guest Pl. *Hoy* —4A **38**
Guest Pl. *Roth* —5F **79**
Guest Rd. *S11* —5A **98**
Guest Rd. *B'ley* —4F **13**
Guest Rd. *Roth* —5F **79**
Guest St. *Hoy* —4A **38**
Guilbert Av. *Thur* —4A **94**
Guildford Av. *S2* —5H **99**
Guildford Av. *Ches* —5F **137**
Guildford Clo. *S2* —5H **99**
Guildford Dri. *S2* —5H **99**
Guildford Ri. *S2* —5A **100**
Guildford Rd. *Donc* —2H **33**
Guildford Rd. *Roy* —1D **8**
Guildford Vw. *S2* —6A **100**
Guildford Wlk. *S2* —5A **100**
Guildford Way. *S2* —5H **99**
Guildhall Ind. Est. *K Ind* —4C **20**
Guild Rd. *Roth* —3H **79**
Guilday. *Tod* —2A **118**
Guilthwaite. —4A 92
Guilthwaite Comn. La. *Whis* —6A **92**
Guilthwaite Cres. *Whis* —2G **91**
Guilthwaite Hill. *Whis* —3A **92**
Gullane Dri. *Warm* —5F **45**
Gulling Wood Dri. *Thry* —5E **71**
Gunhills La. *Arm* —2G **35**
Gunhills La. Ind. Est. *Arm* —2G **35**
Gun La. *S3* —1F **99** (1G **5**)
Gurney Rd. *Donc* —5B **46**
Gurth Av. *E'thpe* —5E **21**
Gurth Av. Cvn. Site. *E'thpe* —5E **21**
Gurth Dri. *Thur* —6A **94**

Gwendoline M. *Wath D* —6F **41**
Gypsy La. *Womb* —2G **39**

Habershon Ct. *C'town* —2E **65**
Habershon Dri. *C'town* —1D **64**
Habershon Rd. *Roth* —6H **67**
Hackenthorpe. —4B 114
Hackings Av. *P'stne* —6C **142**
Hackness La. *B'wth* —2B **90**
Hackney La. *Barl* —1B **130**
Hackthorn Rd. *S8* —4D **110**
Haddon Clo. *Ches* —3E **137**
Haddon Clo. *Dod* —2A **22**
Haddon Clo. *Dron* —1F **129**
Haddon Pl. *Stav* —3B **134**
Haddon Ri. *Mexb* —5H **43**
Haddon Rd. *B'ley* —1B **14**
Haddon St. *S3* —5D **86**
Haddon Way. *Ast* —6D **104**
Haden St. *S6* —3A **86**
Hadfield St. *S6* —6A **86**
Hadfield St. *Womb* —2F **39**
Hadleigh Clo. *Rawm* —3F **69**
Hadrian Rd. *B'wth* —1C **90**
Hadrians Clo. *Ross* —6E **63**
Hady. —3D 138
Hady Cres. *Ches* —3C **138**
Hady Hill. *Ches* —3B **138**
Hady La. *Ches* —3D **138**
Haggard Rd. *S6* —3B **86**
Hagg Hill. *S6* —4H **73**
  (Midhurst Rd.)
Hagg Hill. *S6* —6F **85**
  (Rivelin Valley Rd.)
Hagg La. *S10* —2C **96**
  (in two parts)
Hagg La. Cotts. *S10* —1D **96**
Haggstones Dri. *O'bri* —3C **72**
Haggstones Rd. *O'bri & Worr* —3C **72**
Hague Av. *Rawm* —6E **55**
Hague La. *High G* —6A **50**
Hague La. *W'wth* —1D **66**
Hague Row. *S2* —2G **99** (3H **5**)
Haids Clo. *Maltby* —2F **83**
Haids La. *Maltby* —2F **83**
Haids Rd. *Maltby* —2E **83**
Haig Cres. *New R* —5C **62**
Haigh Clo. *H'swne* —1F **143**
Haigh Ct. *Bram* —5H **39**
Haigh Cft. *Roy* —1D **8**
Haigh Head Rd. *H'swne* —1F **143**
Haigh La. *Haigh* —1A **6**
Haigh La. *H'swne* —1G **143**
Haigh Memorial Homes. S8 —2E **123**
  (off Meadowhead)
Haigh Moor Clo. *S13* —4H **101**
Haigh Moor Dri. *Dinn* —4C **106**
Haigh Moor Rd. *S13* —5H **101**
Haigh Moor Wlk. *S13* —5G **101**
Haigh Moor Way. *Roy* —1E **9**
Haigh Moor Way. *Swal* —6G **103**
Haigh Rd. *Donc* —4A **46**
Hail Mary Dri. *S13* —5D **102**
Haise Mt. *Dart* —4E **7**
Hakehill Clo. *Donc* —5B **48**
Halcyon Clo. *S12* —4H **113**
Haldane Clo. *Brie* —2F **11**
Haldane Rd. *Roth* —1G **79**
Haldene. *Wors* —5B **24**
Haldynby Gdns. *Arm* —3G **35**
Hale St. *S7* —1D **110**
Halesworth Clo. *Ches* —5D **136**
Halesworth Rd. *S13* —3G **101**
Halfacre La. *Uns* —3H **129**
Half Cft. *Brim* —4F **133**
Halfway. —2E 125
Halfway Cen. *Half* —2E **125**
Halfway Dri. *Half* —2E **125**
Halfway Gdns. *Half* —2E **125**
Halifax Av. *Con* —3C **58**
Halifax Cres. *Donc* —3H **31**
Halifax Hall. *S10* —4A **98**
Halifax Rd. *S6* —5B **74**
Halifax Rd. *P'stne & H'swne* —1C **142**
Halifax St. *B'ley* —3G **13**
Hallam Chase. *S10* —4H **97**
  (Endcliffe)
Hallam Chase. *S10* —3D **96**
  (Sandygate)
Hallam Clo. *Aug* —4A **104**

Hallam Clo. *Donc* —4A **48**
Hallam Ct. *S10* —4B **98**
(off Clarke Dri.)
Hallam Ct. *Bol D* —2H **41**
Hallam Ct. *Dron* —3E **129**
Hallam Dale Ct. *Rawm* —6G **55**
Hallamgate Rd. *S10* —3H **97**
Hallam Grange Clo. *S10* —5C **96**
Hallam Grange Cres. *S10* —4C **96**
Hallam Grange Cft. *S10* —4C **96**
Hallam Grange Ri. *S10* —4C **96**
Hallam Grange Rd. *S10* —4C **96**
Hallam Head. —3D 96
Hallam La. *S1* —3E **99** (6E **5**)
Hallam Pl. *Rawm* —2G **69**
Hallam Rd. *Roth* —1F **91**
Hallam Rock. *S5* —2F **87**
Hallamshire Bus. Pk. *S11* —4C **98**
Hallamshire Clo. *S10* —5B **96**
Hallamshire Ct. *C'town* —2E **65**
Hallamshire Dri. *S10* —5B **96**
Hallamshire Golf Course. —3B 96
Hallamshire Rd. *S10* —5B **96**
Hallam Way. *E'fld* —1F **75**
Hall Av. *Jump* —4C **38**
Hall Av. *Mexb* —6F **43**
Hall Balk La. *B'ley* —4F **13**
Hall Broome Gdns. *Bol D* —6E **29**
Hallcar St. *S4* —6G **87**
Hall Clo. *Ans* —1F **119**
Hall Clo. *Bram B* —4B **40**
Hall Clo. *Cut* —3A **130**
Hall Clo. *Dron W* —1A **128**
Hall Clo. *Wors* —1E **37**
Hall Clo. Av. *Whis* —2A **92**
Hall Cotts. *Morth* —3F **93**
Hall Ct. *Dinn* —5E **107**
Hall Ct. *Rav* —3G **71**
Hall Cres. *Roth* —1H **91**
Hall Cft. *Wick* —5G **81**
Hallcroft Dri. *Arm* —5G **35**
Hall Cft. Ri. *Roy* —2D **8**
Hall Cross Hill. *Donc* —1E **47**
Hall Dri. *Wath D* —6D **40**
Hall Farm Clo. *Aug* —3A **104**
Hall Farm Clo. *Has* —6D **138**
Hall Farm Cft. *Dinn* —5F **107**
Hall Farm Dri. *Thurn* —2F **29**
Hall Farm Gro. *H'swne* —1G **143**
Hall Farm Ri. *Thurn* —2F **29**
Hallflash La. *Cal* —5G **139**
Hall Flat La. *Donc* —4A **46**
Hall Ga. *Donc* —6D **32**
Hall Ga. *Mexb* —1G **57**
Hall Ga. *P'stne* —3D **142**
Hallgate. *Thurn* —2F **29**
Hallgate Rd. *S10* —2G **97**
Hall Gro. *M'well* —4G **7**
Hall Gro. *Roth* —4E **79**
Halliwell Clo. *S5* —6B **74**
Halliwell Cres. *S5* —6C **74**
Hall La. *H'swne* —1G **143**
Hall La. *Stav* —1C **134**
Hall Mdw. Cft. *Half* —4F **125**
Hall Mdw. Dri. *Half* —3F **125**
Hall Mdw. Gro. *Half* —4F **125**
Hall M. *Rav* —3G **71**
Hallowes. —3G 129
Hallowes Ct. *Dron* —2F **129**
Hallowes Dri. *Dron* —3F **129**
Hallowes Golf Course. —4F 129
Hallowes La. *Dron* —2F **129**
Hallowes Ri. *Dron* —3G **129**
Hallowmoor. —2G 85
Hallowmoor Rd. *S6* —2F **85**
Hall Pk. Head. *S6* —6D **84**
Hall Pk. Hill. *S6* —6E **85**
Hall Pk. Mt. *S6* —6E **85**
Hall Pl. *B'ley* —3C **14**
Hall Rd. *S9* —2G **101**
Hall Rd. *S13* —3G **101**
Hall Rd. *Aug* —4A **104**
Hall Rd. *Brim* —4E **133**
Hall Rd. *Maltby* —4C **82**
Hall Rd. *Roth* —4E **79**
Hallside Ct. *Cant* —2F **49**
Hallside Ct. *Mosb* —3D **124**
Hall's Row. *Ches* —3F **137**
Hall St. *Gold* —5G **29**
Hall St. *Hoy* —5A **38**
Hall St. *Roth* —3C **78**

Hall St. *Womb* —1G **39**
Hallsworth Av. *H'fld* —4D **38**
Hall Vw. *C'town* —1E **65**
Hall Vw. *Ches* —5E **131**
Hall Vw. Rd. *Ross* —6E **63**
Hall Villa La. *Toll B* —2A **18**
Hall Wood Rd. *C'town* —2A **64**
Hallyburton Clo. *S2* —1G **111**
Hallyburton Dri. *S2* —1G **111**
Hallyburton Rd. *S2* —1G **111**
Halmshaw Ter. *Ben* —1A **32**
Halsall Av. *S9* —2E **101**
Halsall Dri. *S9* —2D **100**
Halsall Rd. *S9* —2E **101**
Halsbury Rd. *Roth* —1G **79**
Halstead Gro. *M'well* —3E **7**
Halsteads. *S13* —4F **101**
Halton Clo. *Ches* —2G **131**
Halton Ct. *S12* —4C **114**
Hamble Ct. *M'well* —5G **7**
Hambledon Clo. *Ches* —6E **131**
Hambleton Clo. *B'ley* —5D **12**
Hambleton Clo. *Else* —5D **38**
Hameline Rd. *Con* —3D **58**
Hamer Wlk. *Roth* —2A **80**
Hamilton Clo. *Donc* —2F **47**
Hamilton Clo. *Mexb* —5G **43**
Hamilton Pk. Rd. *Donc* —3F **31**
Hamilton Rd. *S5* —1H **87**
Hamilton Rd. *Donc* —2F **47**
Hamilton Rd. *Gold* —3H **29**
Hamilton Rd. *Maltby* —5H **83**
Hammerton Clo. *S6* —4A **86**
Hammerton Rd. *S6* —4A **86**
Hammond St. *S3* —1C **98** (1A **4**)
Hampden Rd. *Mexb* —6E **43**
Hamper La. *H'swne* —1F **143**
(in two parts)
Hampole Dri. *Thurn* —2E **29**
Hampson Gdns. *E'thpe* —4E **21**
Hampstead Grn. *Roth* —6G **67**
Hampton Rd. *S5* —2G **87**
Hampton Rd. *Donc* —6F **33**
Hampton St. *Ches* —6D **138**
Hanbury Clo. *B'ley* —3D **14**
Hanbury Clo. *Ches* —6C **130**
Hanbury Clo. *Donc* —1G **61**
Hanbury Clo. *Dron* —2D **128**
Handby St. *Has* —5D **138**
Handley St. *S3* —6F **87**
Hands Rd. *S10* —1A **98**
Handsworth. —4B 102
Handsworth Av. *S9* —2F **101**
Handsworth Cres. *S9* —2F **101**
Handsworth Gdns. *Arm* —3G **35**
Handsworth Grange Clo. *S13* —5A **102**
Handsworth Grange Cres. *S13* —4A **102**
Handsworth Grange Dri. *S13* —4B **102**
Handsworth Grange Rd. *S13* —4A **102**
Handsworth Grange Way. *S13* —4B **102**
Handsworth Hill. —1F 101
Handsworth Rd. *S9 & S13* —2F **101**
Hanging Bank Ct. *Ans* —2G **119**
Hanging Water. —5F 97
Hangingwater Clo. *S11* —5F **97**
Hangingwater Cotts. *S11* —6F **97**
(off Hangingwater Rd.)
Hangingwater Rd. *S11* —6F **97**
Hangram La. *S11* —3B **108**
Hangsman La. *Dinn* —2C **106**
Hangthwaite La. *W'land* —4E **17**
Hanley Clo. *S12* —3B **114**
Hanmoor Rd. *S6* —5C **84**
Hannah Rd. *S13* —6D **102**
Hannas Royd. *Dod* —2C **22**
Hanover Ct. *S3* —3C **98** (6A **4**)
Hanover Ct. *Wors* —4A **24**
Hanover Sq. *S3* —3D **98** (6B **4**)
Hanover Sq. *Thurn* —1G **29**
Hanover St. *S3* —3D **98** (6A **4**)
Hanover St. *Thurn* —1G **29**
Hanover Way. *S3* —3C **98** (5A **4**)
Hanslope Vw. *Kirk S* —2C **20**
Hanson Rd. *S6* —3D **84**
Hanson St. *B'ley* —5H **13**
Hanwell Clo. *E'fld* —1F **75**
Harbord Rd. *S8* —5C **110**
Harborough Av. *S2* —2B **100**
Harborough Clo. *S2* —3C **100**
Harborough Dri. *S2* —3C **100**
Harborough Hill Rd. *B'ley* —6H **13**

Harborough Ri. *S2* —3C **100**
Harborough Rd. *S2* —3C **100**
Harborough Way. *S2* —4C **100**
Harbury St. *S13* —5E **103**
Harcourt Clo. *Ches* —6C **138**
Harcourt Clo. *Donc* —4A **48**
Harcourt Cres. *S10* —1B **98**
Harcourt Ri. *C'town* —3F **65**
Harcourt Rd. *S10* —2B **98**
Harcourt Ter. *Roth* —3F **79**
Hardcastle Dri. *S13* —6A **102**
Hardcastle Gdns. *S13* —6A **102**
Hardcastle Rd. *S13* —1A **114**
Harden Clo. *B'ley* —5C **12**
Harden Clo. *P'stne* —5D **142**
Hardhurst. —5H 129
Hardie Clo. *Maltby* —5H **83**
Hardie Pl. *Rawm* —1F **69**
Hardie Pl. *Stav* —3B **134**
Hardie St. *Eck* —6D **124**
Harding Av. *Rawm* —5D **54**
Harding Clo. *Rawm* —6D **54**
Harding Ct. *Rawm* —5D **54**
Harding St. *S9* —5D **88**
Hard La. *Kiv P* —6A **118**
Hardwick. —4G 105
Hardwick Av. *New W* —1D **132**
Hardwick Clo. *Ast* —6D **104**
Hardwick Clo. *Dron* —1F **129**
Hardwick Clo. *Wors* —5A **24**
Hardwick Ct. *Stav* —1C **134**
(off Devonshire St.)
Hardwick Cres. *S11* —5A **98**
Hardwick Cres. *B'ley* —6C **8**
Hardwicke Rd. *Roth* —1E **79**
Hardwick Gro. *Dod* —3B **22**
Hardwick La. *Ast* —6F **105**
Hardwick St. *Ches* —1A **138**
Hardwick St. *Roth* —1B **80**
Hardwicks Yd. *Ches* —3G **137**
Hardy Pl. *S6* —5B **86**
Hardy Rd. *Donc* —3E **33**
Hardy St. *Roth* —2C **78**
Haredon Clo. *M'well* —3E **7**
Harefield Rd. *S11* —5B **98**
Harehill Rd. *Ches* —6H **137**
Harehills Rd. *Roth* —4E **79**
Harewood Av. *B'ley* —6D **12**
Harewood Av. *Kirk S* —3D **20**
Harewood Av. *W'land* —2B **16**
Harewood Ct. *Ross* —5F **63**
Harewood Gro. *Braml* —3H **81**
Harewood Rd. *Donc* —6G **33**
Harewood Way. *S11* —5G **109**
Hargrave Pl. *Thry* —5D **70**
Harland Rd. *S11* —4C **98**
Harlech Clo. *C'town* —1D **64**
Harleston St. *S4* —5H **87**
(in two parts)
Harley. —4H 51
Harley Rd. *S11* —2F **109**
Harley Rd. *Harl* —4H **51**
Harlington. —1G 43
Harlington Ct. *Den M* —2C **58**
Harlington Rd. *Adw D* —3D **42**
Harlington Rd. *Mexb* —6F **43**
Harmer La. *S1* —2F **99** (4F **5**)
Harmony Way. *Cat* —5C **90**
Harney Clo. *S9* —6E **89**
Harold Av. *B'ley* —3E **15**
Harold Av. *W'land* —2C **16**
Harold Cft. *Roth* —3C **68**
Harold St. *S6* —5B **86**
Harperhill Clo. *Ches* —6H **137**
Harriet Clo. *B'ley* —2A **24**
Harrington Ct. *B'ley* —3E **15**
Harrington Rd. *S2* —5E **99**
Harrington St. *Donc* —5D **32**
Harrison La. *S10* —6A **96**
Harrison Rd. *S6* —4H **85**
Harrison St. *Roth* —3A **78**
Harris Rd. *S6* —1H **85**
Harrogate Dri. *Den M* —2A **58**
Harrogate Rd. *Swal* —1A **116**
Harrop Dri. *Swint* —4A **56**
Harrop Garden Flats. Swint —2B **56**
(off Queen St.)
Harrowden Ct. *S9* —1G **89**
Harrowden Rd. *S9* —1G **89**
Harrowden Rd. *Donc* —3E **33**
Harrow Rd. *Arm* —2G **35**

Harrow St. *S11* —4D **98**
Harry Firth Clo. *S9* —6C **88**
Harry Rd. *B'ley* —4D **12**
Hartcliff Av. *P'stne* —4C **142**
Hartcliff Rd. *P'stne* —6A **142**
Hartfield Clo. *Has* —6B **138**
Hartford Clo. *S8* —4E **111**
Hartford Rd. *S8* —4E **111**
Harthill. —3H 127
Hart Hill. *Rawm* —5D **54**
Harthill Rd. *S13* —6D **100**
Harthill Rd. *Con* —4C **58**
Hartington Av. *S7* —4A **110**
Hartington Clo. *Roth* —3A **78**
Hartington Ct. *Dron* —1F **129**
Hartington Dri. *B'ley* —3H **13**
Hartington Rd. *S7* —4A **110**
Hartington Rd. *Ches* —3C **138**
Hartington Rd. *Dron* —1F **129**
Hartington Rd. *Roth* —3A **78**
Hartland Av. *Soth* —5G **115**
Hartland Ct. *Soth* —5G **115**
Hartland Cres. *E'thpe* —5D **20**
Hartland Dri. *Soth* —5G **115**
Hartland Way. *Old W* —2A **132**
Hartley Brook Av. *S5* —3G **75**
Hartley Brook Rd. *S5* —3G **75**
Hartley La. *Roth* —2C **78**
Hartley St. *S2* —6E **99**
Hartley St. *Mexb* —1D **56**
Hartopp Av. *S2* —1G **111**
Hartopp Clo. *S2* —1G **111**
Hartopp Dri. *S2* —1H **111**
Hartopp Rd. *S2* —1G **111**
Harts Head. *S1* —1F **99** (2E **5**)
Hartside Clo. *Ches* —6F **131**
Harvest Clo. *Bal* —3H **45**
Harvest Clo. *E'thpe* —4E **21**
Harvest Clo. *Maltby* —5C **82**
Harvest Clo. *Wors* —5A **24**
Harvest La. *S3* —6E **87**
Harvest Rd. *Wick* —4F **81**
Harvest Way. *Ash* —6C **130**
Harvey Clough M. *S8* —4F **111**
Harvey Clough Rd. *S8* —4F **111**
Harvey Rd. *C'town* —2E **65**
Harvey Rd. *Ches* —3E **139**
Harvey St. *B'ley* —1F **23**
Harvey St. *Deep* —3F **141**
Harwell Rd. *S8* —6D **98**
Harwich Rd. *S2* —4A **100**
Harwood Clo. *S2* —5E **99**
Harwood Gdns. *Wat* —6E **115**
Harwood St. *S2* —5E **99**
Harwood Ter. *B'ley* —5E **15**
Haslam Cres. *S8* —3B **122**
Haslam Pl. *Maltby* —3H **83**
Haslam Rd. *New R* —4D **62**
Hasland. —6D 138
Hasland By-Pass. *Has* —4C **138**
Hasland Green. —6C 138
Hasland La. *Cal* —5G **139**
Hasland Rd. *Ches* —4B **138**
(in two parts)
Haslehurst Rd. *S2* —3A **100**
Haslemere Gro. *Donc* —3A **32**
Hassocky La. *Temp N & Cal* —6H **139**
Hassop Clo. *Ches* —5E **131**
Hassop Clo. *Dron* —1G **129**
Hassop Rd. *Stav* —1D **134**
Hastilar Clo. *S2* —5D **100**
Hastilar Rd. *S2* —5D **100**
Hastilar Rd. S. *S13* —5E **101**
Hastings Clo. *Ches* —5F **131**
Hastings Mt. *S7* —3A **110**
Hastings Rd. *S7* —3A **110**
Hastings St. *Grim* —6G **11**
Hatchell Dri. *Donc* —6E **49**
Hatchell Wood Vw. *Donc* —6F **49**
Hatfield Clo. *B'ley* —6A **8**
Hatfield Cres. *Dinn* —3C **106**
Hatfield Gdns. *Roy* —1D **8**
Hatfield Ho. Donc —1C 46
(off St James St.)
Hatfield Ho. Cft. *S5* —4H **75**
Hatfield Ho. Cft. *S5* —4H **75**
Hatfield Ho. La. *Ash* —5G **75**
Hatfield La. *Barn D* —2H **21**
(in two parts)
Hatfield La. *E'thpe & Arm* —5F **21**

Hatherley Rd. *S9* —6G **77**
Hatherley Rd. *Roth* —1E **79**
Hatherley Rd. *Swint* —6B **42**
Hathern Clo. *Brim* —1F **139**
Hathersage Rd. *Grin & S17* —1A **120**
Hatter Dri. *Edl'tn* —5B **60**
Hatton Clo. *Dron W* —3B **128**
Hatton Dri. *Ches* —6D **130**
Hatton Rd. *S6* —4B **86**
Haugh Grn. *Rawm* —5D **54**
Haugh La. *S11* —3F **109**
Haugh Rd. *Rawm* —5C **54**
Haughton Rd. *S8* —5D **110**
Havelock Rd. *Donc* —2C **46**
Havelock St. *S10* —3C **98** (5A **4**)
Havelock St. *B'ley* —1F **23**
Havelock St. *D'fld* —4E **27**
Havenfield. *D'fld* —3E **27**
Havens, The. *Ches* —2F **137**
Havercroft Pl. *Kil* —3H **125**
Havercroft Rd. *S8* —3C **110**
Havercroft Rd. *Roth* —6A **80**
Havercroft Ter. *Kil* —2H **125**
Haverdale Ri. *B'ley* —4F **13**
Haverlands La. *Wors* —5F **23**
Haverlands Ridge. *Wors* —5H **23**
Hawes Clo. *Mexb* —5G **43**
Hawfield Clo. *Donc* —2A **46**
Hawke Clo. *Rawm* —6C **54**
Hawke Rd. *Donc* —3F **33**
Hawke St. *S3* —3D **88**
Hawk Hill La. *Thur* —1H **105**
Hawkhills. *S6* —5F **85**
Hawking Houses. *Ches* —6F **131**
Hawkins Av. *Burn* —2C **64**
Hawkshead Av. *Dron W* —2B **128**
Hawkshead Cres. *Ans* —1H **119**
Hawkshead Rd. *S4* —2B **88**
Hawksley Av. *S6* —3A **86**
Hawksley Av. *Ches* —6G **131**
Hawksley Clo. *Arm* —3F **35**
Hawksley Ct. *Arm* —2F **35**
Hawksley M. *S6* —3A **86**
Hawksley Ri. *O'bri* —3D **72**
Hawksley Rd. *S6* —3A **86**
Hawksway. *Eck* —6B **124**
Hawksworth Clo. *Roth* —2A **80**
Hawksworth Rd. *S6* —5B **86**
Hawksworth Rd. *Roth* —2A **80**
Hawkwell Bank. *Ard* —1G **25**
Hawley St. *S1* —1E **99** (2D **4**)
Hawley St. *Rawm* —2F **69**
Haworth Bank. *Roth* —2F **91**
Haworth Clo. *B'ley* —4B **14**
Haworth Cres. *Roth* —2F **91**
Hawshaw La. *Hoy* —5G **37**
Hawson St. *Womb* —1G **39**
Hawthorn Av. *Arm* —1F **35**
Hawthorn Av. *Maltby* —4D **82**
Hawthorn Av. *Wat* —6D **114**
Hawthorne Av. *Ans* —4F **119**
Hawthorne Av. *Dron* —6E **123**
Hawthorne Av. *Rawm* —2G **69**
Hawthorne Av. *S'bri* —2B **140**
Hawthorne Chase. *Swint* —2A **56**
Hawthorne Clo. *Kil* —4B **126**
Hawthorne Ct. *Dart* —5A **6**
Hawthorne Ct. *Roth* —2H **79**
Hawthorne Cres. *Dod* —1A **22**
Hawthorne Cres. *Mexb* —6C **42**
Hawthorne Cft. *Gold* —4E **29**
Hawthorne Farm Ct. *Bol D* —1B **42**
Hawthorne Flats. *Thurn* —1F **29**
Hawthorne Gro. *Ben* —5B **18**
Hawthorne Rd. *Wath D* —6G **41**
Hawthornes, The. *Beig* —3F **115**
Hawthorne St. *S6* —5H **85**
Hawthorne St. *B'ley* —1G **23**
Hawthorne St. *Ches* —4B **138**
Hawthorne St. *Shaf* —2C **10**
Hawthorne Way. *Shaf* —2C **10**
Hawthorn Gro. *Con* —5C **58**
Hawthorn Rd. *S6* —3H **85**
Hawthorn Rd. *Eck* —6G **125**
Hawthorn Rd. *High G* —6C **50**
Hawthorn Ter. S10 —2A 98
(off Parker's La.)
Hawthorn Way. *Adw B* —6D **130**
Haxby Clo. *S13* —1G **113**
Haxby Pl. *S13* —1G **113**
Haxby St. *S13* —1G **113**

Haybrook Ct. *S17* —4E **121**
Haydn Rd. *Maltby* —5H **83**
Haydock Clo. *Mexb* —5F **43**
Haydon Gro. *Flan* —3F **81**
Hayes Ct. *Half* —3E **125**
Hayes Cft. *B'ley* —6H **13**
Hayes Dri. *Half* —3D **124**
Hayfield Clo. *Barn D* —1E **21**
Hayfield Clo. *Dod* —2A **22**
Hayfield Clo. *Dron W* —2B **128**
Hayfield Clo. *Stav* —1D **134**
Hayfield Cres. *S12* —4F **113**
Hayfield Dri. *S12* —4F **113**
Hayfield La. *Auc & Donc F* —2G **63**
Hayfield Pl. *S12* —4F **113**
Hayfield Vw. *Eck* —6B **124**
Hayfield Wlk. Roth —6G 67
(off Byrley Rd.)
Hayford Way. *Stav* —2C **134**
Hay Green. —3D 36
Hay Grn. La. *Birdw* —4D **36**
Hayhurst Cres. *Maltby* —5G **83**
Hayland St. *S9* —1D **88**
Haylock Clo. *Hghm* —4A **12**
Haymarket. *S1* —1F **99** (2F **5**)
Haythorne Way. *Swint* —4B **56**
Haywagon Mobile Home Pk. *Adw S* —1F **17**
Haywood Av. *Deep* —3F **141**
Haywood Clo. *Roth* —2A **80**
Haywood La. *Deep* —3F **141**
Haywood Rd. *Deep* —3F **141**
Hazel Av. *Kil* —4A **126**
Hazelbadge Cres. *S12* —4G **113**
Hazel Clo. *Dron* —3G **129**
Hazel Ct. *Dron* —3F **129**
Hazel Ct. *Rav* —1H **81**
Hazel Dri. *Ches* —5F **137**
Hazel Gro. *Arm* —2G **35**
Hazel Gro. *C'town* —3E **65**
Hazel Gro. *Con* —4D **58**
Hazel Gro. *New R* —5D **62**
Hazel Gro. *Wick* —4G **81**
Hazelhurst. S8 —3F 123
(off Jordanthorpe Cen.)
Hazelhurst Clo. *Dalt* —6B **70**
Hazel Rd. *Eck* —6H **125**
Hazel Rd. *Edl'tn* —3B **60**
Hazel Rd. *Maltby* —4D **82**
Hazelshaw. *Dod* —3C **22**
Hazelshaw Gdns. *High G* —6B **50**
Hazelwood Clo. *Dron W* —2A **128**
Hazelwood Dri. *Swint* —5B **56**
Hazlebarrow Clo. *S8* —3F **123**
Hazlebarrow Cres. *S8* —2F **123**
Hazlebarrow Cres. *S8* —3F **123**
Hazlebarrow Dri. *S8* —2F **123**
Hazlebarrow Gro. *S8* —2G **123**
Hazlebarrow Rd. *S8* —3F **123**
Hazledene Cres. *Shaf* —4D **10**
Hazledene Rd. *Shaf* —4C **10**
Hazlehurst Av. *Ches* —6A **132**
Hazlehurst La. *Ches* —6A **132**
Headford Gdns. *S3* —3D **98** (5A **4**)
Headford Gro. *S3* —3D **98** (5B **4**)
Headford M. *S3* —3D **98** (6B **4**)
Headford Pde. *S3* —5B **4**
Headford St. *S3* —3D **98** (5B **4**)
Headingley Clo. *Kirk S* —2D **20**
Headingley Way. *Edl'tn* —2C **60**
Headland Clo. *Brim* —4E **133**
Headland Dri. *S10* —2G **97**
Headland Rd. *S10* —2G **97**
Headland Rd. *Brim* —4E **133**
Headlands Rd. *Hoy* —5H **37**
Heads La. *Bols* —6B **140**
Healaugh Way. *Ches* —5B **138**
Heath Av. *Kil* —4B **126**
Heath Bank Rd. *Donc* —2A **34**
Heathcote Dri. *Has* —5E **139**
Heathcote St. *S4* —2H **87**
Heath Ct. *Ches* —5A **138**
Heatherbank Rd. *Donc* —4C **48**
Heather Clo. *Cal* —2G **139**
Heather Clo. *Roth* —5E **79**
Heather Ct. *Bol D* —6D **28**
Heather Ct. *Braml* —5H **81**
Heatherdale Rd. *Maltby* —4H **83**
Heather Gdns. *Has* —6E **139**
Heather Knowle. *Dod* —2C **22**
Heather Lea Av. *S17* —2C **120**
Heather Lea Pl. *S17* —2C **120**

Heather Rd. *S5* —6A **76**
Heather Va. Clo. *Has* —6E **139**
Heather Va. Rd. *Has* —6D **138**
Heather Wlk. *Bol D* —6D **28**
Heatherwood Clo. *Donc* —3A **34**
Heathfield Av. *Ches* —2F **137**
Heathfield Clo. *Barn D* —1E **21**
Heathfield Clo. *Dron* —3D **112**
Heathfield Rd. *S12* —3F **113**
Heath Gro. *Bol D* —2H **41**
Heath Ho. *Donc* —1C **46**
(off St James St.)
Heath Rd. *S6* —5B **74**
Heath Rd. *Deep* —4F **141**
Heaton Clo. *Dron W* —2B **128**
Heaton Gdns. *Edl'tn* —3C **60**
Heatons Bank. *Rawm* —1G **69**
Heaton St. *Ches* —3E **137**
Heavens Wlk. *Donc* —2D **46**
Heavygate Av. *S10* —5H **85**
Heavygate Rd. *S10* —5A **86**
Hedge Hill Rd. *Thurls* —4A **142**
Hedge La. *Dart* —6B **6**
(in three parts)
Hedgerows, The. *Adw D* —3E **43**
Hedley Dri. *Brim* —3C **132**
Heeley. —1F **111**
Heeley Bank Rd. *S2* —6F **99**
Heeley Baths. —1D **110**
Heeley City Farm. —6E **99**
Heeley Grn. *S2* —1F **111**
Heeley Retail Pk. *S8* —1D **110**
Heelis St. *B'ley* —1H **23**
Heighton Vw. *Aug* —4B **104**
Helena Clo. *B'ley* —1F **23**
Helena St. *Mexb* —6E **43**
Helensburgh Clo. *B'ley* —5E **13**
Hellaby. —4B **82**
Hellaby (Euroway) Ind. Est. *H'by* —3A **82**
Hellaby Hall Rd. *H'by* —5B **82**
Hellaby La. *H'by* —4B **82**
(in two parts)
Hellaby Vw. *Rav* —2H **81**
Helliwell Ct. *Deep* —5G **141**
Helliwell La. *Deep* —5G **141**
Helmsley Av. *Half* —2D **124**
Helmsley Clo. *Ches* —4E **131**
Helmsley Clo. *Swal* —1A **116**
Helmton Dri. *S8* —5E **111**
Helmton Rd. *S8* —5D **110**
Helston Clo. *Has* —5B **138**
Helston Cres. *B'ley* —4B **14**
Helston Ri. *S7* —3A **110**
Hemingfield. —4E **39**
Hemmingfield Rd. *Womb* —2D **38**
Hemmingway Clo. *Tree* —1E **103**
Hemper Gro. *S8* —2B **122**
Hemper La. *S8* —3B **122**
Hemp Pits Rd. *Ark* —6D **18**
Hemsworth. —5H **111**
Hemsworth By-Pass. *Brie & Hems* —1H **11**
Hemsworth Rd. *S8* —5E **111**
Henderson Glen. *Roy* —2C **8**
Hendon St. *S13* —4H **101**
Hengist Rd. *Donc* —1H **45**
Henley Av. *S8* —1F **123**
Henley Gro. Rd. *Roth* —2B **78**
(in two parts)
Henley La. *Roth* —1A **78**
Henley Ri. *Roth* —1A **78**
Henley Rd. *Donc* —4A **34**
Henley Way. *Roth* —1A **78**
Hennings Clo. *Donc* —4H **47**
Hennings La. *Donc* —3H **47**
Hennings Rd. *Donc* —6A **48**
Henry Clo. *Shaf* —2C **10**
Henry Ct. *Roth* —2D **78**
Henry La. *New R* —3B **62**
Henry Pl. *Mexb* —6G **43**
Henry Rd. *Wath D* —5G **41**
Henrys St. *Wors* —4A **24**
Henry St. *S3* —6D **86** (1B **4**)
Henry St. *Ches* —3B **132**
Henry St. *Eck* —6D **124**
Henry St. *High G* —6A **50**
Henry St. *P'gte* —4F **69**
Henry St. *Roth* —2D **78**
(in two parts)
Henry St. *Womb* —5D **26**
Henshall St. *B'ley* —1A **24**
Henson St. *S9* —5D **88**

Heppenstall La. *S9* —5B **88**
Heptinstall St. *Wors* —4B **24**
Hepworth Dri. *Swal* —6B **104**
(in two parts)
Hepworth Rd. *Donc* —4H **45**
Herald Rd. *E'thpe* —6E **20**
Herbert Clo. *Donc* —4A **32**
Herbert Rd. *S7* —1C **110**
Herbert Rd. *Donc* —4A **32**
Herbert St. *Mexb* —6F **43**
Herbert St. *Roth* —2G **77**
Herdings. —4A **112**
Herdings Ct. *S12* —4C **112**
Herdings Rd. *S12* —4C **112**
Herdings Vw. *S12* —4B **112**
Hereford Dri. *Brim* —3F **133**
Hereford Rd. *Donc* —2H **33**
Hereford St. *S1* —4E **99** (6D **4**)
(in three parts)
Hereward Ct. *Con* —3G **59**
Hereward La. *S5* —5F **75**
Hereward's Rd. *S8* —6H **111**
Hermitage St. *S2* —4D **98**
Hermit Hill La. *Wort* —5A **36**
Hermit La. *Hghm* —5A **12**
Heron Hill. *Ast* —1C **116**
Heron Mt. *S2* —3A **100**
Herons Way. *Bar* —4D **46**
Herons Way. *Birdw* —3D **36**
Herrick Gdns. *Donc* —5C **46**
Herrick Rd. *Barn D* —1H **21**
Herries Av. *S5* —1E **87**
Herries Dri. *S5* —1E **87**
Herries Pl. *S5* —1E **87**
Herries Rd. *S5 & S5* —1A **86**
(in two parts)
Herries Rd. *S. S6* —1A **86**
Herringthorpe. —4H **79**
Herringthorpe Av. *Roth* —5H **79**
Herringthorpe Clo. *Roth* —4H **79**
Herringthorpe Gro. *Roth* —5A **80**
Herringthorpe La. *Roth* —4A **80**
Herringthorpe Valley Rd. *Roth* —1A **80**
Herriot Dri. *Ches* —4B **138**
Herschell Rd. *S7* —6D **98**
(in two parts)
Herten Way. *Donc* —2H **47**
Hesketh Dri. *Kirk S* —3E **21**
Hesley Bar. *Thpe H* —3A **66**
Hesley Ct. *Den M* —2B **58**
Hesley Ct. *Swint* —4A **56**
Hesley Grange. *Scho* —5D **66**
Hesley Gro. *C'town* —3G **65**
Hesley La. *Thpe H* —3A **66**
Hesley M. *Scho* —5C **67**
Hesley Rd. *S5* —2H **75**
Hesley Rd. *New R* —5D **62**
Hesley Ter. *S5* —2H **75**
Heslow Gro. *Thpe H* —2A **66**
Hessey St. *S13* —1H **113**
Hessle Rd. *S6* —1H **85**
Hethersett Way. *New R* —6C **62**
Hewitt St. *Mexb* —6G **43**
Hexthorpe. —1B **46**
Hexthorpe Bus. Pk. *Donc* —2B **46**
Hexthorpe Rd. *Donc* —1B **46**
Heyhouse Dri. *C'town* —6D **50**
Heyhouse Way. *C'town* —6D **50**
Heysham Grn. *B'ley* —1D **14**
Heywood St. *Brim* —3E **133**
Hibberd Pl. *S6* —3G **85**
Hibberd Rd. *S6* —3G **85**
(in two parts)
Hibbert Ter. *B'ley* —2H **23**
(off Walnut Clo.)
Hickleton Clo. *Thurn* —2E **29**
Hickleton St. *Den M* —2B **58**
Hickleton Ter. *Thurn* —2G **29**
Hickmott Rd. *S11* —5B **98**
Hickson Dri. *B'ley* —3E **15**
Hicks St. *S3* —5E **87**
Hides St. *S9* —3D **88**
High Alder Rd. *Bes* —3A **48**
Higham. —4A **12**
Higham Comn. Rd. *Hghm & Bar G* —4A **12**
Higham Ct. *Hghm* —4A **12**
Higham La. *Hghm & Dod* —5A **12**
Higham Vw. *Dart* —6B **6**
High Ash Dri. *Ans* —4F **119**
High Bank. *Thry* —5C **70**
High Bank. *Thurls* —3A **142**

High Bank La. *Thurls* —4A **142**
Highbury Av. *Donc* —3C **48**
Highbury Cres. *Donc* —3C **48**
Highbury Rd. *Ches* —6H **131**
Highbury Va. *Edl'tn* —4A **60**
Highcliffe Ct. *S11* —6G **97**
Highcliffe Ct. *Swint* —2B **56**
Highcliffe Dri. *S11* —1F **109**
Highcliffe Dri. *O'bri* —3D **72**
Highcliffe Dri. *Swint* —2B **56**
Highcliffe Pl. *S11* —1F **109**
Highcliffe Rd. *S11* —6F **97**
High Clo. *Dart* —4B **6**
High Ct. *S1* —1F **99** (2F **5**)
Highcroft. *S11* —6G **97**
High Cft. *Hoy* —6A **38**
High Cft. Dri. *B'ley* —5B **8**
Higher Albert St. *Ches* —1A **138**
Higher Stubbin. —6B **54**
Highfield. —4E **99**
Highfield. *Wath D* —5F **41**
Highfield Av. *B'ley* —1A **14**
Highfield Av. *Ches* —6G **131**
Highfield Av. *Gold* —4F **29**
Highfield Av. *Kiv P* —4A **118**
Highfield Av. *Wors* —3H **23**
Highfield Clo. *Barn D* —1E **21**
Highfield Ct. *Swint* —2A **56**
Highfield Ct. *Womb* —6A **26**
Highfield Gro. *Wath D* —4A **40**
Highfield La. *S13* —3B **102**
Highfield La. *Ches* —5G **131**
Highfield Pk. *Maltby* —3H **83**
Highfield Pl. *S2* —5E **99**
Highfield Range. *D'fld* —2E **27**
Highfield Ri. *S6* —5B **84**
Highfield Rd. *Ches* —6H **131**
Highfield Rd. *Con* —3F **59**
Highfield Rd. *D'fld* —3E **27**
Highfield Rd. *Donc* —5E **33**
Highfield Rd. *Roth* —5C **68**
Highfield Rd. *Swint* —2H **55**
Highfields. —5D **16**
Highfields. *H'swne* —1F **143**
Highfields Cres. *Dron* —3E **129**
High Fld. Spring. *S13* —1A **102**
Highfields Rd. *Dart* —5A **6**
Highfields Rd. *Dron* —3E **129**
Highfield Ter. *Ches* —6H **131**
Highfield Vw. *Cat* —5C **90**
Highfield Vw. Rd. *Ches* —6H **131**
(in two parts)
High Fisher Ga. *Donc* —5D **32**
Highgate. —4E **29**
Highgate. *S9* —1G **89**
(in two parts)
Highgate. *Womb* —1B **40**
Highgate Clo. *New R* —5E **63**
Highgate Ct. *Gold* —5E **29**
Highgate Dri. *Dron* —4G **129**
Highgate La. *Bol D & Gold* —6E **29**
Highgate La. *Dron* —4F **129**
High Ga. Way. *Shaf* —3C **10**
Highgreave. *S5* —2G **75**
High Greave Av. *S5* —2F **75**
High Greave Ct. *S5* —2G **75**
High Greave Pl. *Roth* —2A **80**
High Greave Rd. *Roth* —1A **80**
High Green. —5B **50**
Highgrove Ct. *Donc* —5E **49**
High Hazel Ct. *Tree* —1E **103**
High Hazel Cres. *Cat* —5C **90**
High Hazels Clo. *S9* —1F **101**
High Hazels Mead. *S9* —1F **101**
High Hooton Rd. *Lghtn & Hoot L* —3G **95**
High Ho. Farm Ct. *Wal* —5F **117**
High Ho. Ter. *S6* —4B **86**
Highlands Pl. *Ches* —2H **131**
Highlane. —6G **113**
High La. *S12* —6G **113**
High La. *Thur* —3F **105**
High Lee La. *H'swne* —2F **143**
Highlightly La. *Barl* —6A **128**
Highlow Clo. *Ches* —6E **131**
Highlow Vw. *B'wth* —2C **90**
High Matlock Av. *S6* —5D **84**
High Matlock Rd. *S6* —4D **84**
Highmill Av. *Swint* —2G **55**
High Moor. —4D **126**
Highmoor Av. *Kiv P* —5G **117**
Highnam Cres. Rd. *S10* —2A **98**

Hollingworth Clo. *Mexb* —5H **43**
Hollin Ho. La. *Tree* —1A **84**
Hollin La. *Bols* —6E **141**
Hollin Rd. *O'bri* —3C **72**
Hollins Clo. *S6* —6F **85**
Hollins Ct. *S6* —5F **85**
Hollins Dri. *S6* —6G **85**
Hollins End. —2E 113
Hollinsend Av. *S12* —2E **113**
Hollinsend Pl. *S12* —2E **113**
Hollinsend Rd. *S12* —3C **112**
Hollins La. *S6* —5F **85**
Hollins Spring Av. *Dron* —3E **129**
Hollins Spring Rd. *Dron* —3E **129**
Hollins, The. *Dod* —3C **22**
Hollis Clo. *Rawm* —5D **54**
Hollis Cft. *S1* —1D **98** (2C **4**)
Hollis Cft. *Woodh* —1A **114**
Hollis La. *Ches* —3B **138**
(in two parts)
Hollowdene. *B'ley* —4D **12**
Hollowgate. —3C 40
Hollowgate. *Barn* —1F **43**
Hollow Ga. *C'town* —2B **64**
Hollowgate. *Roth* —4E **79**
Hollow Ga. *Whis* —2H **91**
Hollowgate Av. *Wath D* —3C **40**
Hollow La. *Half* —3D **124**
Hollows, The. *Donc* —5C **48**
Holly Av. *Donc* —2A **32**
Hollybank Av. *S12* —1E **113**
Hollybank Clo. *S12* —1F **113**
Hollybank Cres. *S12* —1E **113**
Hollybank Dri. *S12* —1E **113**
Hollybank Rd. *S12* —1E **113**
Hollybank Way. *S12* —1F **113**
Holly Barn Fold. *Hoot R* —1G **71**
Holly Bush Dri. *Thurn* —1F **29**
Holly Bush La. *Kirk S* —4D **20**
Hollybush St. *P'gte* —4F **69**
Holly Clo. *C'town* —3D **64**
Holly Clo. *Kil* —4A **126**
Holly Ct. *S10* —4H **97**
Holly Ct. B'ley —2H 23
(off Hornby La.)
Holly Cres. *S'side* —3G **81**
Hollycroft Av. *Roy* —2D **8**
Holly Dene. *Arm* —1E **35**
Holly Dri. *Ben* —5B **18**
Holly Gdns. *S12* —1E **113**
Holly Ga. *Wors* —4C **24**
Holly Gro. *Brie* —2G **11**
Holly Gro. *S12* —1E **113**
Holly Gro. *Gold* —4E **29**
Holly Gro. *Ross* —3E **63**
Holly Gro. *Wath D* —1F **55**
Holly Hall La. *Wort* —1H **141**
Holly La. *S1* —2E **99** (3D **4**)
Holly Mt. *Wick* —5G **81**
Holly St. *S1* —2E **99** (3D **4**)
(in two parts)
Holly St. *Donc* —2C **46**
Holly Ter. *Donc* —4H **45**
Holly Ter. *Swal* —5A **104**
Hollythorpe Clo. *Has* —5D **138**
Hollythorpe Cres. *S8* —3E **111**
Hollythorpe Ri. *S8* —3F **111**
Hollythorpe Rd. *S8* —3F **111**
Hollytree Av. *Maltby* —3D **82**
Hollywell Clo. *Rawm* —6H **55**
Holmbrook Wlk. *Ches* —6E **131**
Holm Clo. *Dron W* —1B **128**
Holmebank Clo. *Ches* —1G **137**
Holmebank E. *Ches* —1G **137**
Holmebank Vw. *Ches* —1G **137**
Holmebank W. *Ches* —1G **137**
Holme Brook Vw. *Ches* —5E **131**
Holme Clo. *S6* —3A **86**
Holme Ct. *Gold* —5E **29**
Holme Ct. *Roth* —1E **91**
Holme Hall Cres. *Ches* —5D **130**
Holme La. *S6* —4H **85**
Holme La. *Gren* —2B **74**
Holme Oak Way. *S6* —4C **84**
Holme Rd. *Ches* —5A **132**
Holmeroyd Rd. *Adw S* —1G **17**
Holmes. —4A 78
Holmes Carr Cres. *New R* —4B **62**
Holmes Carr Rd. *Donc* —5B **48**
Holmes Carr Rd. *New R* —4B **62**

Holmes Ct. *Roth* —3B **78**
Holmes Cres. *Tree* —1E **103**
Holmesdale. —1G 129
Holmesdale Clo. *Dron* —6G **123**
Holmesdale Rd. *Dron* —6F **123**
Holmesfield. Roth —3A 78
(off Rosebery St.)
Holmesfield Rd. *Dron W* —2A **128**
Holmesfield Rd. *O'bri* —3D **72**
Holmes La. *Hoot R* —5F **57**
Holmes La. *Roth* —3A **78**
Holmes Mkt., The. Donc —5E 33
(off Holmes, The)
Holmes Rd. *Braml* —5H **81**
Holmes, The. *Donc* —5D **32**
Holme, The. *Dron* —6F **123**
Holme Vw. Rd. *Dart* —5A **6**
Holme Wood Ct. *E'thpe* —5E **21**
Holme Wood Gdns. *Donc* —4C **48**
Holme Wood La. *Arm* —3H **35**
(in two parts)
Holm Flatt St. *P'gte* —4E **69**
Holmhirst Clo. *S8* —5C **110**
Holmhirst Dri. *S8* —4C **110**
Holmhirst Rd. *S8* —4C **110**
Holmhirst Way. *S8* —4C **110**
Holmley Bank. *Dron* —6E **123**
Holmley Common. —6E 123
Holmley La. *Coal A* —6E **123**
Holmoak Clo. *Swint* —4B **56**
Holmshaw Dri. *S13* —5G **101**
Holmshaw Gro. *S13* —5G **101**
Holt Ho. Gro. *S7* —3B **110**
Holtwood Rd. *S4* —4F **87**
Holwick Ct. *B'ley* —6G **13**
Holy Grn. *S1* —3E **99** (6D **4**)
Holymoor Rd. *Holy* —6A **136**
Holymoorside. —6A 136
Holyoake Av. *S13* —4G **101**
Holyrood Ri. *Braml* —2H **81**
Holyrood Rd. *Donc* —6G **33**
Holywell Ct. *S4* —1C **88**
Holywell La. *B'well* —1G **83**
Holywell La. *Con* —4E **59**
Holywell Pl. Roth —2E 79
(off Nottingham St.)
Holywell Rd. *S4 & S9* —2B **88**
Holywell Rd. *Kiln* —4B **56**
Holywell St. *Ches* —1A **138**
Homecroft Rd. *Gold* —4F **29**
Homefield Cres. *Donc* —1G **31**
Homeport M. *Ches* —1A **138**
Homestead Clo. *S5* —4H **75**
Homestead Dri. *B'wth* —2B **90**
Homestead Dri. *Rawm* —6F **55**
Homestead Rd. *S5* —4G **75**
Homestead, The. *Ben* —6B **18**
Honeysuckle Clo. *D'fld* —5E **27**
Honeysuckle Rd. *S5* —6B **76**
Honeywell. —4H 13
Honeywell Clo. *B'ley* —4H **13**
Honeywell Gro. *B'ley* —3H **13**
Honeywell La. *B'ley* —4G **13**
Honeywell Pl. *B'ley* —4G **13**
Honeywell St. *B'ley* —4H **13**
Honister Rd. *Bram B* —4A **40**
Hoober. —4A 54
Hoober Av. *S11* —2F **109**
Hoober Ct. *Rawm* —5D **54**
Hoober Fld. Rd. *Rawm & Wath D* —4A **54**
Hoober Hall La. *W'wth & Wath D* —2G **53**
Hoober La. *Rawm* —4A **54**
Hoober Rd. *S11* —2G **109**
Hoober St. *Wath D* —4B **40**
Hoober Vw. *Rawm* —5D **54**
Hoober Vw. *Womb* —2H **39**
Hood Green. —6A 22
Hood Grn. Rd. *Hood G* —6A **22**
Hood Hill. —5H 51
Hoodhill Rd. *W'wth* —5H **51**
Hoole La. *S10* —3A **98**
Hoole Rd. *S10* —2A **98**
Hoole St. *S6* —5A **86**
Hoole St. *Has* —5D **138**
Hooley Rd. *S13* —1D **114**
Hooton Clo. *Lghtn* —6G **95**
Hooton La. *Hoot L* —5E **83**
Hooton La. *Lghtn* —6G **95**
Hooton La. *Rav* —4G **71**
Hooton Levitt. —5E 83
Hooton Rd. *Kiln* —6C **56**

Hooton Roberts. —6H 57
Hope Av. *Gold* —4F **29**
Hopedale Rd. *S12* —3F **113**
Hopefield Av. *S12* —3F **113**
Hope Rd. *O'bri* —3E **73**
Hope Sq. *S9* —3B **88**
Hope St. B'ley —1F 15
(Burton Rd.)
Hope St. B'ley —5F 13
(Gawber Rd.)
Hope St. *Ches* —2G **137**
Hope St. *M'well* —5G **7**
Hope St. *Mexb* —1E **57**
Hope St. *Roth* —2C **78**
Hope St. *S'bri* —3E **141**
Hope St. Womb —1G 39
(Gower St.)
Hope St. Womb —5D 26
(Pitt St.)
Hope St. Ind. Est. *Roth* —1C **78**
Hopewell St. *B'ley* —1D **24**
Hopwood La. *S6* —1B **96**
Hopwood St. *B'ley* —5G **13**
Horace St. *Roth* —4E **79**
Horbiry End. *Tod* —2A **118**
Horbury La. *Burn* —3C **64**
Horbury Rd. *Cud* —5B **10**
Hornbeam Clo. *C'town* —3D **64**
Hornbeam Rd. *Flan* —3F **81**
Hornby Ct. *S11* —6G **97**
Hornby St. B'ley —2H 23
(in two parts)
Horndean Rd. *S5* —2H **87**
Horner Clo. *S'bri* —3D **140**
Horner Rd. *S7* —6D **98**
Hornes La. *M'well* —4G **7**
Horninglow Clo. *S5* —6G **75**
Horninglow Dri. *Donc* —4E **49**
Horninglow Mt. *S5* —6G **75**
Horninglow Rd. *S5* —6G **75**
Hornsby Rd. *Arm* —4G **35**
Hornthorpe Rd. *Eck* —6G **125**
Hornthwaite Hill Rd. *Thurls* —5A **142**
Horse Carr Vw. *B'ley* —1G **25**
Horse Cft. La. *Whar S* —1B **72**
Horsefair Clo. *Swint* —2B **56**
Horsehills La. *Arm* —4E **35**
Horsemoor Rd. *Thurn* —1D **28**
Horseshoe Clo. *Wal* —4G **117**
Horseshoe Gdns. *Wal* —4F **117**
Horsewood Clo. *B'ley* —1D **22**
Horsewood Rd. *S13* —5D **102**
Horsewood Rd. *Walt* —5D **136**
Horsley Clo. *Ches* —6C **130**
Horten Vw. *Kirk S* —2C **20**
Horton Clo. *Half* —2E **125**
Horton Dri. *Half* —2E **125**
Hough La. *Womb* —1E **39**
Houghton Rd. *N Ans* —4B **106**
Houghton Rd. *Thurn* —1C **28**
Houldsworth Dri. *Ches* —3D **138**
Hound Hill La. *Adw D* —3B **42**
Hound Hill La. *Wors* —5F **23**
Houndkirk Rd. *S11* —4A **108**
Hounsfield Cres. *Roth* —2B **80**
Hounsfield La. *S3* —2C **98** (4A **4**)
Hounsfield Rd. *S3* —2C **98** (3A **4**)
Hounsfield Rd. *Roth* —2B **80**
Housley La. *C'town* —2D **64**
Housley Pk. *C'town* —1D **64**
Houstead Rd. *S9* —2F **101**
Hoveringham Ct. *Swal* —1A **116**
Howard Dri. *Old W* —1A **132**
Howard Hill. —6A 86
Howard La. *S1* —3F **99** (5F **5**)
Howard Rd. *S6* —6A **86**
Howard Rd. *Braml* —4H **81**
Howard Rd. *Maltby* —5H **83**
Howards Clo. *Thur* —5C **94**
Howard St. *S1* —3F **99** (5F **5**)
Howard St. *B'ley* —2H **23**
Howard St. *D'fld* —4G **27**
Howard St. *Dinn* —4G **107**
Howard St. *Roth* —2D **78**
(in two parts)
Howarth Dri. *B'wth* —4D **90**
Howarth La. *B'wth* —3E **91**
(in two parts)
Howarth Rd. *B'wth* —3D **90**
Howbeck Clo. *Edl'tn* —4A **60**
Howbeck Dri. *Edl'tn* —4A **60**

Howbrook Clo. *High G* —5A **50**
Howden Clo. *Dart* —4D **6**
Howden Clo. *Donc* —5A **48**
Howden Clo. *Stav* —1D **134**
Howden Rd. *S9* —4C **88**
Howdike La. *Hoot R* —1F **67**
Howe La. *Lghtn* —3G **95**
Howell Gdns. *Thurn* —2E **29**
Howlett Clo. *Whis* —2B **92**
Howlett Dri. *B'wth* —4C **90**
Howse St. *Else* —5D **38**
Howson Clo. *Rav* —1H **81**
Howson Rd. *Deep* —3F **141**
Hoylake Av. *Ches* —6E **137**
Hoylake Dri. *Swint* —4B **56**
Hoyland. —5A 38
Hoyland Common. —6F 37
Hoyland Leisure Cen. —5G 37
Hoyland Lowe. —4G 37
Hoyland Mkt. *Hoy* —5A **38**
Hoyland Rd. *S3* —4C **86**
Hoyland Rd. *Hoy* —6F **37**
Hoyland St. *Maltby* —5H **83**
Hoyland St. *Womb* —1F **39**
Hoyland Swaine. —1G 143
Hoy La. *Adw D* —4C **42**
Hoyle Mill. —6B 14
Hoyle Mill La. *Thurls* —3B **142**
Hoyle Mill Rd. *B'ley* —1D **24**
Hoyle St. *S3* —1D **98** (1C **4**)
Hucklow Av. *Ches* —5H **137**
Hucklow Av. *Ink* —4A **134**
Hucklow Dri. *S5* —6H **75**
Hucklow Rd. *S5* —1H **87**
Hucknall Av. *Ches* —1E **137**
Huddersfield Rd. *B'ley* —3E **13**
Huddersfield Rd. *Dart* —1A **6**
Huddersfield Rd. *P'stne* —1A **142**
Hudson Haven. *Womb* —6H **25**
Hudson Rd. *S13* —5E **103**
Hudson Rd. *Roth* —5G **67**
Hudson's Av. *Donc* —6C **32**
Humberside Way. *B'ley* —1D **14**
Humphrey Rd. *S8* —1C **122**
Humphries Av. *Rawm* —6D **54**
Hungerhill Clo. *Roth* —1F **77**
Hunger Hill La. *Whis* —2A **92**
Hungerhill La. *E'thpe* —5B **20**
Hungerhill Rd. *K'wth* —6F **67**
Hunger Hill Rd. *Whis* —1H **91**
Hunloke Av. *Ches* —4F **137**
Hunloke Cres. *Ches* —4G **137**
Hunningley Clo. *B'ley* —2D **24**
Hunningley La. *B'ley* —4D **24**
(in two parts)
Hunsdon Rd. *Eck* —6C **124**
Hunshelf La. *E'fld* —5F **65**
Hunshelf Pk. *S'bri* —2E **141**
Hunshelf Rd. *C'town* —2D **64**
Hunshelf Rd. *S'bri* —2D **140**
(Pea Royd La.)
Hunshelf Rd. *S'bri* —1B **140**
(Underbank La.)
Hunsley St. *S4* —3A **88**
Hunster Clo. *Donc* —4D **48**
Hunster Flat La. *New R* —6D **62**
Hunster Gro. *New R* —5D **62**
Hunstone Av. *S8* —2E **123**
Hunt Clo. *B'ley* —3C **14**
Hunter Ct. *S11* —6H **97**
Hunter Hill Rd. *S11* —5A **98**
Hunter Ho. Rd. *S11* —6H **97**
Hunter Rd. *S6* —3H **85**
Hunter's Av. *B'ley* —1C **22**
Hunters Bar. *S11* —5A **98**
Hunters Chase. *Dinn* —2F **107**
Hunters Clo. *Dinn* —2F **107**
Hunters Ct. *Dinn* —2F **107**
Hunters Dri. *Dinn* —2F **107**
Hunters Gdns. *S6* —2D **84**
Hunters Gdns. *Dinn* —2F **107**
Hunters Grn. *Dinn* —2F **107**
Hunters La. *S13* —1E **113**
Hunters Pk. *Dinn* —2F **107**
Hunters Ri. *B'ley* —6C **12**
Hunters Way. *Dinn* —2F **107**
Huntingdon Cres. *S11* —5C **98**
Huntingdon Rd. *Donc* —4A **34**
Huntington St. *Ben* —5A **18**
Huntington Way. *Maltby* —2E **83**

Huntingtower Rd. *S11* —6H **97**
Hunt La. *Donc* —4B **32**
Huntley Clo. *Ink* —3H **133**
Huntley Gro. *S11* —1F **109**
Huntley Rd. *S11* —1G **109**
Huntsman Rd. *S11* —1F **101**
Huntsman Rd. *Stav* —1C **134**
Huntsmans Gdns. *S9* —4E **89**
Hunt St. *Hoy* —6F **37**
Hurl Dri. *S12* —2B **112**
Hurley Cft. *Bram B* —4A **40**
(in two parts)
Hurl Field. —2A 112
Hurlfield Av. *S12* —2B **112**
Hurlfield Ct. *S12* —1C **112**
Hurlfield Dri. *S12* —1B **112**
Hurlfield Dri. *Rav* —2H **81**
Hurlfield Rd. *S12* —2B **112**
Hurlfield Vw. *S12* —1B **112**
Hurlingham Clo. *S11* —2A **110**
Hurlstone Clo. *E'thpe* —4E **21**
Hursley Clo. *Soth* —6G **115**
Hursley Dri. *Soth* —6G **115**
Hurst Grn. *High G* —6B **50**
Hurst La. *Auc* —4H **63**
Hutchinson Ct. *Roth* —4E **79**
Hutchinson La. *S7* —4B **110**
Hutchinson Rd. *S7* —4B **110**
Hutchinson Rd. *Rawm* —1G **69**
Hutcliffe Dri. *S8* —5B **110**
Hutcliffe Wood Crematorium. *S8* —5B **110**
Hutcliffe Wood Rd. *S8* —5B **110**
Hut La. *Kil* —5D **126**
Hutton Cft. *S12* —4B **114**
Hutton Rd. *Roth* —6G **67**
Huxterwell Dri. *Bal* —1H **61**
Hyacinth Clo. *S5* —6B **76**
Hyacinth Rd. *S5* —6B **76**
Hyde Park. —1E 47
Hyde Pk. Ind. Est. *Donc* —3E **47**
Hyde Pk. Ter. *S2* —2G **99** (3H **5**)
Hyde Pk. Wlk. *S2* —2G **99**
Hyland Cres. *Donc* —5G **45**
Hyman Clo. *Warm* —4F **45**
Hyperion Way. *New R* —5C **62**

Ians Way. *Ches* —1E **137**
Ibberson Av. *M'well* —5F **7**
Ibbotson Rd. *S6* —5A **86**
Ibsen Cres. *Barn D* —1H **21**
Ickles. —5B 78
Ickles Roundabout. *Roth* —4C **78**
Ickles Way. *Roth* —5B **78**
Icknield Way. *B'wth* —3C **90**
Ida Gro. *Maltby* —3D **82**
Ida's Rd. *Eck* —5D **124**
Idsworth Rd. *S1* —5H **87**
Ilam Clo. *Ink* —5A **134**
Ilkley Cres. *Swal* —1A **116**
Ilkley Rd. *S5* —5H **75**
Illsley Rd. *D'fld* —3E **27**
Immingham Gro. *Stav* —2B **134**
Imperial Bldgs. *Roth* —3D **78**
Imperial Cres. *Donc* —5F **33**
Imperial St. *B'ley* —2H **23**
Imrie Pl. *Kiv P* —5H **117**
Industry Rd. *S9* —6D **88**
Industry Rd. *Car* —6E **9**
Industry St. *S6* —4A **86**
(in two parts)
Infield La. *S9* —1F **101**
Infirmary Rd. *S6* —5C **86**
Infirmary Rd. *Ches* —1B **138**
Infirmary Rd. *P'gte* —4G **69**
Ingbirchworth Rd. *Thurls* —3A **142**
Ingelow Av. *S5* —4F **75**
Ingfield Av. *S9* —1G **89**
Ingleborough Cft. *C'town* —1D **64**
Ingleborough Dri. *Donc* —1G **45**
Ingleby Clo. *Dron W* —2A **128**
Ingledene M. *Barn D* —2H **21**
Ingle Gro. *Donc* —1G **45**
Ingleton Rd. *Has* —6B **138**
Ingleton Wlk. *B'ley* —5F **13**
Inglewood. *Dart* —4E **7**
Inglewood Av. *Soth* —6G **115**
Inglewood Ct. *Soth* —6G **115**
Inglewood Dell. *Soth* —6G **115**
Ingram Ct. *S2* —3H **99**

Ingram Rd. *S2* —3H **99**
Ingsfield La. *Bol D* —1E **41**
(in two parts)
Ingshead Av. *Rawm* —2F **69**
Ings La. *Ark* —5F **19**
(Arksey Comn. La.)
Ings La. *Ark* —1G **45**
(Melton Rd.)
Ings La. *Ark* —5E **19**
(Station Rd.)
Ings La. *L Hou* —2F **27**
(in two parts)
Ings Rd. *Donc* —4B **32**
Ings Rd. *Womb* —5D **26**
(in two parts)
Ings Way. *Ark* —5D **18**
Inkerman Cotts. *Ches* —1E **137**
Inkerman Rd. *D'fld* —4E **27**
Inkersall. —5B 134
Inkersall Dri. *W'fld* —1E **125**
Inkersall Farm Cotts. *Stav* —5C **134**
Inkersall Green. —4A 134
Inkersall Grn. Rd. *Ink* —3H **133**
Inkersall Rd. *Stav* —4C **134**
Innovation Way. *B'ley* —3E **13**
Insley Gdns. *Donc* —4C **48**
Intake. —5H 33
(Doncaster)
Intake. —2C 112
(Sheffield)
Intake Cres. *Dod* —3B **22**
Intake Gdns. B'ley —5D **12**
(off Wade St.)
Intake La. *B'ley* —4D **12**
Intake La. *Cud* —5C **10**
Interchange Way. *B'ley* —5H **13**
Ireland Clo. *Stav* —1D **134**
Ireland Ind. Est. *Stav* —3C **134**
Ireland St. *Stav* —1D **134**
Irongate. Ches —2A **138**
(off High Street)
Ironside Clo. *S14* —5H **111**
Ironside Pl. *S14* —4A **112**
Ironside Rd. *S14* —5H **111**
Ironside Wlk. *S14* —5H **111**
Ironstone Dri. *C'town* —6D **50**
Ironworks Pl. Else —1D **52**
(off Forge La.)
Ironworks Row. Else —1D **52**
(off Forge La.)
Irving St. *S9* —1E **101**
Irwell Gdns. *Donc* —1B **48**
Islay St. *S10* —2H **97**
Issott St. *B'ley* —4H **13**
Ivanbrook Clo. *Dron W* —2A **128**
Ivanhoe Av. *Kiv P* —4A **118**
Ivanhoe Clo. *Donc* —5H **31**
Ivanhoe M. *Swal* —5A **104**
Ivanhoe Rd. *S6* —5G **85**
Ivanhoe Rd. *Con* —3D **58**
Ivanhoe Rd. *Donc* —5G **45**
Ivanhoe Rd. *E'thpe* —6D **20**
Ivanhoe Rd. *Ed!'tn* —4B **60**
Ivanhoe Rd. *Thur* —5A **94**
Ivanhoe Way. *Donc* —5H **31**
Ivor Gro. *Donc* —3A **46**
Ivy Clo. *Old W* —1A **132**
Ivy Clo. *Ross* —4E **63**
Ivy Cottage La. *S11* —1D **108**
Ivy Cotts. *S11* —6E **97**
Ivy Cotts. *Roy* —1F **9**
Ivy Ct. *S8* —5G **111**
Ivy Ct. *Cud* —1H **15**
Ivy Ct. *Old De* —2H **57**
Ivy Dri. *S10* —1B **98**
Ivy Farm Clo. *B'ley* —4F **9**
Ivy Farm Cft. *Dalt* —6B **70**
Ivy Gro. S10 —1B **98**
(off Ivy Dri.)
Ivy Hall Rd. *S5* —3A **76**
Ivy La. *Beig* —3G **115**
Ivy Pk. Ct. *S10* —4E **97**
Ivy Pk. Rd. *S10* —3E **97**
Ivy Side Clo. *Kil* —3B **126**
Ivy Side Gdns. *Kil* —3B **126**
Ivy Ter. *B'ley* —1A **24**

Jack Clo. Orchard. *Roy* —1E **9**
Jackey La. *O'bri* —2B **72**
Jackson Cres. *Rawm* —6E **55**

Jackson St. *Cud* —1G **15**
Jackson St. *Gold* —4G **29**
Jacobs Clo. *S5* —5A **76**
Jacobs Dri. *S5* —5A **76**
Jacobs Hall Ct. *Dart* —5A **6**
Jacques Pl. *B'ley* —5D **14**
Jamaica St. *S4* —4H **87**
James Andrew Clo. *S8* —2D **122**
James Andrew Cres. *S8* —2C **122**
James Andrew Cft. *S8* —2D **122**
James Rd. *Adw S* —1F **17**
James St. *S9* —2E **101**
James St. *B'ley* —5H **13**
James St. *Ches* —5A **132**
James St. *Mexb* —6H **43**
James St. *Roth* —2C **78**
(in two parts)
James St. *Wors D* —4C **24**
Janet's Wlk. *Womb* —5G **25**
Janson St. *S9* —3C **88**
Jardine Clo. *S9* —5C **76**
Jardine St. *S9* —5D **76**
Jardine St. *Womb* —1F **39**
Jarratt St. *Donc* —1D **46**
Jarrow Rd. *S11* —5B **98**
Jasmine Av. *Beig* —4F **115**
Jasmine Clo. *Con* —4F **59**
Jaunty Av. *S12* —4D **112**
Jaunty Clo. *S12* —4D **112**
Jaunty Cres. *S12* —3D **112**
Jaunty Dri. *S12* —4D **112**
Jaunty La. *S12* —3D **112**
Jaunty Mt. *S12* —4D **113**
Jaunty Pl. *S12* —4D **112**
Jaunty Rd. *S12* —4E **113**
Jaunty Vw. *S12* —4E **113**
Jaunty Way. *S12* —3D **112**
Jaw Bones Hill. *Ches* —5A **138**
Jay La. *Ast* —1C **116**
Jebb Gdns. *Ches* —3E **137**
Jedburgh Dri. *S9* —5C **76**
Jedburgh St. *S9* —5C **76**
Jeffcock Pl. *High G* —6C **50**
Jeffcock Rd. *S9* —1E **101**
Jeffcock Rd. *High G* —6C **50**
Jefferson Av. *Donc* —6B **20**
Jeffery Cres. *Deep* —4F **141**
Jeffery Grn. *S10* —6A **96**
Jeffery St. *S2* —1F **111**
Jenkin Av. *S9* —1C **88**
Jenkin Clo. *S9* —6C **76**
Jenkin Dri. *S9* —1C **88**
Jenkin Rd. *S5* —6B **76**
Jenkin Wood Clo. *S'side* —2G **81**
Jennings Clo. *Roth* —1E **79**
Jenny La. *Cud* —1H **15**
Jepson Rd. *S5* —5B **76**
Jepson Rd. *Ches* —6C **138**
Jericho St. *S3* —1D **98** (1A **4**)
Jermyn Av. *S12* —3G **113**
Jermyn Clo. *S12* —4H **113**
Jermyn Cres. *S12* —4H **113**
Jermyn Cft. *Dod* —2B **22**
Jermyn Dri. *S12* —4H **113**
Jermyn Sq. *S12* —4H **113**
Jermyn Way. *S12* —4H **113**
Jersey Rd. *S2* —6E **99**
Jervis Pl. *Ink* —5H **133**
Jesmond Av. *Roy* —2D **8**
Jessamine Rd. *S5* —5A **76**
Jessell St. *S9* —6B **88**
Jessop Ct. *Dinn* —3F **107**
Jessop St. *S1* —3E **99** (6D **4**)
Jewitt Rd. *Roth* —5G **67**
Jew La. *S1* —3G **5**
Joan La. *Hoot L* —5E **83**
Joan Royd La. *P'stne* —6B **142**
Joan's Wlk. *Jump* —4B **38**
Jockell Dri. *Rawm* —2F **69**
Jockey Rd. *Oxs* —4H **143**
John Calvert Rd. *Woodh* —1D **114**
John Eaton's Almshouses. *S8*
—5F **111**
John Hartop Pl. Else —1D 52
(off Forge La.)
John Hibbard Av. *S13* —6E **103**
John Hibbard Clo. *S13* —6E **103**
John Hibbard Cres. *S13* —6E **103**
John Hibbard Ri. *S13* —6E **103**
John La. *New R* —4C **62**
Johnson Ct. *Edl'tn* —2C **60**

Johnson Ct. Roth —4F 79
(off Johnson St.)
Johnson La. *S3* —1F **99** (1F **5**)
Johnson La. *E'fld* —6F **65**
Johnson St. *S3* —6F **87** (1F **5**)
Johnson St. *B'ley* —5H **13**
Johnson St. *Roth* —4F **79**
Johnson St. *S'bri* —3D **140**
Johnstone Clo. *Ches* —4H **137**
John St. *S2* —4D **98**
John St. *B'ley* —1H **23**
John St. *Brim* —3E **133**
(in two parts)
John St. *Ches* —2G **137**
John St. *Eck* —6D **124**
John St. *Gt Hou* —1B **28**
John St. *L Hou* —2A **28**
John St. *Mexb* —1E **57**
John St. *Roth* —3C **78**
John St. *Thur* —4A **94**
John St. *Thurn* —1F **29**
John St. *Womb* —4A **26**
John St. *Wors* —5A **24**
John Trickett Ho. C'town —2D 64
(off Lansbury Av.)
John Ward St. *S13* —6D **102**
John West St. *S'bri* —4D **140**
Joiner St. *S3* —1F **99** (1F **5**)
Jones Av. *Womb* —6H **25**
Jordan. —4H 77
Jordan Cres. *Roth* —4G **77**
Jordanthorpe. —3F 123
Jordanthorpe Cen. *S8* —3F **123**
Jordanthorpe Grn. *S8* —3G **123**
Jordanthorpe Parkway. *S8* —4E **123**
Jordanthorpe Vw. *S8* —2G **123**
Joseph Ct. *B'ley* —1H **23**
Josephine Rd. *Roth* —3A **78**
Joseph Rd. *S6* —6A **86**
Joseph St. *B'ley* —1H **23**
Joseph St. *Eck* —6D **124**
Joseph St. *Grim* —6G **11**
Joshua Rd. *S7* —1C **110**
Josselin Ct. *C'town* —2D **64**
Jossey La. *Donc & Ben* —1F **31**
Jowitt Clo. *Maltby* —5H **83**
Jowitt Rd. *S11* —1H **109**
Jubb Clo. *Roth* —5B **80**
Jubilee Cotts. *B'wth* —2B **90**
Jubilee Cotts. *Cal* —4G **139**
Jubilee Cotts. *Hoy* —6E **37**
Jubilee Ct. *Donc* —3A **34**
Jubilee Cres. *Kil* —2C **126**
Jubilee Gdns. *Roy* —1F **9**
Jubilee Rd. *S9* —5D **88**
Jubilee Rd. *Donc* —4E **33**
Jubilee St. *Roth* —5B **78**
Jubilee Ter. *B'ley* —1B **24**
Judith Rd. *Kil* —1B **116**
Judy Row. *B'ley* —3C **14**
Julian Rd. *S9* —6D **76**
Julian Way. *S9* —6D **76**
Jumble La. *E'fld* —6H **65**
Jumble Rd. *S11* —6A **108**
Jump. —4C 38
Junction Clo. *Womb* —2A **40**
Junction Rd. *S11* —5A **98**
Junction Rd. *New R* —5C **62**
Junction Rd. *Woodh* —6D **102**
Junction St. *B'ley* —1B **24**
Junction St. *Womb* —2H **39**
Junction Ter. *B'ley* —1B **24**
Junction 34 Ind. Est. *S9* —1F **89**
June Rd. *Woodh* —6D **102**
Juniper Ri. *Kil* —4A **126**

Kashmir Gdns. *S9* —6D **88**
Katherine Rd. *Thur* —4A **94**
Katherine St. *Thur* —5B **94**
Kathleen Gro. *Gold* —3H **29**
Kathleen St. *Gold* —3H **29**
Kay Cres. *Rawm* —5C **54**
Kaye Pl. *S10* —1B **98**
Kaye St. *B'ley* —5H **13**
Kay's Ter. *B'ley* —2E **25**
Kay St. *Hoy* —6F **37**
Kea Pk. Clo. *H'by* —4A **82**
Kearsley La. *Con* —5D **58**
Kearsley Rd. *S2* —5E **99**
Keats Dri. *Dinn* —5H **107**

Keats Gro. *P'stne* —3D **142**
Keats Rd. *S6* —3B **74**
Keats Rd. *Ches* —3H **131**
Keats Rd. *Donc* —5B **46**
Keble Martin Way. *Wath D* —5D **40**
Kedleston Clo. *Ches* —4E **131**
Kedleston Ct. Stav —1C 134
(off Devonshire St.)
Keeper La. *Notton* —1H **7**
Keepers Clo. *Ross* —3F **63**
Keeton Hall Rd. *Kiv P* —4B **118**
Keeton's Hill. *S2* —5D **98**
Keighley Wlk. *Con* —4B **58**
Keilder Ct. *Ches* —4F **137**
Keir Pl. *Rawm* —1H **69**
Keir St. *B'ley* —5F **13**
Keir Ter. *B'ley* —5F **13**
Kelburn Av. *Ches* —4E **137**
Kelgate. *Mosb* —3D **124**
Kelham Bank. —2C 46
Kelham Ct. *Donc* —2C **46**
Kelham Island. —6E 87
Kelham Island Mus. —6E **87**
Kelham St. *Donc* —2C **46**
Kelly St. *Gold* —4G **29**
Kelsey Gdns. *Donc* —6C **48**
Kelsey Ter. *B'ley* —2H **23**
Kelso Dri. *Warm* —4F **45**
Kelvin Ct. *Scho* —5E **67**
Kelvin Gro. *Womb* —1G **39**
Kelvin St. *Mexb* —6E **43**
Kemp Clo. *Kil* —3A **126**
Kempton Gdns. *Mexb* —5G **43**
Kempton Pk. Rd. *Donc* —3F **31**
(in two parts)
Kempton St. *Donc* —1B **48**
Kempwell Dri. *Rawm* —5F **55**
Kenbourne Gro. *S7* —6C **98**
Kenbourne Rd. *S7* —6C **98**
Kendal Av. *Ans* —1H **119**
Kendal Clo. *Spro* —2C **44**
Kendal Cres. *Con* —3F **59**
Kendal Cres. *Wors* —5A **24**
Kendal Dri. *Bol D* —2A **42**
Kendal Dri. *Dron W* —2C **128**
Kendal Grn. *Wors* —5G **23**
Kendal Grn. Rd. *Wors* —5G **23**
Kendal Gro. *B'ley* —1G **25**
Kendal Pl. *S6* —3H **85**
Kendal Rd. *S6* —3H **85**
Kendal Rd. *Ches* —3G **131**
Kendal Rd. *Donc* —2A **32**
Kendal Va. *Wors B* —5A **24**
Kendray. —2C 24
Kendray St. *B'ley* —6H **13**
Kenilworth Clo. *Donc* —3F **31**
Kenilworth Ct. *S11* —3F **109**
Kenilworth Pl. *S11* —5A **98**
Kenilworth Rd. *Donc* —4G **45**
Kenmare Cres. *Donc* —4G **33**
Kennedy Ct. *S10* —2H **97**
Kennedy Dri. *Gold* —6F **29**
Kennedy Rd. *S8* —5C **110**
Kenneth St. *Roth* —2E **79**
Kennet Va. *Ches* —6F **131**
Kenninghall Clo. *S2* —6H **99**
Kenninghall Dri. *S2* —6H **99**
Kenninghall Rd. *S2* —6H **99**
Kennington Av. *W'land* —2B **16**
Kennington Gro. *Edl'tn* —2C **60**
Kenrock Clo. *Ark* —6E **19**
Kensington Av. *Thurls* —3A **142**
Kensington Rd. *B'ley* —4F **13**
Kent Av. *Rawm* —6E **55**
Kent Clo. *Ches* —6H **131**
Kent Clo. *Roy* —1E **9**
Kentmere Clo. *Dron W* —2C **128**
Kent Rd. *S8* —2F **111**
Kent Rd. *Donc* —4B **46**
Kent Rd. *Roth* —6G **67**
Kent St. *Ches* —5C **138**
Kenwell Dri. *S17* —4H **121**
Kenwood Av. *S7* —6C **98**
Kenwood Bank. *S7* —5C **98**
Kenwood Chase. S7 —5D 98
(off Wostenholm Rd.)
Kenwood Clo. *B'ley* —1D **24**
Kenwood Pk. Rd. *S7* —6C **98**
Kenwood Ri. *Braml* —3G **81**
Kenwood Rd. *S7* —6B **98**

Leader Rd.—Lindum St.

Lindum Ter. *Roth* —3E **79**
(off Doncaster Rd.)
Lingamore Leys. *Thurn* —1F **29**
Lingard Ct. *B'ley* —5F **123**
Lingard La. *Worr* —4D **72**
Lingard St. *B'ley* —4F **123**
Lingfield Dri. *Donc* —4F **31**
Lingfield Wlk. *Mexb* —5G **43**
Lingfoot Av. *S8* —3F **123**
Lingfoot Clo. *S8* —3F **123**
Lingfoot Cres. *S8* —3F **123**
Lingfoot Dri. *S8* —3F **123**
Lingfoot Pl. *S8* —3F **123**
Lingfoot Wlk. *S8* —3G **123**
Lingmoor Clo. *Donc* —5G **45**
Lingodell Clo. *Lghtn* —1F **107**
Ling Rd. *Ches* —5F **137**
Lings La. *Wick* —5G **81**
Lings, The. *Arm* —4H **35**
Lings, The. *Braml* —5H **81**
Lingwaite. *Dod* —2C **22**
Link Rd. *Roth* —5E **71**
Link Row. *S2* —1G **99**
(off Bernard St.)
Links Rd. *Dron* —3F **129**
Links Vw. *M'well* —3F **7**
Linkswood Av. *Donc* —2A **34**
Linkswood Rd. *Dalt* —6B **70**
Link, The. *Dod* —3C **22**
Linkway. *Donc* —3H **33**
Linley La. *S12* —2F **113**
Linnet Ho. *Old W* —1A **132**
Linnet Mt. *Thpe H* —2B **66**
Linscott Clo. *Ches* —4F **131**
Linscott Rd. *S8* —5C **110**
Linthwaite La. *Else & W'wth* —1E **53**
Linton Clo. *B'ley* —1D **22**
Linton Rd. *Ches* —5E **137**
Lipp Av. *Kil* —2A **126**
Liskeard Pl. *Adw S* —2C **16**
Lisle Rd. *Roth* —5G **79**
Lismore Rd. *S8* —2F **111**
Lister Av. *S12* —3D **112**
Lister Av. *Donc* —3B **46**
Lister Av. *Rawm* —6E **55**
Lister Clo. *S12* —4D **112**
Lister Clo. *Ches* —1A **138**
Lister Ct. *Donc* —4G **33**
Lister Cres. *S12* —4C **112**
Listerdale. —5E 81
Listerdale Shop. Cen. *Roth* —5C **80**
Lister Dri. *S12* —4D **112**
Lister Pl. *S12* —4D **112**
Lister Rd. *S6* —4A **86**
Lister St. *S9* —1E **101**
Lister St. *Roth* —3F **79**
Lister Way. *S12* —4D **112**
Lit. Bridge Rd. *P'gte* —6E **69**
Lit. Brind Rd. *Ches* —4D **130**
Lit. Cockhill La. *Old E* —6B **60**
Little Common. —4F 109
Lit. Common La. *S11* —4F **109**
Lit. Common La. *K'wth* —2F **77**
(in two parts)
Lit. Common La. *Whis* —2C **92**
Littledale Rd. *S9* —3E **101**
Little Fld. La. *Womb* —6B **26**
(in two parts)
Littlefield Rd. *Dinn* —4E **107**
Lit. Haynooking La. *Maltby* —4F **83**
Littlehey Clo. *Maltby* —3D **82**
Little Houghton. —2H 27
Lit. Houghton La. *D'fld* —3F **27**
Little La. *S4* —2A **88**
Little La. *S12* —1D **112**
Little La. *Donc* —6A **20**
Little La. *Scho* —3D **66**
Little La. *Spro* —5C **30**
Little La. *Thpe H* —1A **66**
Little La. Ind. Est. *Donc* —6H **19**
Little Leeds. *Hoy* —5A **38**
Lit. London Pl. *S8* —1D **110**
Lit. London Rd. *S8* —3C **110**
Lit. Matlock Gdns. *S6* —5D **84**
Lit. Matlock Way. *S6* —5D **84**
Littlemoor. *Ches* —4F **131**
Littlemoor. *Eck* —6E **125**
Littlemoor Av. *Kiv P* —5G **117**
Littlemoor Cen. *Ches* —4G **131**
Littlemoor Cres. *Ches* —4F **131**
Littlemoor La. *Donc* —2B **46**

Littlemoor St. *Donc* —2B **46**
Lit. New Clo. *Gawber* —4D **12**
Little Norton. —1E 123
Lit. Norton Av. *S8* —2E **123**
Lit. Norton Dri. *S8* —1E **123**
Lit. Norton La. *S8* —1E **123**
Lit. Norton Way. *S8* —2E **123**
Little Sheffield. —4D 98
Little Westfields. *Roy* —1C **8**
Littlewood Dri. *S12* —4C **112**
Littlewood Rd. *S12* —4C **112**
Littlewood St. *Donc* —4F **31**
Littlewood Way. *Maltby* —3H **83**
Littleworth. —4F 63
Littleworth Clo. *Ross* —4F **63**
Littleworth La. *B'ley* —3D **14**
Littleworth La. *Ross* —3F **63**
Littleworth M. *Ross* —3F **63**
Litton Clo. *Shaf* —2C **10**
Litton Clo. *Stav* —3A **134**
Litton Wlk. *B'ley* —5F **13**
Litton Wlk. *Shaf* —2C **10**
Liverpool Av. *Donc* —3F **33**
Liverpool Pl. *S9* —4B **88**
Liverpool St. *S9* —4B **88**
Livesey St. *S6* —3B **86**
Livingstone Av. *Donc* —6B **20**
Livingstone Cres. *B'ley* —2B **14**
Livingstone Rd. *C'town* —2C **64**
Livingstone Ter. *B'ley* —1G **23**
Livingston Rd. *S9* —5A **88**
Lloyd St. *S4* —2H **87**
Lloyd St. *P'gte* —4F **69**
Loakfield Dri. *S5* —2D **74**
Lobelia Ct. *Ans* —3F **119**
Lobelia Cres. *Kirk S* —4D **20**
Lobwood. *Wors* —4A **24**
Lobwood La. *Wors* —4B **24**
Lockeaflash Cres. *B'ley* —2D **24**
Locke Av. *B'ley* —1G **23**
Locke Av. *Wors* —3H **23**
Locke Rd. *Dod* —3C **22**
Lockesley Av. *Con* —3C **58**
Locke St. *B'ley* —2F **23**
Lock Ho. Rd. *S9* —2E **89**
Locking Dri. *Arm* —4G **35**
Lock La. *S9* —5G **77**
Lockoford La. *Ches* —5A **132**
(in four parts)
Lockoford Rd. *Ches* —5A **132**
Locksley Av. *E'thpe* —5D **20**
Locksley Dri. *Thur* —5A **94**
Locksley Gdns. *Birdw* —5D **36**
Lock St. *S6* —5C **86**
Lockton Clo. *High G* —5A **50**
Lockton Way. *Con* —2F **59**
Lockwood Av. *Ans* —4F **119**
Lockwood Clo. *Roth* —2A **80**
Lockwood La. *B'ley* —2H **23**
Lockwood La. *Thurn* —2G **29**
Lockwood Rd. *Donc* —4E **33**
Lockwood Rd. *Gold* —4G **29**
Lockwood Rd. *Roth* —2A **80**
Lodge Clo. *Brim* —1G **139**
Lodge Dri. *Harl* —4H **51**
Lodge Farm Clo. *Ans* —1F **119**
Lodge Farm Clo. *Maltby* —6D **136**
Lodge Farm M. *Ans* —1F **119**
Lodge Hill Dri. *Kiv P* —5F **117**
Lodge La. *S6 & S10* —2A **96**
Lodge La. *Ast* —1B **116**
Lodge La. *Dinn* —4H **107**
Lodge La. *Thpe H* —4B **66**
Lodge Moor. —4A 96
Lodge Moor Rd. *S10* —5A **96**
Lodge Pl. *Ink* —5A **134**
Lodge, The. *S11* —2G **109**
Lodge Wlk. *Ink* —5A **134**
Lodge Way. *B'wth* —2C **90**
Logan Rd. *S9* —1F **101**
Loicher La. *E'fld* —4G **63**
Lomas Clo. *S6* —4C **84**
Lomas Lea. *S6* —5B **84**
Lombard Clo. *B'ley* —4G **13**
Lombard Cres. *D'fld* —4C **26**
London Rd. *S2* —4D **98**
London Way. *Thpe H* —3A **66**
Long Acre. *B'ley* —4D **8**
Longacre Clo. *H'brk* —6G **115**
Longacre Rd. *Dron* —4E **129**
Longacre Vw. *H'brk* —1G **125**

Longacre Way. *H'brk* —1G **125**
Long Balk. *B'ley* —2A **12**
Longcar La. *B'ley* —1F **23**
Long Causeway. *B'ley* —3C **14**
Long Cliffe Clo. *Shaf* —3C **10**
Longcliff Wlk. *Ches* —5F **131**
Long Clo. *Donc* —6B **48**
Long Cft. *M'well* —4F **7**
Longcroft Av. *Dron W* —1A **128**
Longcroft Ct. *Ches* —6H **137**
Longcroft Cres. *Dron W* —1A **128**
Longcroft Rd. *Dron W* —1A **128**
Long Edge La. *Donc* —6G **17**
Longfellow Dri. *Roth* —4H **79**
Longfellow Rd. *Donc* —5C **46**
Longfield Clo. *Womb* —5H **25**
Longfield Dri. *Donc* —5B **48**
Long Fld. Dri. *E'thpe* —5E **21**
Longfield Dri. *M'well* —4F **7**
Longfield Dri. *Rav* —1H **81**
Longfield Grange. *Ches* —5E **131**
Longfield Rd. *S10* —6H **85**
Long Fld. Rd. *E'thpe* —4E **21**
Longfields Cres. *Hoy* —5H **37**
Long Fold. *Wath D* —5C **40**
Longford Clo. *S17* —4G **121**
Longford Cres. *S17* —4G **121**
Longford Dri. *S17* —5F **121**
Longford Rd. *S17* —5F **121**
Longford Spinney. *S17* —5F **121**
Long Henry Row. *S2* —2G **99** (3H **5**)
Longlands Av. *Kiv P* —5G **117**
Longlands Dri. *M'well* —5F **7**
Longlands Dri. *Thry* —4E **71**
Long Lands La. *Brod* —3A **16**
Long La. *S6* —6D **84**
Long La. *S6 & Worr* —2C **84**
Long La. *S10* —1E **97**
Long La. *Kil* —3C **126**
Long La. *P'stne* —2B **142**
(Anna La.)
Long La. *P'stne* —6F **143**
(Castle La.)
Long La. *Spro* —5D **30**
Long La. *S'bri* —4A **140**
Long La. *Whis* —3F **91**
Long La. *Worr* —2B **72**
Longley Av. W. *S5* —1C **86**
Longley Clo. *S5* —1F **87**
Longley Clo. *Bar G* —3A **12**
Longley Cres. *S5* —6F **75**
Longley Dri. *S5* —1F **87**
Longley Est. *S5* —6F **75**
Longley Farm Vw. *S5* —1F **87**
Longley Hall Gro. *S5* —1F **87**
Longley Hall Ri. *S5* —6F **75**
Longley Hall Rd. *S5* —6G **75**
Longley Hall Way. *S5* —1G **87**
Longley La. *S5* —1F **87**
Long Leys La. *Maltby & B'well* —6A **60**
Longley St. *Bar G* —3A **12**
Long Line. *S11* —5A **108**
Longman Rd. *B'ley* —4G **13**
Long Plantation. *E'thpe* —5E **21**
Longridge Rd. *B'ley* —1D **14**
Long Rd. *Thur* —2H **105**
Long Sandall. —5B 20
Long Sandall Bri. *Donc* —4A **20**
Long Shambles. Ches —2A **138**
(off High St.)
Longshaw Clo. *Stav* —3B **134**
Longside Way. *B'ley* —5C **12**
Longsight Rd. *M'well* —4E **7**
Longspring Gro. *Tank* —6C **36**
Long Steps. *S2* —2H **5**
Longstone Cres. *S12* —3F **113**
Longthwaite Clo. *Lghtn* —1E **107**
Longton Rd. *Kirk S* —3E **21**
Long Wlk. *S10* —1G **97**
Lonsdale Av. *B'ley* —1H **25**
Lonsdale Av. *Donc* —6H **33**
Lonsdale Clo. *Ans* —1H **119**
Lonsdale Ho. *Donc* —4A **34**
Lonsdale Rd. *S6* —4A **86**
Loosemore Dri. *S12* —2B **112**
Lopham Clo. *S3* —6F **87**
Lopham St. *S3* —5F **87**
(in two parts)
Lordens Hill. *Dinn* —4G **107**
Lord Roberts Rd. *Ches* —4A **138**
Lords Clo. *Edl'tn* —2C **60**

Lord's Head La. *Warm* —6E **45**
Lordsmill St. *Ches* —3B **138**
Lord St. *B'ley* —5C **14**
Lord St. *Roth* —2G **79**
Loretta Cotts. *Hoy* —5H **37**
Lorna Rd. *Mexb* —6E **43**
Lorne Clo. *Dron W* —1B **128**
Lorne Rd. *Thurn* —1D **49**
Loscoe Gro. *Gold* —4E **29**
Lothian Rd. *Donc* —4A **34**
Louden Clo. *Scho* —5D **66**
Louden Rd. *Scho* —5D **66**
Lounde Clo. *Spro* —2E **45**
Loundes Wood Av. *Ches* —3E **131**
Lound Rd. *S9* —2F **101**
Lound Side. *C'town* —1E **65**
Loundsley Green. —6E 131
Loundsley Ct. *Ash* —1B **136**
Loundsley Green. —6E 131
Loundsley Grn. Rd. *Ches* —1D **136**
Lousy Busk La. *Mexb* —5C **42**
Louth Rd. *S11* —6H **97**
Lovell St. *S4* —6H **87**
Loversall Clo. *Donc* —6B **46**
Love St. *S3* —1E **99** (1E **5**)
Lovetot Av. *Ast* —5B **104**
Lovetot Rd. *S9* —6A **88**
  (in two parts)
Lovetot Rd. *Roth* —5G **67**
Low Barugh. —1B 12
Lowburn Rd. *S13* —6E **101**
Low Comn. Rd. *Dinn* —4D **106**
Low Cft. *Roy* —1F **9**
Low Cronkhill La. *B'ley* —3G **9**
Low Cudworth. *Cud* —2H **15**
Low Cudworth Grn. *Cud* —2H **15**
Lowedges. —3D 122
Low Edges. *S8* —3E **123**
Lowedges Cres. *S8* —3D **122**
Lowedges Dri. *S8* —3D **122**
Lowedges Pl. *S8* —3E **123**
Lowedges Rd. *S8* —4B **122**
  (in three parts)
Lowe La. *S'bgh* —6A **22**
Lowell Av. *Donc* —5B **46**
Lower All. *Cal* —4G **139**
Lwr. Boundary Rd. *Ark* —1G **19**
Lower Bradway. —3A 122
Lwr. Castlereagh St. *B'ley* —6G **13**
Lower Crabtree. —3G 87
Lwr. Dolcliffe Rd. *Mexb* —6D **42**
Lwr. Grove Rd. *Ches* —2H **137**
Lwr. Haigh Head. *H'swne* —1F **143**
Lwr. High Royds. *Dart* —5E **7**
Lower Lewden. —5D 24
Lwr. Malton Rd. *Scaw* —2G **31**
Lwr. Mill Clo. *Gold* —5E **29**
Lower Pilley. —6C 36
Lwr. Thomas St. *B'ley* —6G **13**
Lwr. Unwin St. *P'stne* —5D **142**
Lower Walkley. —4A 86
Lowfield. —6E 19
Lowfield Av. *S12* —6G **113**
Lowfield Av. *Roth* —4C **68**
Lowfield Clo. *Barn D* —1F **21**
Lowfield Ct. *S2* —6E **99**
Lowfield Gro. *Bol D* —2C **42**
Lowfield La. *Bol D* —1C **42**
Lowfield Meadows. *Bol D* —2B **42**
Lowfield Rd. *Bol D* —1B **42**
Lowfield Rd. *Donc* —2A **34**
Lowfields. *Stav* —1E **135**
Lowfield Wlk. *Den M* —1B **58**
Low Fisher Ga. *Donc* —5D **32**
Lowgate. *Donc* —2G **31**
Lowgates. *Stav* —1D **134**
Low Golden Smithies. *Swint* —1A **56**
Low Grange Rd. *Thurn* —1E **29**
Low Grange Sq. *Thurn* —1E **29**
Lowgreave. *Roth* —1A **80**
Lowhouse Rd. *S5* —2A **76**
Low Laithes. —3H 25
Low Laithes Vw. *Womb* —5H **25**
Lowlands Clo. *B'ley* —2D **14**
Lowlands Clo. *Ben* —4B **18**
Low La. *Donc* —5A **48**
Low La. *Maltby* —1E **95**
Low La. *Roth* —1H **77**
Low Matlock La. *S6* —4D **84**
Low Pasture Clo. *Dod* —2C **22**
Low Pavement. *Ches* —2A **138**
Low Riddings. *S'side* —3F **81**

Low Rd. *S6* —5G **85**
Low Rd. *Con* —2E **59**
Low Rd. *Donc* —4A **46**
Low Rd. *O'bri* —2D **72**
Low Rd. E. *Warm* —5F **45**
  (in two parts)
Low Rd. W. *Warm* —6E **45**
Low Row. *Dart* —2C **6**
Lowry Dri. *Dron* —2D **128**
Low St. *Dod* —3D **22**
Low Stubbin. —5C 54
Lowther Rd. *S6* —2B **86**
Lowther Rd. *Donc* —4E **33**
Lowton Way. *H'by* —4A **82**
Low Valley. —5D 26
Low Valley Ind. Est. *Womb* —5D **26**
Low Vw. *Dod* —2A **22**
Low Wincobank. —4C 76
Low Wood Clo. *Swint* —4A **56**
Loxley. —3D 84
Loxley Av. *Womb* —1E **39**
Loxley Bottom. —3G 85
Loxley Clo. *Ches* —2D **136**
Loxley Ct. *S6* —4A **86**
Loxley Ct. *Roth* —1F **91**
Loxley New Rd. *S6* —4H **85**
Loxley Rd. *S6* —1A **84**
Loxley Rd. *B'ley* —4F **5**
Loxley Vw. Rd. *S10* —6H **85**
Loy Clo. *Roth* —4A **68**
Lucas Rd. *Ches* —5G **131**
Lucas St. *S4* —4G **87**
Lucknow Ct. *S12* —1C **110**
Ludgate Clo. *New R* —6E **63**
Ludham Clo. *Ches* —4H **131**
Ludham Gdns. *Ches* —4H **131**
Ludwell Hill. *Barn* —1H **23**
Lugano Gro. *D'fld* —3C **26**
Luke La. *S6* —2F **85**
Lulworth Clo. *B'ley* —1B **24**
Lumb La. *S6 & Whar S* —1A **72**
Lumley Clo. *Maltby* —4H **83**
Lumley Cres. *Maltby* —5H **83**
Lumley Dri. *Dinn* —3C **106**
Lumley Dri. *Maltby* —5H **83**
Lumley St. *S4* —1H **99**
Lumley St. *S4* —1H **99**
Lump La. *Gren* —6A **64**
Lumsdale Rd. *Stav* —3A **134**
Luna Cft. *S12* —5B **112**
Lunbreck Rd. *Warm* —6E **45**
Lund Av. *B'ley* —4F **15**
Lund Clo. *B'ley* —4F **15**
Lund Cres. *B'ley* —4F **15**
Lundhill Clo. *Womb* —2G **39**
Lundhill Farm M. *H'fld* —3F **39**
Lundhill Gro. *Womb* —2G **39**
Lund Hill La. *Roy* —1H **9**
Lundhill Rd. *Womb* —3G **39**
Lund Rd. *Worr* —4D **72**
Lundwood. —6E 15
Lundwood Clo. *Owl* —5C **114**
Lundwood Dri. *Owl* —5C **114**
Lundwood Gro. *Owl* —5C **114**
Lundwood Ho. *Donc* —1C **46**
  (off Bond Clo.)
Lundy Rd. *Dron* —3F **129**
Lunn Rd. *Cud* —1H **15**
Lupin Way. *Cal* —2G **139**
Lupton Cres. *S8* —3D **122**
Lupton Dri. *S8* —3D **122**
Lupton Rd. *S8* —3D **122**
Lupton Wlk. *S8* —3E **123**
Luterel Dri. *Swal* —5B **104**
Lutterworth Dri. *Adw S* —1C **18**
Lych Ga. *Donc* —4E **49**
Lydden Clo. *Brim* —3E **133**
Lydford Av. *Old W* —2B **132**
Lydgate. —2G 97
Lydgate Ct. *S10* —2H **97**
Lydgate Hall Cres. *S10* —2G **97**
Lydgate La. *S10* —2G **97**
Lymegate. *Bram* —5H **39**
Lyme St. *Roth* —3C **78**
Lyminster Rd. *S6* —4A **74**
Lyminton La. *Tree* —1E **103**
Lymister Av. *Roth* —1F **91**
Lyncroft Clo. *B'wth* —3D **90**
Lyndale Av. *E'thpe* —6C **20**
Lynden Av. *Adw S* —2C **16**
Lyndhurst Clo. *S11* —6A **98**

Lyndhurst Cres. *E'thpe* —4C **20**
Lyndhurst Rd. *S11* —6A **98**
Lynham Av. *Birdw* —5D **36**
Lynmouth Rd. *S7* —2C **110**
Lynn Pl. *S9* —3D **88**
Lynton Av. *Roth* —6G **79**
Lynton Dri. *E'thpe* —5C **20**
Lynton Pl. *Dart* —5B **6**
Lynton Rd. *S11* —5B **98**
Lynwood Clo. *Dron W* —2B **128**
Lynwood Dri. *B'ley* —4E **9**
Lynwood Dri. *Mexb* —6E **43**
Lyons Clo. *S4* —4G **87**
Lyons Rd. *S4* —4G **87**
Lyons St. *S4* —4G **87**
Lytham Av. *B'ley* —1D **14**
Lytham Av. *Dinn* —6F **107**
Lytham Clo. *Donc* —5F **49**
Lyttleton Cres. *P'stne* —6C **142**
Lytton Av. *S5* —4C **74**
Lytton Clo. *Donc* —5B **46**
Lytton Cres. *S5* —4C **74**
Lytton Dri. *S5* —4C **74**
Lytton Rd. *S5* —4C **74**

M1 Commerce Pk. *Duck* —6F **135**
Mabel St. *Roth* —4F **79**
Macaulay Cres. *Arm* —3G **35**
McConnel Cres. *New R* —4B **62**
Machin Ct. *Dron* —1E **129**
Machin Dri. *Rawm* —5C **54**
Machin La. *S'bri* —2A **140**
Machon Bank. *S7* —1C **110**
Machon Bank Rd. *S7* —6B **98**
McIntyre Rd. *S'bri* —3D **140**
Mackenzie Cres. *S10* —3C **98** (6A **4**)
Mackenzie Cres. *Burn* —3B **64**
Mackenzie St. *S11* —5C **98**
McKenzie Way. *Kiv P* —5H **117**
Mackey Cres. *Brie* —2E **11**
Mackey La. *Brie* —2E **11**
Mackinnon Av. *Kiv P* —5H **117**
McLaren Cres. *Maltby* —5G **83**
McLintock Way. *B'ley* —6F **13**
McLoughlin Way. *Kiv P* —5H **117**
McMahon Av. *Ink* —5H **133**
McManus Av. *Rawm* —5F **55**
Macnaughten Rd. *Tank* —6D **36**
Macro Rd. *Womb* —1G **39**
Madam La. *Barn D* —1G **21**
Madehurst Gdns. *S2* —6F **99**
Madehurst Ri. *S2* —6F **99**
Madehurst Rd. *S2* —6F **99**
Madehurst Vw. *S2* —6F **99**
Madin Dri. *Ink* —5H **133**
Madingley Clo. *Donc* —6A **46**
Madin St. *Ches* —1A **138**
Mafeking Pl. *C'town* —1E **65**
Magellan Rd. *Maltby* —3E **83**
Magna Clo. *Flan* —3F **81**
Magna Cres. *Flan* —3E **81**
Magna La. *Dalt* —6B **70**
Magna Science Adventure Pk. —5A **78**
Magnolia Clo. *Ans* —4F **119**
Magnolia Clo. *Kirk S* —4D **20**
Magnolia Clo. *Shaf* —3D **10**
Magnolia Ct. *S10* —5E **97**
Magpie Gro. *S2* —3A **100**
Mahon Av. *Rawm* —1F **69**
Maidstone Rd. *S6* —5B **74**
Maidwell Way. *Kirk S* —3C **20**
Main Av. *S17* —5E **121**
Main Av. *Edl'tn* —2B **60**
Main Rd. *S9* —6E **89**
Main Rd. *S12* —6G **113**
Main Rd. *App* —4H **129**
Main Rd. *Barl* —1A **130**
Main Rd. *Cut* —4A **130**
Main Rd. *Mar L* —6A **124**
Main Rd. *Whar S* —1C **72**
Main St. *S12* —3B **114**
Main St. *Ans* —2F **119**
Main St. *Aug* —4A **104**
Main St. *Braml* —4H **81**
Main St. *Cant* —2F **49**
Main St. *Cat* —6D **90**
Main St. *Gold* —4G **29**
Main St. *Greasb* —3C **68**
Main St. *Gren* —6A **54**
Main St. *Mexb* —6D **42**

Main St. *Rav* —4H **71**
Main St. *Rawm* —1G **69**
Main St. *Roth* —3C **78**
Main St. *Spro* —3D **44**
Main St. *Swal* —6A **104**
Main St. *Ulley* —1C **104**
Main St. *Wadw* —6H **61**
Main St. *W'wth* —4C **52**
Main St. Shop. Cen. *Braml* —4H **81**
Mair Ct. *Roth* —2G **91**
Majuba St. *S6* —5B **86**
Makin St. *Mexb* —1G **57**
Malcolm Clo. *B'ley* —1D **24**
Malham Clo. *Ches* —6F **131**
Malham Clo. *Shaf* —2C **10**
Malham Ct. *B'ley* —5F **13**
Malham Gdns. *Half* —2D **124**
Malham Gro. *Half* —2E **125**
Malham Pl. *C'town* —1D **65**
Malham Tarn Ct. *Donc* —3H **47**
Malia Rd. *Ches* —5C **132**
Malinbridge. —4H 85
Malincroft. *M'well* —5F **7**
Malinda St. *S3* —6D **86** (1B **4**)
Malin Rd. *S6* —4G **85**
Malin Rd. *Roth* —1B **80**
Malkin St. *Ches* —2B **138**
Mallard Av. *Barn D* —1D **20**
Mallard Clo. *Donc* —5H **45**
Mallard Clo. *Thpe H* —1C **66**
Mallard Ct. *Stav* —1D **134**
Mallard Dri. *Kil* —2H **125**
Mallinder Clo. *Kil* —3B **126**
Mallin Dri. *Edl'tn* —5B **60**
Mallory Av. *Rawm* —1E **69**
Mallory Dri. *Mexb* —5H **43**
Mallory Rd. *Roth* —1A **80**
Mallory Way. *Cud* —6C **10**
Malson Way. *Ches* —5H **131**
Maltas Ct. *Wors* —4C **24**
Maltby. —4G 83
Maltby Ho. Donc —1C **46**
(off Burden Clo.)
Maltby St. *S9* —4C **88**
Malthouse Cotts. *Kiv S* —6D **118**
Malthouse Ct. *Ches* —1A **138**
Malthouse Rd. *B'ley* —6H **13**
Malting La. *S4* —1H **5**
Maltings, The. P'stne —5C **142**
(off Mortimer Rd.)
Maltings, The. *Roth* —4D **78**
Maltkiln Cotts. *Kirk S* —2D **20**
Maltkiln St. *Roth* —4D **78**
Malton Dri. *Ast* —6C **104**
Malton Pl. *B'ley* —6A **8**
Malton Rd. *Intake* —4H **33**
Malton Rd. *Scaw* —2F **31**
Malton St. *S4* —4G **87**
Malton Wlk. *Ches* —6H **137**
Maltravers Clo. *S2* —3A **100**
Maltravers Cres. *S2* —2H **99**
Maltravers Pl. *S2* —2A **100**
Maltravers Rd. *S2* —1H **99**
Maltravers Ter. *S2* —3A **100**
(in two parts)
Maltravers Way. *S2* —3B **100**
Malvern Av. *Donc* —4G **31**
Malvern Clo. *B'ley* —5D **12**
Malvern Rd. *S9* —6D **88**
Malvern Rd. *Ches* —1G **131**
Malvern Rd. *Donc* —5A **34**
Malwood Way. *Maltby* —3H **83**
Manchester Rd. *S6 & S10* —2A **96**
Manchester Rd. *Mill G & Thurls* —4A **142**
Manchester Rd. *S'bri & Deep* —1A **140**
Mandale Rd. *Barn D* —1H **21**
Mandeville St. *S9* —6E **89**
Mangham Rd. *Roth & P'gte* —6D **68**
Mangham Way. *Roth* —6D **68**
Manifold Av. *Stav* —3B **134**
Manknell Rd. *Ches* —3A **132**
Mannering Rd. *Donc* —5G **45**
Manners St. *S3* —5D **86**
Manor. —4D 100
Manor App. *Roth* —2G **77**
Manor Av. *Brim* —4F **133**
Manor Av. *Gold* —4G **29**
Manor Bungalows. *Dron* —2D **128**
Manor Clo. *Barn D* —2G **21**
Manor Clo. *Bram B* —4B **40**

Manor Clo. *Maltby* —4F **83**
Manor Clo. *Rawm* —5C **54**
Manor Clo. *Tod* —2B **118**
Manor Ct. *Den M* —2B **58**
Manor Ct. *H'ton* —1G **43**
Manor Ct. *Roth* —1B **80**
Manor Ct. *Roy* —2C **8**
Manor Cres. *Ches* —3B **90**
Manor Cres. *Ches* —2F **137**
Manor Cres. *Dron* —2D **128**
Manor Cres. *Grim* —5G **11**
Manor Dri. *Brim* —4F **133**
Manor Dri. *Ches* —2E **137**
(in two parts)
Manor Dri. *Donc* —1F **47**
Manor Dri. *Roy* —2D **8**
Manor Dri. *Tod* —2B **118**
Manor Dri. *Whis* —2A **92**
Manor End. *Wors* —4H **23**
Manor Est. *Toll B* —3H **17**
Manor Farm Clo. *Adw S* —1D **16**
Manor Farm Clo. *Aug* —3B **104**
Manor Farm Clo. *B'ley* —5F **9**
Mnr. Farm Ct. B'ley —1H 25
(off Doncaster Rd.)
Mnr. Farm Ct. *Beig* —4G **115**
Mnr. Farm Ct. *Cud* —1H **15**
Mnr. Farm Ct. *Thry* —3D **70**
Mnr. Farm Dri. *Swint* —3A **56**
Mnr. Farm Est. *Rawm* —5C **54**
Mnr. Farm Gdns. *Ans* —3F **119**
Mnr. Farm M. Beig —4G 115
(off Broomwood Clo.)
Manor Fields. *Roth* —1G **77**
Manor Gdns. *B'ley* —1H **25**
Manor Gdns. *Shaf* —3C **10**
Manor Gdns. *Spro* —2D **44**
Manor Gro. *Grim* —5F **11**
Manor Gro. *Roy* —2C **8**
Manor Ho. *S6* —5C **84**
Manor Ho. Clo. *Hoy* —5A **38**
Manor Ho. Ct. *Scawt* —6H **17**
Manor Ho. Rd. *Roth* —1G **77**
Mnr. Laith Rd. *S2* —3H **99**
Manor La. *S2* —2B **100**
Manor La. *Adw D* —3D **42**
Manor La. *Dinn* —2G **107**
Manor La. *Oxs* —6H **143**
Mnr. Oaks Clo. *S2* —2A **100**
Mnr. Oaks Ct. *S2* —2H **99**
Mnr. Oaks Dri. *S2* —2G **99**
Mnr. Oaks Gdns. *S2* —2G **99**
Mnr. Oaks Pl. *S2* —3A **100**
Mnr. Oaks Rd. *S2* —2G **99**
Mnr. Occupation Rd. *Roy* —1D **8**
Manor Park. —3C 100
Mnr. Park Av. *S2* —4B **100**
Mnr. Park Cen. *S2* —3B **100**
Mnr. Park Clo. *S2* —4B **100**
Mnr. Park Ct. *S2* —4B **100**
Mnr. Park Cres. *S2* —4B **100**
Mnr. Park Dri. *S2* —4B **100**
Mnr. Park Ind. Est. *S2* —1C **100**
Mnr. Park Pl. *S2* —3B **100**
Mnr. Park Ri. *S2* —3B **100**
Mnr. Park Rd. *S2* —3B **100**
Manor Pl. *Hoy* —5B **38**
Manor Pl. *Rawm* —2G **69**
Manor Ri. *Wadw* —6H **61**
Manor Rd. *Barn D* —1G **21**
Manor Rd. *H'ton* —2G **43**
Manor Rd. *Bram B* —4A **40**
Manor Rd. *Brim* —4F **133**
Manor Rd. *B'wth* —3B **90**
Manor Rd. *Ches* —2E **137**
(in two parts)
Manor Rd. *Cud* —1G **15**
Manor Rd. *Dinn* —2F **107**
Manor Rd. *H'ton* —2G **43**
Manor Rd. *H'hill* —6B **118**
Manor Rd. *Kil* —4C **126**
Manor Rd. *K'wth* —3G **77**
Manor Rd. *Maltby* —4G **83**
Manor Rd. *Swint* —3B **56**
Manor Rd. *Thurn* —1E **29**
Manor Rd. *Toll B* —3A **18**
Manor Rd. *Wal* —4F **117**
Manor Sq. *Thurn* —1E **29**
Manor St. *B'ley* —5F **9**
Manor Vw. *Half* —2E **125**
Manor Vw. *Shaf* —3C **10**

Manor Wlk. *Wadw* —6H **61**
Manor Way. *S2* —1A **100**
Manor Way. *Hoy* —5A **38**
Manor Way. *Tod* —2B **118**
Manse Clo. *Donc* —3E **49**
Mansel Av. *S5* —3C **74**
Mansel Ct. *S5* —3C **74**
Mansel Cres. *S5* —3C **74**
Mansel Rd. *S5* —3C **74**
Mansfeldt Cres. *Ches* —5G **131**
Mansfeldt Rd. *Ches* —5G **131**
Mansfield Cres. *Arm* —2C **34**
Mansfield Dri. *S12* —1D **112**
Mansfield Rd. *S12* —1C **112**
Mansfield Rd. *B'ley* —5B **8**
Mansfield Rd. *Donc* —2B **46**
Mansfield Rd. *Has & Temp N* —6D **138**
Mansfield Rd. *Kil* —2D **126**
Mansfield Rd. *Roth* —3E **79**
Mansfield Rd. *Swal & Wal B* —6A **104**
(in two parts)
Manton Ho. Donc —1C **46**
(off St James St.)
Manton St. *S2* —4F **99** (6F **5**)
Manvers Clo. *Ans* —6E **107**
Manvers Clo. *Swal* —6B **104**
Manvers Ct. *Ches* —1A **138**
Manvers Rd. *S6* —4A **86**
Manvers Rd. *Beig* —3F **115**
Manvers Rd. *Cal* —1G **139**
Manvers Rd. *Mexb* —6C **42**
Manvers Rd. *Swal* —6A **104**
Manvers Way. *Manv* —2C **40**
Maori Av. *Bol D* —1G **41**
Maple Av. *Donc* —3D **48**
Maple Av. *Maltby* —4D **82**
Maplebeck Dri. *S9* —1H **89**
Maplebeck Rd. *S9* —1H **89**
Maple Clo. *B'ley* —2B **24**
Maple Ct. *Rawm* —2G **69**
Maple Ct. *Tank* —2B **50**
Maple Cft. Cres. *S9* —6B **76**
Maple Cft. Rd. *S9* —6B **76**
Maple Dri. *Flan* —3F **81**
Maple Dri. *Kil* —4A **126**
Maple Gro. *S9* —2G **101**
Maple Gro. *Arm* —2F **35**
Maple Gro. *Ast* —5D **104**
Maple Gro. *Con* —5B **58**
Maple Gro. *S'bri* —4D **140**
Maple Leaf Ct. *Mexb* —6D **42**
Maple Pl. *C'town* —3E **65**
Maple Rd. *Kiv P* —4G **117**
Maple Rd. *M'well* —4E **7**
Maple Rd. *Mexb* —6D **42**
Maple Rd. *Tank* —2B **50**
Maple Ter. *Holl* —3H **133**
Mapperley Rd. *Dron W* —2A **128**
Mappin Ct. *S1* —2D **98** (4B **4**)
(off Mappin St.)
Mappin's Rd. *Cat* —6C **90**
Mappin St. *S1* —2D **98** (3B **4**)
Mapplebeck Rd. *High G* —6C **50**
Mapplewell. —4G 7
Mapplewell Dri. *M'well* —5G **7**
Maran Av. *D'fld* —4G **27**
Marbeck Clo. *Dinn* —4D **106**
Marcham Dri. *Beig* —3G **115**
March Bank. *Thry* —4E **71**
March Flatts Rd. *Thry* —5E **71**
March Ga. *Con* —4E **59**
March St. *S9* —4D **88**
March St. *Con* —3E **59**
March Va. Ri. *Con* —4E **59**
Marchwood Av. *S6* —5E **85**
Marchwood Clo. *Ches* —1H **137**
Marchwood Dri. *S6* —4E **85**
Marchwood Rd. *S6* —5E **85**
Marcliff Clo. *Wick* —5D **80**
Marcliff Cres. *Wick* —5D **80**
Marcliff La. *Wick* —5D **80**
Mardale Clo. *Ches* —2G **131**
Mardale Wlk. *Donc* —3A **34**
Marden Rd. *S7* —1C **110**
Margaret Clo. *Ast* —1B **116**
Margaret Clo. *D'fld* —4D **26**
Margaret Rd. *D'fld* —4D **26**
Margaret Rd. *Womb* —1G **39**
Margaret St. *S1* —4E **99**
Margaret St. *Maltby* —6H **83**
Margate Dri. *S4* —3H **87**

Margate St.—Mdw. Bank Av.

Margate St. *S4* —3A **88**
Margate St. *Grim* —6G **11**
Margerison St. *S8* —6E **99**
Margetson Cres. *S5* —3D **74**
Margetson Dri. *S5* —3D **74**
Margetson Rd. *S5* —3D **74**
Marian Rd. *E'thpe* —4C **20**
Marigold Clo. *S5* —6A **76**
Marina Ri. *D'fld* —4C **26**
Marion Rd. *S6* —1H **85**
Markbrook Dri. *High G* —5A **50**
Market Clo. *B'ley* —6A **14**
Market Hall. *Ches* —2A **138**
Market Hill. *B'ley* —6G **13**
Market Pde. *B'ley* —6H **13**
Market Pl. *S1* —1F **99** (2F 5)
Market Pl. *C'town* —2F **65**
Market Pl. *Ches* —2A **138**
Market Pl. *Cud* —6B **10**
Market Pl. *Dinn* —4F **107**
Market Pl. *Donc* —6D **32**
Market Pl. *Else* —6C **38**
Market Pl. *Gold* —4G **29**
*Market Pl. Maltby —4G **83***
  (off Blyth Rd.)
Market Pl. *P'stne* —4D **142**
Market Pl. *Roth* —3D **78**
Market Pl. *Stav* —1C **134**
Market Pl. *Womb* —1G **39**
Market Rd. *Donc* —5D **32**
Market Sq. *S13* —1C **114**
Market Sq. *Gold* —4G **29**
*Market Sq. Roth —3D **78***
  (off Market Pl.)
Market Sq. *Roth* —2E **79**
  (Henry St.)
Market St. *S9* —1E **89**
Market St. *S13* —1C **114**
Market St. *B'ley* —6G **13**
Market St. *C'town* —2F **65**
Market St. *Cud* —6B **10**
Market St. *Eck* —6D **124**
Market St. *Gold* —1E **29**
  (Church St.)
Market St. *Gold* —4G **29**
  (Doncaster Rd.)
Market St. *High* —5D **16**
Market St. *Hoy* —4A **38**
Market St. *Mexb* —1E **57**
  (Bank St., in two parts)
Market St. *Mexb* —2C **56**
  (William St.)
Market St. *P'stne* —4D **142**
Market St. *Roth* —3D **78**
Market St. *Stav* —1C **134**
Markfield Dri. *Flan* —3F **81**
Mark Gro. *Flan* —4F **81**
Markham Av. *Arm* —2E **35**
Markham Av. *Con* —3C **58**
*Markham Cotts. Con —3C **58***
  (off Leslie Av.)
Markham Ct. *Con* —3C **58**
Markham Ct. *Duck* —6E **135**
  (Duckmanton Rd.)
Markham Ct. *Duck* —6F **135**
  (Markham Rd.)
Markham Cres. *Stav* —1D **134**
*Markham Ho. Donc —1C **46***
  (off Burden Clo.)
Markham La. *Duck* —6F **135**
Markham Rd. *Ches* —3H **137**
Markham Rd. *Duck* —6E **135**
Markham Rd. *Edl'tn* —3B **60**
Markham Sq. *Edl'tn* —3C **60**
Markham Ter. *S8* —1D **110**
Markham Ter. *Edl'tn* —3B **60**
*Markham Vs. Duck —6E **135***
  (off Markham Rd.)
Mark La. *S10* —1A **108**
Mark St. *B'ley* —6G **13**
Marlborough Av. *Donc* —5H **31**
Marlborough Clo. *Ans* —6D **106**
Marlborough Ri. *Ast* —1C **116**
Marlborough Rd. *S10* —2A **98**
Marlborough Rd. *Donc* —5F **33**
Marlborough Ter. *B'ley* —1G **13**
Marlcliffe Rd. *S6* —6G **73**
Marley Rd. *S2* —4A **100**
Marlfield Cft. *E'fld* —1H **75**
Marlow Clo. *Donc* —4A **34**

Marlowe Clo. *Braml* —5H **81**
Marlowe Dri. *Roth* —4H **79**
Marlowe Rd. *Barn D* —1H **21**
Marlowe Rd. *Roth* —4H **79**
Marlow Rd. *Donc* —4A **34**
Marmion Rd. *S11* —6H **97**
  (Ecclesall Rd.)
Marmion Rd. *S11* —5H **97**
  (Rustlings Rd.)
Marples Clo. *S8* —6D **98**
Marples Dri. *S8* —6D **98**
Marquis Gdns. *Barn D* —2H **21**
Marr Grange La. *Marr* —2A **30**
Marrick Ct. *C'town* —2D **64**
Marrion Rd. *Rawm* —1G **69**
Marriott La. *S7* —4B **110**
Marriott Pl. *Rawm* —6D **54**
Marriott Rd. *S7* —4B **110**
Marriott Rd. *Swint* —1C **56**
Marrison Dri. *Kil* —3A **126**
Marr Ter. *S10* —4F **97**
Marsala Wlk. *D'fld* —3D **26**
Marsden Ind. Est. *S13* —3H **101**
Marsden La. *S3* —1D **98** (2B 4)
Marsden Pl. *Ches* —3F **137**
  (Chatsworth Rd.)
Marsden Pl. *Ches* —1A **138**
  (Spencer St.)
Marsden Rd. *S'bri* —3E **141**
Marsden St. *Ches* —2A **138**
Marshall Av. *Donc* —4A **46**
Marshall Clo. *P'gte* —4F **69**
Marshall Gro. *Stav* —1E **135**
Marshall Hall. *S10* —4B **98**
Marshall Rd. *S8* —5C **110**
Marsh Av. *Dron* —6F **123**
Marsh Clo. *Mosb* —3C **124**
Marshfield. *Birdw* —2D **36**
Marshfield Gro. *Stav* —1E **135**
Marsh Ga. *Donc* —5B **32**
Marsh Hill. *M'brng* —1C **82**
Marsh Ho. Rd. *S11* —2F **109**
Marsh La. *S7* —1F **97**
Marsh La. *Ark* —2D **18**
  (in two parts)
Marsh La. *Barn D* —1A **20**
Marsh Rd. *Donc* —4C **32**
Marsh St. *Deep* —3F **141**
Marsh St. *Roth* —4C **78**
Marsh St. *Womb* —6C **26**
Marsh Vw. *Eck* —6G **125**
*Marsh Wlk. S2 —1H **99***
  (off St John's Rd.)
Marson Av. *W'land* —2B **16**
Marston Clo. *Dron W* —3B **128**
Marston Cres. *B'ley* —1H **13**
Marstone Cres. *S17* —4E **121**
Marston Rd. *S11* —1H **97**
Martin Clo. *S6* —6C **86**
Martin Clo. *Aug* —3A **104**
Martin Clo. *Birdw* —3D **36**
Martin Ct. *Eck* —6C **124**
Martin Cres. *S5* —3F **75**
*Martindale Ter. C'town —2E **65***
  (off Greenhead Gdns.)
Martin La. *Bla H* —2H **37**
Martin Ri. *Eck* —6C **124**
Martin Ri. *Thpe H* —1C **66**
Martin's Rd. *B'ley* —4F **15**
Martin St. *S6* —1C **98** (1A 4)
  (in three parts)
Martin Well's Rd. *Edl'tn* —4C **60**
Marton Rd. *Toll B* —2H **17**
Marvell Rd. *Donc* —3F **31**
Mary Ann Clo. *B'ley* —5D **14**
Mary La. *D'fld* —4F **27**
Mary's Pl. *B'ley* —5E **13**
Mary St. *S1* —4E **99** (6E 5)
Mary St. *Bar G* —3A **12**
Mary St. *Eck* —6D **124**
Mary St. *L Hou* —2A **28**
Mary St. *Roth* —2C **78**
*Marys Wlk. S2 —1H **99***
  (off St John's Rd.)
Mary Tozer Ho. *S10* —2H **97**
Masbrough. —3B 78
Masbrough Roundabout. *Roth*
  —3C **78**
Masbrough St. *Roth* —3B **78**
  (in two parts)
Masefield Clo. *Dinn* —5G **107**

*Masefield Flats. Wath D —4C **40***
  (off Masefield Rd.)
Masefield Rd. *S13* —6E **101**
Masefield Rd. *Donc* —2A **34**
Masefield Rd. *Wath D* —4C **40**
Masham Rd. *Donc* —4C **48**
Mason Av. *Swal* —4B **104**
Mason Cres. *S13* —6F **101**
Mason Dri. *Swal* —4B **104**
Mason Gro. *S13* —6F **101**
Mason Lathe Rd. *S5* —4A **76**
Mason St. *Gold* —4G **29**
Masons Way. *B'ley* —3C **24**
Mason Way. *Hoy* —4H **37**
Massey Rd. *Woodh* —2D **114**
Masson Clo. *Ches* —6F **131**
Mastall La. *Ark* —5E **19**
Masters Cres. *S5* —4F **75**
Masters Rd. *S5* —4F **75**
Mather Av. *S9* —2D **100**
Mather Ct. *S9* —2D **100**
Mather Cres. *S9* —2D **100**
Mather Dri. *S9* —2D **100**
Mather Rd. *S9* —2D **100**
Mather Wlk. *S9* —2D **100**
Matilda La. *S1* —3F **99** (6F 5)
Matilda St. *S1* —3E **99** (5D 4)
  (in three parts)
Matilda Way. *S1* —3E **99** (5D 4)
Matlock Dri. *Ink* —6A **134**
Matlock Rd. *S6* —6A **86**
Matlock Rd. *B'ley* —1B **14**
Matlock Rd. *Walt & Ches* —6D **136**
Mattersey Clo. *Donc* —6C **48**
Matthews Av. *Wath D* —5D **40**
Matthews Clo. *Wath D* —6E **41**
Matthews Dri. *Wick* —6F **81**
Matthews Fold. *S8* —6G **111**
Matthews La. *S8* —6G **111**
Matthew St. *S3* —6D **86** (1C 4)
Mauds Ter. *B'ley* —2C **14**
Maugerhay. *S8* —6G **111**
Mauncer Cres. *S13* —6B **102**
Mauncer Dri. *S13* —6B **102**
Mauncer La. *S13* —1B **114**
Maun Way. *S5* —6G **75**
Maurice St. *P'gte* —4F **69**
Mawfa Av. *S14* —5H **111**
  (in two parts)
Mawfa Cres. *S14* —5H **111**
Mawfa Dri. *S14* —5H **111**
Mawfa La. *S14* —4H **111**
  (in two parts)
Mawfa Rd. *S14* —6H **111**
Mawfa Wlk. *S14* —5H **111**
Mawfield Rd. *B'ley* —3B **12**
Maxey Pl. *S8* —1E **111**
Maxfield Av. *S10* —2A **98**
Maxwell St. *S4* —5G **87**
Maxwell Way. *S4* —5G **87**
May Av. *Donc* —5A **46**
May Av. *Old W* —1C **132**
Maycock Av. *Roth* —5F **67**
May Day Grn. *B'ley* —6H **13**
*May Day Grn. Arc. B'ley —6H **13***
  (off May Day Grn.)
Mayfield. *B'ley* —3B **14**
Mayfield. *Oxs* —6H **143**
Mayfield Ct. *S10* —5C **96**
Mayfield Ct. *Oxs* —6H **143**
Mayfield Cres. *New R* —5D **62**
Mayfield Cres. *Wors* —3G **23**
Mayfield Heights. *S10* —6D **96**
Mayfield Rd. *S10* —6A **96**
Mayfield Rd. *Ches* —3E **137**
Mayfield Rd. *Donc* —4A **32**
Mayfields. *Scawt* —6F **17**
Mayflower Cres. *Warm* —6E **45**
Mayflower Rd. *Warm* —6E **45**
Maynard Rd. *Ches* —4H **137**
Maynard Rd. *Roth* —6A **80**
May Rd. *S6* —3H **85**
May Ter. *B'ley* —6E **13**
Maythorne Clo. *M'well* —5G **7**
Maytree Clo. *D'fld* —5E **27**
May Tree Clo. *Wat* —6E **115**
May Tree Cft. *Wat* —6E **115**
May Tree La. *Wat* —6E **115**
Meaburn Clo. *Donc* —3D **48**
Meadow Av. *Rawm* —6D **54**
Mdw. Bank Av. *S7* —6B **98**

Meadowbank Clo. *Roth* —3A **78**
Mdw. Bank Ind. Est. *Roth* —4H **77**
Mdw. Bank Rd. *S11* —6B **98**
Mdw. Bank Rd. *Roth* —5E **77**
Mdw. Bank Works. *Roth* —4F **77**
Meadowbrook Ind. Est. *Half* —1G **125**
Meadowbrook Pk. *Half* —2G **125**
Meadow Clo. *Coal A* —5G **123**
Meadow Clo. *Dalt* —6C **70**
Meadow Clo. *Kiv P* —4B **118**
Meadow Clo. *New W* —1D **132**
Meadowcourt. *S9* —1D **88**
Meadow Ct. *Adw S* —1E **17**
Meadow Ct. *New R* —5C **62**
Meadow Ct. *Roy* —2F **9**
Meadow Cres. *Grim* —6F **11**
Meadow Cres. *Mosb* —2B **124**
Meadow Cres. *Roy* —1F **9**
Meadow Cft. *E'thpe* —5E **21**
Meadow Cft. *Shaf* —2C **10**
Meadow Cft. *Spro* —3F **45**
Meadow Cft. *Swint* —5A **56**
Meadowcroft Clo. *Whis* —3H **91**
Meadowcroft Gdns. *W'fld* —1E **125**
Meadowcroft Glade. *W'fld* —1E **125**
Meadowcroft Ri. *W'fld* —1E **125**
Meadow Dri. *B'ley* —3D **14**
Meadow Dri. *C'town* —2C **64**
Meadow Dri. *D'fld* —4F **27**
Meadow Dri. *Swint* —3A **56**
Meadowfield Dri. *Hoy* —1A **52**
Meadowgate. *Bram* —5H **39**
Meadow Ga. *Womb* —2A **40**
Mdw. Gate Av. *Soth* —4H **115**
Mdw. Gate Clo. *Soth* —5H **115**
Meadowgate Lake Nature Reserve.
                              —1B **126**
Mdw. Gate La. *Soth* —6H **115**
Meadowgates. *Bol D* —6E **29**
Meadow Gro. *S17* —5E **121**
Mdw. Grove Rd. *S17* —5D **120**
Meadow Hall. —6E 77
Meadowhall Dri. *S9* —2D **88**
Meadowhall Retail Pk. *S9* —3E **89**
Mdw. Hall Rd. *S9* —1D **88**
Meadowhall Rd. *Roth* —4E **77**
Meadowhall Shop. Mall. *S9* —1E **89**
Meadowhall Way. *S9* —6E **77**
Meadow Head. —5D 110
Meadowhead. *S8* —6D **110**
Mdw. Head Av. *S8* —2C **122**
Mdw. Head Clo. *S8* —2C **122**
Mdw. Head Dri. *S8* —1D **122**
Meadowhill Rd. *Has* —5D **138**
Meadowland Ri. *Cud* —2H **15**
Meadow La. *Dart* —6C **6**
Meadow La. *Maltby* —5G **83**
Meadow La. *Old De* —2E **57**
Meadow La. *Rawm* —5D **54**
Meadowpark Cft. *Dinn* —5E **107**
Meadow Ri. *Ash* —1B **136**
Meadow Ri. *Barn D* —1E **21**
Meadow Ri. *Wadw* —6H **61**
Meadow Rd. *Roy* —2F **9**
Meadows Ct. *Ross* —5F **63**
Meadows Dri. *Stav* —2C **134**
Meadows Rd. *Manv* —4G **41**
Meadows, The. *Ash* —6B **130**
Meadows, The. *Tod* —2A **118**
Meadow St. *S3* —6D **86** (1B **4**)
Meadow St. *B'ley* —5H **13**
Meadow St. *Dinn* —3C **106**
   (in two parts)
Meadow St. *Roth* —3A **78**
Meadow Ter. *S11* —5A **98**
Meadow, The. *Spro* —2E **45**
Meadow View. —5B 56
Meadow Vw. *Ches* —5C **136**
Meadow Vw. *H'swne* —1F **143**
Meadow Vw. *Wors* —4A **24**
Mdw. View Clo. *Hoy* —6H **37**
Mdw. View Rd. *S8* —1D **122**
Mdw. View Rd. *Kiln* —5B **56**
Meadow Wlk. *E'thpe* —4E **21**
Meadow Way. *Swint* —2D **56**
   (in two parts)
Meadstead Dri. *Roy* —2D **8**
Meads, The. *S8* —1F **123**
Mead, The. *Has* —5C **138**

Meadway Dri. *S17* —2C **120**
Meadway, The. *S17* —2D **120**
Meakin St. *Has* —5D **138**
Mears Clo. *P'stne* —4E **143**
Measborough Dike. —1B 24
Mede, The. *W'land* —2B **16**
Medina Way. *Bar G* —2A **12**
Medley Vw. *Con* —4F **59**
Medlock Clo. *S13* —4A **102**
Medlock Clo. *Walt* —6D **136**
Medlock Cres. *S13* —3A **102**
Medlock Cft. *S13* —3A **102**
Medlock Dri. *S13* —4A **102**
Medlock Rd. *S13* —4A **102**
Medlock Rd. *Ches* —5E **137**
Medlock Way. *S13* —3A **102**
Medway Clo. *Bar G* —2B **12**
Medway Pl. *Womb* —2H **39**
Meersbrook. —2F 111
Meersbrook Av. *S8* —2D **110**
Meersbrook Bank. —2E 111
Meersbrook Pk. Rd. *S8* —1E **111**
Meersbrook Rd. *S8* —2F **111**
Meetinghouse Cft. *S13* —1C **114**
Meetinghouse La. *S1* —1F **99** (2F **5**)
Meetinghouse La. *Woodh* —1C **114**
Mekyll Clo. *S'side* —3F **81**
Melbeck Ct. *C'town* —2C **64**
Melbourne Av. *S10* —3A **98**
Melbourne Av. *Ast* —5C **104**
Melbourne Av. *Bol D* —1H **43**
Melbourne Av. *Dron W* —2A **128**
Melbourne St. Stav —1C 134
   (off Devonshire St.)
Melbourne Rd. *Donc* —5G **45**
Melbourne Rd. *S'bri* —3C **140**
Melbourn Rd. *S10* —1A **98**
Melciss Rd. *Wick* —5E **81**
Meld Clo. *New R* —6D **62**
Melford Clo. *M'well* —4F **7**
Melford Dri. *Donc* —1G **61**
Melfort Glen. *S10* —2F **97**
Mell Av. *Hoy* —1A **52**
Melling Av. *Donc* —6H **31**
Melling Clo. *Ches* —5H **137**
Melling Ct. *Ches* —5H **137**
Mellington Clo. *S8* —5G **111**
Mellor La. *Barl* —2A **130**
Mellor Lea Farm Chase. *E'fld* —5F **65**
Mellor Lea Farm Clo. E'fld —5F 65
   (off Mellor Lea Farm Dri.)
Mellor Lea Farm Dri. *E'fld* —5F **65**
Mellor Lea Farm Gth. E'fld —5F 65
   (off Mellor Lea Farm Dri.)
Mellor Rd. *Womb* —1F **39**
Mellor Way. *Ches* —6A **138**
Mellow Fields Rd. *Lghtn* —1D **106**
Mellwood Gro. *H'fld* —3E **39**
Melrose Clo. *Ches* —2E **137**
Melrose Clo. *Donc* —4G **45**
Melrose Clo. *Thur* —5H **93**
Melrose Cotts. *Whis* —2A **92**
Melrose Gro. *Roth* —1G **91**
Melrose Rd. *S3* —4F **87**
Melrose Way. *B'ley* —5D **14**
Meltham La. *Ches* —5B **132**
Melton Av. *Bram* —3B **40**
Melton Av. *Gold* —4G **29**
Melton Ct. *Ast* —6E **105**
Melton Ct. *Den M* —1B **58**
Meltonfield Clo. *Arm* —4G **35**
Melton Grn. *Wath D* —5C **40**
Melton Gro. *Owl* —5A **114**
Melton High St. *Wath D* —5C **40**
Melton Rd. *Donc & Spro* —2A **44**
Melton St. *Bram* —3B **40**
Melton St. *Mexb* —1G **57**
Melton Ter. *Wors* —4C **24**
Melton Way. *Roy* —1E **9**
Melton Wood Gro. *Spro* —2D **44**
Melville Av. *Donc* —4A **46**
Melville Cres. *Brim* —1F **139**
Melville Rd. *S2* —5C **100**
Melville St. *Womb* —6B **26**
Melvinia Cres. *B'ley* —3F **13**
Melwood Ct. *Arm* —5G **35**
Memoir Gro. *New R* —6C **62**
Mendip Clo. *B'ley* —5D **12**
Mendip Clo. *Donc* —4G **31**
Mendip Cres. *Ches* —1D **136**

Mendip Ri. *B'wth* —4D **90**
Merbeck Dri. *High G* —4C **50**
Merbeck Gro. *High G* —5C **50**
Mercaston Clo. *Ches* —6C **130**
Mercel Av. *Arm* —1G **35**
Merchants Cres. *S4* —1G **99** (2G **5**)
Mercia Dri. *S17* —3E **121**
Meredith Cres. *Donc* —5B **46**
Meredith Rd. *S6* —3H **85**
Mere Av. *Arm* —1E **35**
Mere La. *E'thpe & Arm* —6E **21**
Merlin Clo. *Adw S* —1D **16**
Merlin Clo. *Birdw* —3D **36**
Merlin Way. *S5* —6G **75**
Merlin Way. *Thpe H* —1C **66**
Merrick Clo. *Ches* —6F **131**
Merrill Rd. *Thurn* —1E **29**
Merton La. *S9* —5D **76**
Merton Ri. *S9* —5D **76**
Merton Rd. *S9* —5D **76**
Metcalfe Av. *Kil* —3A **126**
Methley Clo. *S12* —1B **112**
Methley Ho. Donc —1C 46
   (off St James St.)
Methley St. *Cud* —1H **15**
Metrodome Leisure Complex, The. —5A 14
Metro Trad. Cen. *B'ley* —2A **12**
Mews Ct. *Owl* —5A **114**
Mexborough. —1E 57
Mexborough Bus. Cen. *Mexb* —6F **43**
Mexborough Pk. Homes. *Mexb* —1G **57**
Mexborough Rd. *Bol D* —2B **42**
Meynell Clo. *Ches* —3E **137**
Meynell Cres. *S5* —5B **74**
Meynell Rd. *S5* —5B **74**
Meynell Way. *Kil* —3A **126**
Meyrick Dri. *Dart* —6B **6**
Michael Cft. *Wath D* —5D **40**
Michael Rd. *B'ley* —5E **15**
Michael's Est. *Grim* —6G **11**
Mickelden Way. *B'ley* —6C **12**
Micklebring Gro. *Con* —5C **58**
Micklebring Way. *H'by* —2B **82**
Mickley. —6H 121
Mickley La. *S17 & Dron W* —5E **121**
Middle Av. *Rawm* —2F **69**
Middle Bank. *Donc* —3E **47**
Middleburn Clo. *B'ley* —2A **24**
Middlecliff Clo. *Wat* —6E **115**
Middlecliff Cotts. *L Hou* —2A **28**
Middlecliff Ct. *Wat* —6E **115**
Middlecliffe. —2A 28
Middlecliff La. *L Hou* —1G **27**
Middlecliff Ri. *Wat* —6E **115**
Middle Clo. *Dart* —4A **6**
Middlecroft. —3A 134
Middlecroft Rd. *Stav* —4A **134**
Middle Dri. *Roth* —2F **91**
Middlefield Clo. *S17* —2C **120**
Middlefield Cft. *S17* —2C **120**
Middlefield Rd. *Donc* —4B **48**
Middlefield Rd. *Roth* —1G **91**
Middlefields Dri. *Whis* —2A **92**
Middlegate. *Donc* —6G **17**
   (in two parts)
Middleham Rd. *Donc* —4C **48**
Middle Hay Clo. *S14* —2A **112**
Middle Hay Pl. *S14* —3A **112**
Middle Hay Ri. *S14* —3A **112**
Middle Hay Vw. *S14* —3A **112**
Middle La. *S6* —5G **85**
Middle La. *Gren* —6A **64**
Middle La. *Roth* —2F **79**
Middle La. S. *Roth* —3G **79**
Middle Ox Clo. *Half* —3F **125**
Middle Ox Gdns. *Half* —3F **125**
Middle Pavement. Ches —2A 138
   (off Low Pavement)
Middle Pl. *Roth* —2H **79**
Middlesex St. *B'ley* —2H **23**
Middle Shambles. Ches —2A 138
   (off Shambles, The.)
Middle Shambles. Ches —2A 138
   (off High St.)
Middleton Av. *Dinn* —5E **107**
Middleton Dri. *Ink* —6H **133**
Middleton La. *Gren* —1B **74**
Middleton Rd. *Roth* —3F **79**
Middlewood. —5F 73
Middlewood Dri. *Scho* —5E **67**
Middlewood Dri. E. *S6* —5F **73**

Middlewood Rd. *S6* —5G **73**
Middlewood Rd. N. *O'bri* —3E **73**
Middlewoods. *Dod* —2C **22**
Midfield Rd. *S10* —1G **97**
Midhill Rd. *S2* —6F **99**
Midhope Way. *B'ley* —6C **12**
Midhurst Gro. *Bar G* —2A **12**
Midhurst Rd. *S6* —3H **73**
Midland Ct. *Has* —6B **138**
Midland Ct. *Roth* —3B **78**
Midland Rd. *Roth* —3A **78**
Midland Rd. *Roy* —1E **9**
Midland Rd. *Swint* —2C **56**
Midland St. *S1* —4E **99**
Midland St. *B'ley* —6H **13**
Midland St. *P'gte* —5F **69**
Midland Ter. *Has* —6B **138**
(in two parts)
Midvale Av. *S6* —5C **86**
Midvale Clo. S6 —5C 86
(off Midvale Av.)
Milano Ri. *D'fld* —4D **26**
Milbanke St. *Donc* —5D **32**
Milburn Ct. *Soth* —6G **115**
Milburn Gro. *Soth* —6G **115**
Milden Pl. *B'ley* —2A **24**
Milden Rd. *S6* —1G **85**
Milefield Ct. *Grim* —6F **11**
Milefield La. *Grim* —6E **11**
Milefield Vw. *Grim* —6F **11**
Mile Oak Rd. *Roth* —6F **79**
Miles Clo. *S5* —2E **87**
Miles Rd. *S5* —2D **86**
Miles Rd. *High G* —6C **50**
Milethorn La. *Donc* —4D **32**
Milford Av. *Else* —5D **38**
Milford Rd. *Ink* —6A **134**
Milford St. *S9* —3D **88**
Milgate St. *Roy* —1F **9**
Milgrove Cres. *High G* —5B **50**
Milking La. *Bram* —4A **40**
Millais Ri. *Flan* —2F **81**
Millard La. *Maltby* —4G **83**
Millbank Clo. *High G* —1B **64**
Mill Clo. *Lghtn* —5F **95**
Mill Clo. *Roth* —5C **78**
Mill Clo. *Tod* —3B **118**
Mill Ct. *E'fld* —6F **65**
Mill Ct. *Wors* —4A **24**
Millcross La. *Barl* —1A **130**
Milldale Clo. *Ches* —6E **131**
Milldale Rd. *S17* —4F **121**
Milldyke Clo. *Whis* —2B **92**
Millennium Way. *Ches* —2G **131**
Miller Cft. *S13* —1A **114**
Miller Dale Dri. *B'wth* —4D **90**
Miller Rd. *S7* —6D **98**
Millers Cft. *Roy* —1E **9**
Millers Dale. *Wors* —5A **24**
Miller St. *Deep* —3H **141**
Millfield Clo. *Barn D* —1E **21**
Millfield Ind. Est. *Ben* —6C **18**
Millfield Rd. *Ben* —1C **32**
Mill Fields. *Tod* —3A **118**
Mill Ga. *Ben* —1B **32**
Mill Grn. *Stav* —1C **134**
Mill Haven. *Ans* —2F **119**
Mill Hill. *Whis* —2A **92**
Mill Hill. *Womb* —5H **25**
Millhill Clo. *Arm* —5G **35**
Mill Hill Clo. *Donc* —6H **31**
Mill Hills. *Tod* —2B **118**
Mill House Animal Sanctuary.
—1A **108**
Millhouse Ct. *Dalt* —6A **70**
Mill Ho. M. *Stav* —1C **134**
Millhouses. —3H 27
(Darfield)
Millhouses. —4B 110
(Heeley)
Millhouses Ct. *S11* —3H **109**
Millhouses Glen. *S11* —3H **109**
Millhouses La. *S11 & S7* —2G **109**
Millhouses St. *Hoy* —6A **38**
Millicent Sq. *Maltby* —5G **83**
Millindale. *Maltby* —5G **83**
Mill La. *S17* —4F **121**
Mill La. *Adw S* —1D **16**
Mill La. *Ans* —2F **119**
Mill La. *Bran* —3G **49**
Mill La. *Ches* —3F **137**

Mill La. *Dart* —4C **6**
Mill La. *Deep* —3H **141**
Mill La. *Dron* —2F **129**
Mill La. *H'ton* —2G **43**
Mill La. *Thurls* —4A **142**
Mill La. *Tree* —1D **102**
Mill La. *Warm* —3D **44**
Mill La. *Wath D* —6C **40**
Mill La. *W'wth* —3B **52**
Mill Mdw. Clo. *Soth* —6H **115**
Mill Mdw. Gdns. *Soth* —6H **115**
Millmoor Ct. *Womb* —5D **26**
Millmoor La. *Roth* —3B **78**
Millmoor Rd. *Donc* —3C **48**
Millmoor Rd. *Womb* —5C **26**
Millmount Rd. *S8* —2D **110**
Millmount Rd. *Hoy* —6B **38**
Millrace Dri. *Gold* —5E **29**
Mill Rd. *E'fld* —6F **65**
Mill Rd. *Eck* —5D **124**
Mill Rd. *Tree* —1D **102**
Mill Rd. Clo. *E'fld* —6F **65**
Millsands. *S3* —6E **87** (1F **5**)
Millside. *Shaf* —2C **10**
Millside Ct. *Ben* —1B **32**
Millside Wlk. *Shaf* —2C **10**
Millstone Clo. *Dron W* —1B **128**
Millstone Dri. *Swal* —5B **104**
Millstones. *Oxs* —6H **143**
Mill Stream Clo. *Ches* —4E **137**
Millstream Clo. *Spro* —2F **45**
Mill St. *Arm* —3F **35**
Mill St. *B'ley* —6B **14**
Mill St. *Ches* —2B **138**
Mill St. *Roth* —4D **78**
(S60)
Mill St. *Roth* —3B **68**
(S61)
Millthorpe Rd. *S5* —5H **75**
Mill Vw. *Bol D* —2H **41**
Mill Wlk. *S3* —1F **99** (1F **5**)
Millwood Rd. *Donc* —6H **45**
Millwood Vw. *S6* —4C **84**
Milner Av. *P'stne* —3B **142**
Milner Clo. *Braml* —3H **81**
Milner Ga. *Con* —2F **59**
(in two parts)
Milner Ga. Ct. *Con* —3G **59**
Milner Ga. La. *Con* —3F **59**
Milner Rd. *Donc* —4H **45**
Milnes St. *B'ley* —1A **24**
Milne St. *Bar G* —3A **12**
Milnrow Cres. *S5* —3D **74**
Milnrow Dri. *S5* —3D **74**
Milnrow Rd. *S5* —3D **74**
Milnrow Vw. *S5* —3D **74**
Milton. —1A 52
Milton Av. *Donc* —5H **31**
Milton Clo. *Jump* —4B **38**
Milton Clo. *Roth* —3B **68**
Milton Clo. *Wath D* —3B **40**
Milton Ct. *Donc* —1D **46**
Milton Ct. *Swint* —2A **56**
Milton Cres. *Ches* —5A **138**
Milton Cres. *Hoy* —6A **38**
Milton Gro. *Arm* —3F **35**
Milton Gro. *E'thpe* —5D **20**
Milton Gro. *Womb* —1G **39**
Milton La. *S3* —3D **98** (6C **4**)
Milton Pl. *Stav* —1D **134**
Milton Rd. *S7* —6C **98**
Milton Rd. *Burn* —2B **64**
Milton Rd. *Dinn* —5G **107**
Milton Rd. *Hoy* —6A **38**
Milton Rd. *Mexb* —6E **43**
Milton Rd. *Roth* —1F **79**
Milton St. *S3 & S1* —3D **98** (6B **4**)
Milton St. *Maltby* —5F **83**
Milton St. *Roth* —1C **78**
Milton St. *Swint* —2A **56**
Milton Wlk. *Donc* —1C **46**
Minden Clo. *Wick* —5F **81**
Minden Ct. *Ben* —1B **32**
Minimum Ter. *Ches* —3G **137**
Minna Rd. *S3* —4F **87**
Minneymoor Hill. *Con* —2F **59**
Minneymoor La. *Con* —3F **59**
Minster Clo. *Donc* —4E **49**
Minster Clo. *E'fld* —1G **75**
Minster Rd. *E'fld* —1F **75**
Minster Way. *B'ley* —4D **14**

Minto Rd. *S6* —2H **85**
Miriam Av. *Ches* —5C **136**
Mission Fld. *Bram* —3A **40**
Mitchell Clo. *Wors* —4D **24**
Mitchell Rd. *S8* —5D **110**
Mitchell Rd. *Womb* —4A **26**
Mitchells Enterprise Cen. *Womb* —4A **26**
Mitchell St. *S3* —1C **98** (2A **4**)
Mitchell St. *Swait* —4E **25**
Mitchells Way. *Womb* —5A **26**
Mitchelson Av. *Dod* —2A **22**
Moat Clo. *S'side* —2G **81**
Moat Cft. *Scawt* —6H **17**
Moat Hills Ct. *Ben* —6B **18**
Moat La. *Wick* —2G **93**
(in two parts)
Modena Ct. *D'fld* —3C **26**
Moffat Gdns. *Donc* —6B **20**
Moffatt Rd. *S2* —6F **99**
Molineaux Clo. *S5* —4H **75**
Molineaux Rd. *S5* —3G **75**
Molineux Av. *Stav* —2B **134**
Molloy Pl. *S8* —1E **111**
Molloy St. *S8* —1E **111**
Mona Av. *S10* —1A **98**
Mona Rd. *S10* —1A **98**
Mona Rd. *Donc* —3B **46**
Mona St. *B'ley* —5F **13**
Monckton Rd. *S5* —6B **76**
Moncrieffe Rd. *S7* —1C **110**
Monk Bretton. —3C 14
Monk Bretton Priory. —5E **15**
Monk's Bri. Rd. *Dinn* —3C **106**
Monk's Bri. Trad. Est. *Dinn* —3C **106**
Monks Clo. *Roth* —5E **67**
Monkspring. *Wors* —4C **24**
Monks Way. *B'ley* —4D **14**
Monk Ter. *B'ley* —2E **15**
Monkton Way. *Roy* —1E **9**
Monkwood Rd. *Ches* —3F **131**
Monkwood Rd. *Rawm* —6D **54**
Monmouth Rd. *Donc* —3G **33**
Monmouth St. *S3* —3C **98** (5A **4**)
Monsal Cres. *B'ley* —6C **8**
Monsal Cres. *Ink* —5H **133**
Monsal St. *Thurn* —1E **29**
Montague Av. *Con* —3C **58**
Montague St. *S6* —4B **86**
Montague St. *S11* —4C **98**
Montague St. *Cud* —5C **10**
Montague St. *Donc* —5D **32**
Montagu St. *Mexb* —1E **57**
Montagu St. *Donc* —1G **45**
Montagu Sq. *Mexb* —1E **57**
Montagu St. *Mexb* —1F **57**
Monteney Cres. *S5* —1E **75**
Monteney Gdns. *S5* —2E **75**
Monteney Rd. *S5* —2E **75**
Montfort Dri. *S3* —5F **87**
Montgomery Av. *S7* —6C **98**
Montgomery Ct. *S11* —2G **109**
Montgomery Dri. *S7* —6C **98**
Montgomery Gdns. *Donc* —3A **34**
Montgomery Rd. *S7* —1C **110**
Montgomery Rd. *Wath D* —5F **41**
Montgomery Sq. *Wath D* —5F **41**
Montgomery Ter. Rd. *S6* —6D **86**
Montrose Av. *Dart* —4D **6**
Montrose Av. *Donc* —4H **33**
Montrose Ct. *S11* —3F **109**
Montrose Pl. *Dron W* —1B **128**
Montrose Rd. *S7* —2A **110**
Mont Wlk. *Womb* —5G **25**
Monyash Clo. *Stav* —4A **134**
Moonpenny Way. *Dron* —2E **129**
Moonshine La. *S5* —6D **74**
Moonshine Way. *S5* —1D **86**
Moorbank Clo. *S10* —3D **96**
Moorbank Clo. *B'ley* —3E **13**
Moorbank Clo. *Womb* —5H **25**
Moorbank Ct. *S10* —2D **96**
Moorbank Dri. *S10* —2E **97**
Moorbank Rd. *S10* —2D **96**
Moorbank Rd. *Womb* —4H **25**
Moorbank Vw. *Womb* —4H **25**
Moorbridge Cres. *Bram* —2B **40**
Moor Cres. *Mosb* —2C **124**
Moorcroft Av. *S10* —6B **96**
Moorcroft Clo. *S10* —6B **96**
Moorcroft Dri. *S10* —6B **96**
Moorcroft Rd. *S10* —6B **96**

Moordale Vw.—Myrtle Rd.

Moordale Vw. *Rawm* —6A **56**
Moor End Rd. *S10* —1A **98**
Moore St. *S3* —4D **98** (6B **4**)
Moor Farm Av. *Mosb* —1B **124**
Moor Farm Ri. *Mosb* —1B **124**
Moorfield Av. *Rav* —2H **81**
Moorfield Clo. *Rav* —2H **81**
Moorfield Dri. *Arm* —4F **35**
Moorfield Gro. *Rav* —2H **81**
Moorfields. *S3* —1E **99** (1D **4**)
Moorfields Flats. S3 —6E **87** (1D **4**)
  (off Moorfields)
Moorfoot. *S1* —6D **4**
Moor Gap. *Bran* —3H **49**
Moorgate. —1G 91
Moorgate Av. *S10* —1B **98**
Moorgate Av. *Roth* —5E **79**
Moorgate Bus. Cen. Roth —*4E 79*
  (off Moorgate Rd.)
Moorgate Chase. *Roth* —4E **79**
Moorgate Ct. *Roth* —4E **79**
Moorgate Cres. *Dron* —3F **129**
Moorgate Gro. *Roth* —5F **79**
Moorgate La. *Roth* —5E **79**
Moorgate Rd. *Roth* —4E **79**
Moorgate Rd. *Roth* —4E **79**
Moorgate St. *Roth* —3D **78**
Moor Grn. Clo. *B'ley* —6C **12**
Moorhay Clo. *Ches* —4D **130**
Moorhead. *S1* —5D **4**
Moorhead Way. *Braml* —1E **81**
Moorhouse Clo. *Whis* —2B **92**
Moorhouse La. *Whis* —2A **92**
Moorland Av. *B'ley* —1D **22**
Moorland Av. *M'well* —3F **7**
Moorland Ct. *Donc* —6E **33**
Moorland Cres. *M'well* —3F **7**
Moorland Dri. *S'bri* —3C **140**
Moorland Gro. *Donc* —2A **48**
Moorland Rd. *S6* —5C **84**
Moorlands. *Wick* —5D **80**
Moorlands Ct. *Wath D* —3C **40**
Moorlands Cres. *Whis* —2A **92**
Moorland Vw. *S12* —5C **112**
Moorland Vw. *Ast* —6C **104**
Moorland Vw. *Wath D* —3C **40**
Moorland Vw. Rd. *Ches* —5E **137**
Moor La. *Birdw* —6D **36**
Moor La. *Cal* —6H **139**
Moor La. *Kirk S* —2B **20**
Moor La. N. *Rav* —5H **71**
Moor La. S. *Rav* —1H **81**
Moorlawn Av. *Holy* —6A **136**
Moorley. *Birdw* —2C **36**
Moor Oaks Rd. *S10* —2A **98**
Moorside. *S10* —5A **96**
Moorside Av. *P'stne* —5D **142**
Moorside Clo. *M'well* —5F **7**
Moorside Clo. *Mosb* —1C **124**
Moorsyde Av. *S10* —6H **85**
Moorsyde Cres. *S10* —6H **85**
Moor, The. *S1* —3E **99** (6D **4**)
Moorthorpe Dell. *Owl* —5B **114**
Moorthorpe Gdns. *Owl* —5H **113**
Moorthorpe Grn. *Owl* —5H **113**
Moorthorpe Ri. *Owl* —6B **114**
Moorthorpe Vw. *Owl* —6A **114**
Moorthorpe Way. *Owl* —5H **113**
  (in two parts)
Moortown Av. *Dinn* —6G **107**
Moor Valley. *Mosb* —5H **113**
Moor Valley Clo. *Mosb* —6A **114**
Moor Vw. *Bran* —3H **49**
Moorview. *Roth* —3F **77**
Moorview Clo. *Brim* —4D **132**
Moorview Ct. *S17* —4H **121**
Moorview Ct. *Roth* —3F **77**
Moor Vw. Dri. *S8* —4C **110**
Moor Vw. Rd. *S8* —5C **110**
Moor Vw. Rd. *Stav* —1E **135**
Moor Vw. Ter. *S11* —2E **109**
Moorwinstow Cft. *S17* —2E **121**
Moorwoods Av. *C'town* —2E **65**
Moorwoods La. *C'town* —2E **65**
Moray Pl. *Dron W* —1B **128**
Mordaunt Rd. *S2* —1B **112**

More Hall La. *Bols* —6G **141**
Morgan Av. *S5* —1D **86**
Morgan Clo. *S5* —6D **74**
Morgan Rd. *S5* —1D **86**
Morgan Rd. *Donc* —5A **34**
Morland Clo. *S14* —4B **112**
Morland Dri. *S14* —4B **112**
Morland Pl. *S14* —4B **112**
Morland Rd. *S14* —4A **112**
Morley Av. *Ches* —1E **137**
Morley Clo. *Dron W* —2A **128**
Morley Pl. *Con* —4D **58**
Morley Rd. *Donc* —4E **33**
Morley Rd. *Roth* —6G **67**
Morley St. *S6* —4H **85**
Morley St. *P'gte* —3F **69**
Morpeth Gdns. *S3* —1B **4**
Morpeth St. *S3* —1D **98** (1B **4**)
Morpeth St. *Roth* —3E **79**
Morrall Rd. *S5* —2D **74**
Morrell St. *Maltby* —5G **83**
Morris Av. *Ches* —6G **131**
Morris Av. *Rawm* —5F **55**
Morris Dri. *Ches* —6G **131**
Morrison Av. *Maltby* —3G **83**
Morrison Dri. *New R* —5E **63**
Morrison Pl. *D'fld* —3E **27**
Morrison Rd. *D'fld* —3D **26**
Mortain Rd. *Roth* —1F **91**
Mortains. *Tod* —1B **118**
Morthen. —4F 93
Morthen Cotts. *Morth* —4E **93**
Morthen Hall La. *Morth* —4F **93**
Morthen La. *Thur* —3E **93**
Morthen La. *Whis* —5C **92**
Morthen Rd. *Wick & Thur* —5F **81**
Mortimer Dri. *P'stne* —6C **142**
Mortimer Heights. *P'stne* —6C **142**
Mortimer Rd. *Maltby* —5H **83**
Mortimer Rd. *P'stne* —6C **142**
Mortimer St. *S1* —3F **99** (6F **5**)
Mortlake Rd. *S5* —1H **87**
Mortomley. —6C 50
Mortomley Clo. *High G* —6C **50**
Mortomley Hall Gdns. *High G* —6C **50**
Mortomley La. *High G* —5C **50**
Morton Clo. *B'ley* —2D **14**
Morton Gdns. *Half* —3F **125**
Morton Mt. *Half* —3F **125**
Morton Pl. *Gren* —1A **74**
Morton Rd. *Mexb* —2F **57**
Mosborough. —2D 124
Mosborough Hall Dri. *Half* —4E **125**
Mosborough Moor. *Mosb* —1B **124**
Mosborough Parkway. *S13* —4F **101**
Mosborough Rd. *S13* —6D **100**
Moscar Cotts. *S7* —3B **110**
Moscrop Clo. *S13* —6C **102**
Moss Beck Ct. *Eck* —6H **125**
Moss Clo. *Wick* —5F **81**
Mossdale Av. *Mosb* —2D **124**
Mossdale Clo. *Donc* —2G **31**
Moss Dri. *Kil* —4B **126**
Moss Gro. *S12* —4D **114**
Moss Ri. Pl. *Eck* —6C **124**
Moss Rd. *S17* —5A **120**
Moss Vw. *Mosb* —3B **124**
Moss Way. *S20* —2D **124**
Moston Wlk. *Ches* —6G **137**
Motehall Dri. *S2* —4C **100**
Motehall Pl. *S2* —4D **100**
Motehall Rd. *S2* —4C **100**
Motehall Wlk. *S2* —4D **100**
Motehall Way. *S2* —4C **100**
Motte, The. *Roth* —1H **77**
Mottram St. *B'ley* —5B **13**
Mound Rd. *Ches* —4A **138**
Mount Av. *Bram* —5G **11**
Mountbatten Dri. *Burn* —2B **64**
Mountcastle St. *Ches* —3H **131**
Mountcastle Wlk. *Ches* —3H **131**
Mount Cres. *Hoy* —4H **37**
Mountenoy Rd. *Roth* —4D **78**
Mountford Cft. *S17* —4E **121**
Mount Olive. *S'bri* —3D **140**
Mt. Osborne Ind. Pk. *B'ley* —1B **24**
Mount Pleasant. *C'town* —1E **65**
Mount Pleasant. *Donc* —4A **46**
Mount Pleasant. *Grim* —5G **11**
Mount Pleasant. *Old W* —1A **132**
Mount Pleasant. *Wors* —5B **24**

Mt. Pleasant Clo. *C'town* —1E **65**
Mt. Pleasant Rd. *S7* —5D **98**
Mt. Pleasant Rd. *Roth* —2B **78**
Mt. Pleasant Rd. *Wath D* —1F **55**
Mount Rd. *S3* —4D **86**
Mount Rd. *C'town* —2C **64**
Mount Rd. *Grim* —5G **11**
Mount St. *S11* —4D **98**
Mount St. *Ard* —1F **25**
Mount St. *B'ley* —1G **23**
Mount St. *Roth* —2B **78**
Mount Ter. *Wath D* —5C **40**
Mount Ter. *Womb* —6A **26**
Mount, The. *E'thpe* —6E **21**
Mt. Vernon Av. *B'ley* —2H **23**
Mt. Vernon Cres. *B'ley* —3A **24**
Mt. Vernon Rd. *B'ley & Wors* —2A **24**
Mount Vw. *Edl'tn* —4B **60**
Mt. Vw. Av. *S8* —4E **111**
Mt. Vw. Gdns. *S8* —4E **111**
Mt. Vw. Rd. *S8* —5E **111**
Mousehole Clo. *Dalt* —6C **70**
Mousehole La. *Dalt* —6C **70**
Mouse Pk. Ga. *O'bri* —1F **73**
Mowbray Gdns. *Roth* —1A **80**
Mowbray Pl. *Roth* —1A **80**
Mowbray St. *S3* —6E **87**
Mowbray St. *Roth* —1H **79**
Mowson Cres. *Worr* —4D **72**
Mowson La. *Worr* —4D **72**
Mowson La. *Worr* —4D **72**
Moxon Clo. *Deep* —4G **141**
Mucky La. *B'ley* —6G **15**
Mucky La. *S'bri* —1C **140**
  (Hunshelf Rd.)
Mucky La. *S'bri* —5B **140**
  (Lee Ho. La.)
Muglet La. *Maltby* —6H **83**
Muirfield Av. *Donc* —5F **49**
Muirfield Av. *Swint* —3C **56**
Muirfield Clo. *Ches* —5B **132**
Muirfield Clo. *Cud* —4C **10**
Muirfields, The. *Dart* —4E **7**
Mulberry Clo. *Cusw* —4F **31**
Mulberry Clo. *D'fld* —5E **27**
Mulberry Clo. *Gold* —4E **29**
Mulberry Clo. *P'gte* —4F **69**
Mulberry Rd. *Ans* —1G **119**
Mulberry Rd. *Eck* —6G **125**
Mulberry St. *S1* —2F **99** (3F **5**)
Mulberry Way. *Arm* —5F **35**
Mulberry Way. *Kil* —4H **125**
Mulehouse Rd. *S10* —1G **97**
Mundella Pl. *S8* —4E **111**
Mundy St. *B'ley* —5B **70**
Mungy La. *Thry* —5B **70**
Munro St. *Kil* —3B **126**
Munsbrough La. *Roth* —5B **68**
Munsbrough Ri. *Roth* —4B **68**
Munsdale. *Roth* —4B **68**
Murdoch Pl. *B'ley* —6A **8**
Murdock Rd. *S5* —5D **74**
Murrayfield Dri. *Half* —3E **125**
Murray Rd. *S11* —1H **109**
Murray Rd. *Kil* —2C **126**
Murray Rd. *Rawm* —1G **69**
Musard Pl. *Stav* —2B **134**
Musard Way. *Kil* —3A **126**
Musgrave Cres. *S5* —2E **87**
  (in three parts)
Musgrave Dri. *S5* —2E **87**
Musgrave Pl. *S5* —2E **87**
Musgrave Rd. *S5* —2D **86**
Musgrove Av. *Thry* —5E **71**
Mushroom La. *S10 & S3* —2B **98** (2A **4**)
Muskoka Av. *S11* —2E **109**
Muskoka Dri. *S11* —1E **109**
Mutual St. *Donc* —1B **46**
Muxlow. *S11* —1B **110**
Myers Av. *O'bri* —1D **72**
Myers Gro. La. *S6* —4F **85**
  (in two parts)
Myers La. *S6* —6A **72**
Mylnhurst Rd. *S11* —2H **109**
Mylor Ct. *B'ley* —6A **8**
Mylor Rd. *S11* —1G **109**
Myndon Wlk. *Den M* —2C **58**
Myrtle Cres. *Wick* —4G **81**
Myrtle Gro. *Holl* —2G **133**
Myrtle Gro. *Kiv P* —5G **117**
Myrtle Rd. *S2* —6E **99**
Myrtle Rd. *Womb* —6A **26**

New Rossington. —4C 62
Newsam Rd. Kiln —4B 56
New School Rd. Mosb —2C 124
Newsham Rd. S8 —3D 110
New Smithy Av. Thurls —3A 142
New Smithy Dri. Thurls —3A 142
Newsome Av. Womb —6H 25
New Sq. Ches —2A 138
New Sta. Rd. Swint —2C 56
Newstead Av. S12 —5G 113
Newstead Av. O'bri —1D 72
Newstead Clo. S12 —4G 113
Newstead Clo. Dron W —2A 128
Newstead Dri. S12 —5G 113
Newstead Gro. S12 —4G 113
Newstead Pl. S12 —5G 113
Newstead Ri. S12 —5H 113
Newstead Rd. S12 —4G 113
Newstead Rd. B'ley —5A 8
Newstead Rd. Donc —1H 31
Newstead Way. S12 —5G 113
New St. S1 —1E 99 (2E 5)
New St. B'ley —1G 23
(S70, in two parts)
New St. B'ley —1E 25
(S71)
New St. Ben —1A 32
New St. Bol D —2B 42
New St. Cat —5D 90
New St. Ches —3A 138
New St. D'fld —4E 27
New St. Deep —3G 141
New St. Dinn —4F 107
New St. Dod —3B 22
New St. Donc —2C 46
New St. Greasb —3B 68
New St. Gt Hou —1A 28
New St. Grim —6G 11
New St. H'fld —4D 38
New St. High G —5B 50
New St. H'brk —2G 125
New St. Lghtn —1E 107
New St. M'well —4F 7
New St. Mexb —6H 43
New St. Rawm —2F 69
New St. Roy —2E 9
New St. Thpe H —3H 66
New St. Womb —6C 26
New St. Wors —5C 24
(Edmunds Rd.)
New St. Wors —5A 24
(West St.)
New St. La. S2 —1G 99 (2H 5)
Newton. —6H 31
Newton Av. S'bri —2B 140
Newton Chambers Rd. C'town —5D 50
Newton Cft. S13 —1B 114
Newton Dri. Donc —6H 31
Newton Dri. Roth —3G 79
Newton La. S1 —3E 99 (6E 5)
Newton La. Donc —6H 31
Newton La. S'bri —2B 140
Newton Pl. Thpe H —4B 66
Newton Rd. High G —6C 50
Newton St. B'ley —5F 13
Newton Va. C'town —6E 51
New Totley. —5E 121
Newtown Av. Cud —2G 15
Newtown Av. Roy —1D 8
Newtown Grn. Cud —2H 15
Newtree Dri. Wadw —6H 61
Newven Ho. Roth —2F 79
(off St Leonard's Rd.)
New Village. —5B 18
New Winterwell. Wath D —4D 40
New Wortley Rd. Roth —2A 78
New York. —4C 78
Niagara Rd. S6 —6A 74
Niagara Yd. S6 —6A 74
Nicholas La. Gold —4E 29
Nicholas St. B'ley —6F 13
Nicholas St. Has —6D 138
Nicholson Av. Bar G —3A 12
Nicholson Av. Wath D —6D 40
Nicholson Pl. S8 —1F 111
Nicholson Rd. S8 —1E 111
Nicholson Rd. Donc —2A 46
Nichols Rd. S6 —6G 85
Nickerwood Dri. Ast —1B 116
Nickleby Ct. Cat —5B 90

Nidderdale Pl. S'side —3G 81
Nidderdale Rd. Roth —4H 67
Nidd Rd. S9 —6C 88
Nidd Rd. E. S9 —6D 88
Nightingale Clo. Ches —2A 138
Nightingale Clo. Roth —4D 78
Nightingale Ct. Roth —4D 78
Nightingale Cft. Thpe H —1C 66
Nightingale Rd. Gren —1B 74
Nile St. S10 —3A 98
Nine Trees Ind. Est. Thur —3H 93
Ninian Gro. Donc —3C 48
Noble St. Hoy —6B 38
Nodder Rd. S13 —5E 101
Noehill Pl. S2 —4D 100
Noehill Rd. S2 —4D 100
Nook End. —5D 84
Nookery Clo. Maltby —3H 83
Nooking Clo. Arm —2G 35
Nook La. S6 —5C 84
Nook La. Cal —2H 139
Nook La. P'stne —6E 143
Nook, The. S8 —3D 110
Nook, The. S10 —1B 98
Nook, The. H'swne —1G 143
Nora St. Gold —3H 29
Norborough Rd. S9 —1G 89
Norborough Rd. Donc —4F 33
Norbreck Cres. Warm —1C 60
Norbreck Rd. Warm —6E 45
Norbriggs. —1F 135
Norbriggs Rd. Mas M —1F 135
Norbrook Way. Whis —2B 92
Norburn Dri. Kil —3B 126
Norbury Clo. Ches —6D 130
Norbury Clo. Dron W —2B 128
Norcroft. Wors —3H 23
Norcross Gdns. D'fld —4F 27
Norfolk Clo. B'ley —3B 14
Norfolk Clo. Walt —5D 136
Norfolk Ct. Roth —2E 79
(off Wharncliffe Hill)
Norfolk Dri. Ans —1G 119
Norfolk Hill. Gren —6A 64
Norfolk Hill Cft. Gren —6A 64
Norfolk La. S1 —5E 5
Norfolk Pk. Av. S2 —4G 99
Norfolk Pk. Rd. S2 —4F 99
Norfolk Pk. Students Residence. S2
—4H 99
Norfolk Pl. Maltby —4G 83
Norfolk Rd. S2 —3G 99 (5H 5)
Norfolk Rd. Donc —5B 46
Norfolk Rd. Dri. Hou —1A 28
Norfolk Row. S1 —2E 99 (3E 5)
Norfolk St. S1 —2E 99 (4E 5)
(in two parts)
Norfolk St. Roth —2E 79
Norfolk Way. Roth —1G 91
Norgreave Way. Half —2E 125
Norman Clo. B'ley —3C 14
Norman Clo. Wors —4A 24
Norman Cres. Donc —2F 31
Norman Cres. Warm —4C 62
Normancroft Ct. S2 —4D 100
Normancroft Cres. S2 —4E 101
Normancroft Dri. S2 —4D 100
Normancroft Way. S2 —4E 101
Normandale. —3E 85
Normandale Av. S6 —3E 85
Normandale Rd. S6 —4B 86
Norman St. S9 —4B 88
Norman St. Thurn —1G 29
Normanton Gdns. S4 —4G 87
Normanton Gro. S13 —1H 113
Normanton Hill. S13 —1E 113
Normanton Spring. —1G 113
Normanton Spring Ct. S13 —1H 113
Normanton Spring Rd. S13 —2G 113
Normanville Av. B'wth —2B 90
Norrel's Cft. Roth —5F 79
Norrels Dri. Roth —5F 79
Norris Rd. S6 —3H 85
Norroy St. S4 —5H 87
Norstead Cres. Braml —1E 81
Northampton Rd. Donc —4A 34
North Anston. —2G 119
N. Anston Bus. Cen. Ans —5C 106
N. Anston Trad. Est. Ans —5B 106
N. Bridge Rd. Donc —5B 32

N. Carr La. B'ley —1E 27
N. Church St. S1 —1E 99 (2E 5)
N. Cliff Rd. Con —2D 58
North Clo. Roy —2E 9
Northcote Av. S2 —1F 111
Northcote Ho. S8 —4D 110
(off Chantrey Rd.)
Northcote Rd. S2 —1F 111
Northcote Ter. B'ley —5E 13
North Cres. Duck —5E 135
North Cres. Kil —1C 126
North Cres. Roth —2G 79
Northcroft. Shaf —3C 10
North Dri. Roth —1D 78
N. End Dri. H'ton —1F 43
Northern Av. S2 —6A 100
Northern Comn. Dron W —6H 121 & 1A 128
N. Farm Ct. Ast —6D 104
Northfield. —1D 78
North Fld. Dod —1B 22
Northfield Av. S10 —6H 85
Northfield Av. Rawm —6F 55
Northfield Clo. S10 —6A 86
Northfield Ct. Wick —4F 81
Northfield Ind. Est. Roth —1D 78
N. Field La. Barn D —1G 21
Northfield La. Wick —4E 81
Northfield Rd. S10 —1H 97
Northfield Rd. Donc —4A 32
Northfield Rd. Roth —2D 78
Northgate. B'ley —4E 13
North Ga. Eck —6D 124
North Ga. Mexb —6G 43
North Gro. Duck —5E 135
N. Hill Rd. S5 —5D 74
Northlands. Adw S —1C 16
Northlands. Roy —1E 9
Northlands Rd. S5 —5D 74
North Mall. Donc —6C 32
(off French Ga.)
N. Moor Clo. Brim —4F 133
Northmoor Vw. Brim —4F 133
Northorpe. Dod —3D 22
N. Pitt St. Roth —3H 77
North Pl. B'ley —4D 12
North Pl. Roth —2G 79
Northpoint Ind. Est. S9 —6D 76
North Quadrant. S5 —5H 75
North Rd. Cal —2F 139
North Rd. Roth —2G 79
North Rd. Roy —1F 9
N. Royds Wood. B'ley —4B 8
Northside Rd. Wath D —5F 41
North Sq. Edl'tn —3C 60
North St. D'fld —3E 27
North St. Donc —2E 47
North St. Edl'tn —3C 60
North St. Rawm —6G 55
North St. Roth —2C 78
North St. Swint —2C 56
N. Swaithe Clo. Ben —5A 18
North Ter. Has —6B 138
Northumberland Av. Donc —4H 33
Northumberland Av. Hoy —4A 38
Northumberland La. Den M —2A 58
Northumberland Rd. S10 —2B 98
Northumberland Way. B'ley —1F 25
North Vw. Grim —6F 11
Northwood. S6 —5G 73
Northwood Dri. S6 —5G 73
Norton. —6G 111
Norton Av. S8 —6H 111
Norton Av. S14 & S12 —5A 112
Norton Av. Ches —5C 136
Norton Chu. Glebe. S8 —6F 111
Norton Chu. Rd. S8 —6F 111
Norton Grn. Clo. S8 —6G 111
Norton Hammer. —3C 110
Norton Hammer La. S8 —3C 110
Norton La. S8 —2E 123
Norton Lawns. S8 —6G 111
(off School La. Clo.)
Norton Lees. —3E 111
Norton Lees Clo. S8 —4E 111
Norton Lees Cres. S8 —3E 111
Norton Lees La. S8 —3D 110
Norton Lees Rd. S8 —2D 110
Norton Lees Sq. S8 —3E 111
Norton M. S8 —6G 111
Norton Pk. Av. S8 —1E 123
Norton Pk. Cres. S8 —1E 123

Oxton Dri.—Parsley Hay Clo.

Oxton Dri. *Warm* —5F **45**
Oxton Rd. *B'ley* —5B **8**

Packhorse La. *High G* —5C **50**
Packington Rd. *Donc* —4E **49**
Packman La. *H'hill* —6D **118**
Packman Rd. *Wath D* —4B **40**
Packman Rd. *Wath D & Rawm* —6C **40**
Packmans Clo. *Gren* —6A **64**
Packmans Way. *Gren* —6A **64**
Packman Way. *Wath D* —5B **40**
Packwood Clo. *Maltby* —3H **83**
Paddock Clo. *Donc* —4G **31**
Paddock Clo. *M'well* —4G **7**
Paddock Cres. *S2* —2A **112**
Paddock Cft. *Swint* —2H **55**
Paddock Dri. *S'side* —2G **81**
Paddock Gro. *Cud* —6C **10**
Paddock Rd. *M'well* —4G **7**
Paddocks, The. *Ast* —6C **104**
Paddocks, The. *Donc* —4F **31**
Paddocks, The. *Mas M* —1G **135**
Paddocks, The. *Thry* —5E **71**
Paddock, The. *Adw S* —1E **17**
Paddock, The. *Barn D* —1G **21**
Paddock, The. *D'fld* —3E **27**
Paddock, The. *H'fld* —3E **39**
Paddock, The. *Scho* —3D **66**
Paddock Way. *Dron* —6F **123**
(Holmesdale Rd.)
Paddock Way. *Dron* —1F **129**
(Stonelow Rd.)
Padley Clo. *Dod* —2A **22**
Padley Wlk. *S5* —5H **75**
Padley Way. *S5* —5G **75**
Padua Ri. *D'fld* —4D **26**
Page Hall Rd. *S4* —2H **87**
Pagenall Dri. *Swal* —5B **104**
Paget St. *S9* —4B **88**
Pagnell Av. *Thurn* —2D **28**
Paisley Clo. *Stav* —3A **134**
Palermo Fold. *D'fld* —3D **26**
Palgrave Cres. *S5* —5C **74**
Palgrave Rd. *S5* —5B **74**
Palington Gro. *Donc* —2C **48**
Pall Mall. *B'ley* —6H **13**
Palm Av. *Arm* —2G **35**
Palmer Clo. *P'stne* —6C **142**
Palmer Cres. *Dron* —2F **129**
Palmer Rd. *S9* —5E **89**
Palmersgate. Ches —2A *138*
(off Parker's Row)
Palmerston Av. *Maltby* —3E **83**
Palmerston Rd. *S10* —2B **98**
Palmer St. *Donc* —2E **47**
Palmers Way. *Thur* —5H **93**
Palm Gro. *Con* —4C **58**
Palm Hollow Clo. *Wick* —5D **80**
Palm La. *S6* —5A **86**
Palm St. *S6* —5A **86**
Palm St. *B'ley* —4F **13**
Pamela Dri. *Warm* —5E **45**
Pangbourne Dri. *Thurn* —1E **29**
Pantry Grn. *Wors* —5C **24**
Pantry Hill. *Wors* —4C **24**
Pantry Well. *Wors* —5C **24**
Paper Mill Rd. *S5* —2A **76**
Parade, The. *S12* —1C **112**
Parade, The. *Hoy* —6H **37**
Parade, The. *Rawm* —6E **55**
Paradise La. *S1* —2E **5**
Paradise Sq. *S1* —1E **99** (2E **5**)
Paradise St. *S1* —1E **99** (2E **5**)
Parish Way. *B'ley* —4D **14**
Park Av. *S10* —5H **97**
Park Av. *Ans & Dinn* —6E **107**
Park Av. *Arm* —2D **34**
Park Av. *B'ley* —6G **13**
(S70)
Park Av. *B'ley* —6B **8**
(S71)
Park Av. *Brie* —2H **11**
Park Av. *C'town* —3E **65**
Park Av. *Cud* —4E **59**
Park Av. *Cud* —6B **10**
Park Av. *Dron* —1F **129**
Park Av. *Grim* —5G **11**
Park Av. *Mexb* —6E **43**
Park Av. *P'stne* —4C **142**

Park Av. *Roy* —2F **9**
Park Av. *Spro* —2E **45**
Park Av. *Tree* —1F **103**
Park Av. *Whis* —1A **92**
Park Clo. *Arm* —3F **35**
Park Clo. *Ches* —6A **138**
Park Clo. *M'well* —5G **7**
Park Clo. *Spro* —2E **45**
Park Clo. *Swint* —2A **56**
Park Clo. *Thry* —5D **70**
Park Cotts. *Wors* —6A **24**
Park Ct. *Gren* —1A **74**
Park Ct. *Thurn* —1F **29**
Park Cres. *S10* —3B **98**
Park Cres. *E'fld* —1F **75**
Park Cres. *Roy* —2F **9**
Park Cres. *Warm* —6E **45**
Park Dri. *Ches* —4B **138**
Park Dri. *Spro* —2D **44**
Park Dri. *S'bgh* —5D **22**
Park Dri. *S'bri* —3D **140**
Park Dri. *Swal* —6H **103**
Park Dri. Way. *S'bri* —2D **140**
Park End Rd. *Gold* —5F **29**
Parker Av. *Cal* —1F **139**
Parker's La. *S10* —2A **98**
Parkers La. *S17* —1D **120**
Parker's Rd. *S10* —2A **98**
Parker's Row. *Ches* —2A **138**
Parker's Ter. *Birdw* —4C **36**
Parker St. *B'ley* —6F **13**
Parkers Yd. *Ches* —2B **138**
Park Farm. *Dron W* —1A **128**
Parkfield Ct. P'gte —4F *69*
(off Naylor St.)
Parkfield Pl. *S2* —5E **99**
Parkfield Rd. *Roth* —3F **79**
Parkgate. —4F 69
Parkgate Av. *Con* —3C **58**
Parkgate Bus. Pk. *P'gte* —5F **69**
Parkgate Clo. *Maltby* —1A **124**
Parkgate Ct. P'gte —5E *69*
(off Gateway, The)
Parkgate Cft. *Mosb* —6A **114**
Parkgate Dri. *Mosb* —6A **114**
Pk. Grange Clo. *S2* —5G **99**
Pk. Grange Cft. *S2* —4G **99**
Pk. Grange Dri. *S2* —5G **99**
Pk. Grange Mt. *S2* —5G **99**
Pk. Grange Ri. *S2* —5G **99**
Pk. Grange Rd. *S2* —4G **99**
Pk. Grange Vw. *S2* —6H **99**
Park Gro. *B'ley* —6G **13**
Park Gro. *Braml* —4H **81**
Park Gro. *Rawm* —6F **55**
Park Gro. *S'bri* —2D **140**
Pk. Hall Av. *Walt* —5C **136**
Pk. Hall Clo. *Walt* —6D **136**
Pk. Hall Gdns. *Walt* —5D **136**
Parkhead. —3F 109
(Hemsworth)
Park Head. —6D 84
(Stannington)
Parkhead Clo. *Roy* —1C **8**
Parkhead Ct. *S11* —3F **109**
Parkhead Cres. *S11* —3F **109**
Parkhead Rd. *S11* —4E **109**
Park Hill. —2H 99
Park Hill. *Barn D* —2E **21**
Park Hill. *D'fld* —3F **27**
Park Hill. *Eck* —6E **125**
Park Hill. *Swal* —6H **103**
Parkhill Cres. *Barn D* —2H **21**
Pk. Hill Dri. *Dod* —1B **22**
Parkhill Rd. *Barn D* —2H **21**
Pk. Hill Rd. *Womb* —6C **26**
Park Hollow. *Womb* —1G **39**
Park Ho. La. *S9* —2H **89**
Parkinson St. *Donc* —4D **32**
Parkland Dri. *Ross* —4F **63**
Parklands. *E'thpe* —6D **20**
Parklands Av. *Dinn* —5E **107**
Parklands Clo. *Ross* —4E **63**
Park La. *S9* —6E **77**
Park La. *S10* —3B **98**
Park La. *C'town* —4H **65**
Park La. *Ches* —4H **131**
Park La. *Con & Rav* —6C **58** & 1A **82**
(in two parts)
Park La. *Dinn* —3C **106**
Park La. *Donc* —1A **48**

Park La. *D'ville* —4H **21**
Park La. *P'stne* —4C **142**
Park La. *S'bri* —2E **141**
Park La. *Thry* —5D **70**
Pk. Lane Ct. *Thry* —4D **70**
Pk. Lane Rd. *D'ville* —3H **21**
Park Mt. *Roth* —3E **79**
Park Nook. *Thry* —5C **70**
Park Pl. *Roth* —2H **79**
Park Rd. *S6* —5F **85**
Park Rd. *B'ley* —2F **23**
Park Rd. *Ben* —6A **18**
Park Rd. *Brie* —2H **11**
Park Rd. Ches —2A *138*
(off New Beetwell St.)
Park Rd. *Ches* —4H **137**
(Boythorpe Rd.)
Park Rd. *Con* —4D **58**
Park Rd. *Donc* —6D **32**
Park Rd. *Grim* —6G **11**
Park Rd. *Mexb* —6E **43**
Park Rd. *Roth* —2H **79**
Park Rd. *Swint* —3H **55**
Park Rd. *Thurn* —1E **29**
Park Rd. *Wath D* —6E **41**
Park Rd. *Wors* —6A **24**
Park Side. —6D 84
Parkside. *Ches* —4A **132**
Parkside La. *S6* —6D **84**
Parkside M. *Wors B* —4A **24**
Parkside Rd. *S6* —2A **86**
Parkside Rd. *Hoy* —1F **51**
Parkside Shop. Cen. *Kil* —2B **126**
Parkside Vw. *Ches* —5D **130**
Parkson Rd. *Roth* —1H **91**
Pk. Spring Dri. *S2* —5G **99**
Pk. Spring Rd. *Grim* —6F **11** & 1F **27**
(in two parts)
Pk. Spring Way. *S2* —5G **99**
Park Sq. *S2* —2F **99** (2G **5**)
Parkstone Cres. *H'by* —5B **82**
Parkstone Delph. *S12* —5C **112**
Parkstone Way. *Donc* —2A **34**
Park St. *B'ley* —1G **23**
Park St. *Ches* —6A **138**
Park St. *Rawm* —1F **69**
Park St. *Roth* —2B **78**
Park St. *Swal* —6A **104**
Park St. *Womb* —1G **39**
Park Ter. *C'town* —3F **65**
Park Ter. *Donc* —6D **32**
Park Ter. *Thry* —5C **70**
Park, The. *W'land* —4C **16**
Pk. Vale Dri. *Thry* —5D **70**
Park Vw. *Adw S* —2E **17**
Park Vw. *B'ley* —2F **23**
Park Vw. *Brie* —2H **11**
Park Vw. *Dod* —2B **22**
Park Vw. *Has* —6D **138**
Park Vw. *Kiv P* —4A **118**
Park Vw. *Maltby* —4H **83**
(in two parts)
Park Vw. *Mexb* —6C **42**
Park Vw. *Roy* —1F **9**
Park Vw. *Shaf* —3C **10**
Park Vw. *Thpe H* —3A **66**
Park Vw. *Wors* —4B **24**
Pk. View Av. *Half* —2E **125**
Parkview Ct. *S8* —5E **111**
Pk. View Rd. *S6* —2A **86**
Pk. View Rd. *C'town* —3E **65**
Pk. View Rd. *M'well* —4H **7**
Pk. View Rd. *Roth* —4E **77**
Park Wlk. S2 —1H *99*
(off St John's Rd.)
Park Way. *Adw S* —1D **16**
Parkway. *Arm* —4F **35**
Parkway Av. *S9* —1B **100**
Parkway Clo. *S9* —1B **100**
Parkway Dri. *S9* —2C **100**
Parkway Mkt. *S9* —1D **100**
Parkway N. *Donc* —3F **33**
Parkway S. *Donc* —3F **33**
Parkwood Ind. Est. *S3* —5E **87**
Parkwood Ri. *Barn D* —2E **21**
Parkwood Rd. *S3* —4C **86**
Parkwood Rd. N. *S5* —1D **86**
Parkwood Springs. —4C 86
Parliament St. *S11* —4C **98**
Parma Ri. *D'fld* —4C **26**
Parsley Hay Clo. *S13* —4H **101**

Powell Dri. *Kil* —3A **126**
Powell St. *S3* —1C **98** (2A 4)
Powell St. *Wors* —5B **24**
Powerhouse Sq. Else —1D **52**
(off Forge La.)
Power Sta. Rd. *Donc* —5B **32**
Powley Rd. *S6* —4B **74**
Poynton Av. *Ulley* —2C **104**
Poynton Dri. *Dinn* —3F **107**
Poynton Way. *Ulley* —2C **104**
Poynton Wood Cres. *S17* —3G **121**
Poynton Wood Glade. *S17* —3G **121**
Prescott Rd. *S6* —1G **85**
President Way. *S4* —5H **87**
Preston Av. *Jump* —4C **38**
Preston St. *S8* —6E **99**
Preston Way. *B'ley* —1D **14**
Prestwich St. *S9* —5D **76**
Prestwold Way. *Ches* —6C **138**
Prestwood Gdns. *C'town* —2C **64**
Priest Cft. La. *B'ley* —1D **26**
Priestfield Gdns. *Ches* —4D **130**
Priestley Av. *Dart* —5A **6**
Priestley Av. *Rawm* —6H **55**
Priestley Clo. *Donc* —6H **45**
Priestley St. *S2* —4F **99**
Priest Royd. *Dart* —4E **7**
Primrose Av. *S5* —5A **76**
Primrose Av. *B'wth* —4D **90**
Primrose Av. *D'fld* —4D **26**
Primrose Circ. *New R* —5E **63**
Primrose Clo. *Bol D* —6D **28**
Primrose Clo. *Kil* —2C **126**
Primrose Cres. *Beig* —4F **115**
Primrose Dri. *E'fld* —1F **75**
Primrose Hill. *S6* —5B **86**
(in two parts)
Primrose Hill. *Hoy* —6A **38**
Primrose Hill. *Roth* —1C **78**
Primrose La. *Kil* —1C **126**
Primrose Pk. *Roth* —1C **78**
Primrose Wlk. S8 —1D **110**
(off Broadfield Rd.)
Primrose Way. *Hoy* —1A **52**
Primulas Clo. *Ans* —3E **119**
Prince Arthur St. *B'ley* —5F **13**
Princegate. *Donc* —6D **32**
Prince of Wales Rd. *S2 & S9* —6C **100**
Prince's Clo. *Bol D* —1H **41**
Prince's Rd. *Donc* —2H **47**
Princess Clo. *Bol D* —1H **41**
Princess Ct. *S2* —5D **100**
Princess Dri. *Deep* —4E **141**
Princess Dri. *Thurn* —2G **29**
Princess Gdns. *Womb* —1F **39**
Princess Gro. *Tank* —6A **36**
Prince's Sq. *Kirk S* —3D **20**
Princess Rd. *Dron* —1E **129**
Princess Rd. *Gold* —4G **29**
Princess Rd. *Mexb* —6F **43**
Princess St. *S4* —6H **87**
Princess St. *B'ley* —6G **13**
Princess St. *Brim* —2F **133**
Princess St. *Ches* —1H **137**
Princess St. *Cud* —4C **10**
Princess St. *Dinn* —3C **106**
Princess St. *Hoy* —6F **37**
Princess St. *M'well* —4E **7**
Princess St. *Wath D* —4D **40**
Princess St. *Womb* —6A **26**
Princess St. *W'land* —3D **16**
Prince's St. *Donc* —6D **32**
Princes St. *Roth* —3B **78**
Prince St. *Swint* —1B **56**
Pringle Rd. *B'wth* —2B **90**
Printing Office St. *Donc* —6C **32**
Prior Rd. *Con* —4D **58**
Priory Av. *S7* —5D **98**
Priory Clo. *Con* —2E **59**
Priory Clo. *E'fld* —6E **65**
Priory Clo. *Mexb* —1G **57**
Priory Clo. *Walt* —6D **136**
Priory Clo. *Wors* —1D **36**
Priory Cres. *B'ley* —4E **15**
Priory Pl. *S7* —5D **98**
Priory Pl. *B'ley* —3E **15**
Priory Pl. *Donc* —6C **32**
Priory Rd. *S7* —6C **98**
Priory Rd. *B'ley* —3E **15**
Priory Rd. *Bol D* —1A **42**
Priory Rd. *E'fld* —6E **65**

Priory Ter. *S7* —5D **98**
Priory Way. *Aist* —6C **104**
Pritchard Clo. *S12* —4B **114**
Private Dri. *Holl* —3G **133**
Probert Av. *Gold* —4F **29**
Proctor Rd. *S3* —3A **86**
Progress Dri. *Braml* —5H **81**
Prospect. *Thurls* —4A **142**
Prospect Clo. *Braml* —5H **81**
Prospect Cotts. *B'ley* —2H **23**
Prospect Ct. *S17* —4G **121**
Prospect Dri. *S17* —4F **121**
Prospect Pl. *S17* —3G **121**
Prospect Pl. *Donc* —1C **46**
Prospect Rd. *S2* —6E **99**
Prospect Rd. *S17* —4G **121**
Prospect Rd. *Bol D* —6E **29**
Prospect Rd. *Cud* —1H **15**
Prospect Rd. *Dron* —6G **123**
Prospect Rd. *Old W* —1H **131**
Prospect Rd. *Toll B* —3A **18**
Prospect St. *B'ley* —6E **13**
Prospect St. *Cud* —6B **10**
Prospect Ter. *Ches* —1G **137**
Providence Ct. *B'ley* —1G **23**
Providence Rd. *S6* —5H **85**
Providence St. *Greasb* —4C **68**
Providence St. *Roth* —3C **78**
Providence St. *Womb* —5D **26**
Provincial Ho. *S1* —1D **98** (2C 4)
Pryor Mede. *H'hill* —4H **127**
Psalter Ct. *S11* —6A **98**
Psalter Cft. *S11* —6H **97**
Psalter La. *S11* —6H **97**
Psalters Dri. *Oxs* —6H **143**
Psalters La. *Roth* —2H **77**
Pullman Clo. *Stav* —1D **134**
Pump Riding. *Edl'tn* —4D **60**
Purbeck Av. *Ches* —1F **137**
Purbeck Ct. *Wat* —5D **114**
Purbeck Gro. *Wat* —5D **114**
Purbeck Rd. *Wat* —5D **114**
Purcell Clo. *Maltby* —5H **83**
Purslove Clo. *Braml* —2E **81**
Pye Av. *M'well* —5E **7**
Pye Bank Clo. *S3* —5E **87**
Pye Bank Dri. *S3* —5E **87**
Pye Bank Rd. *S3* —6E **87**
Pym Rd. *Mexb* —6E **43**
Pynot Rd. *Old W* —1B **132**

Quadrant, The. *S17* —4E **121**
Quail Ri. *S2* —3A **100**
Quaker Clo. *Wath D* —6D **40**
Quaker La. *B'ley* —1G **25**
(Doncaster Rd.)
Quaker La. *B'ley* —1F **25**
(Northumberland Way)
Quaker La. *B'ley* —3B **14**
(Westgate)
Quaker La. *Warm* —5F **45**
Quantock Way. *Ches* —6D **130**
Quarry Bank. *Wath D* —5B **40**
Quarry Bank Clo. *Cud* —2H **15**
Quarry Bank Rd. *Ches* —3C **138**
Quarry Clo. *B'wth* —3A **90**
Quarry Clo. *Dart* —5B **6**
Quarryfield La. *Maltby* —3F **83**
Quarry Fld. La. *Wick* —6F **81**
Quarry Fields. *Wick* —6F **81**
Quarry Hill. *Mosb* —1A **124**
Quarry Hill. *Roth* —3D **78**
Quarry Hill Rd. *Wath D* —1E **55**
Quarry Hills. —4G 27
Quarry La. *S11* —1A **110**
Quarry La. *Ans* —1F **119**
Quarry La. *Bran* —3H **49**
Quarry La. *Ches* —3E **137**
Quarry La. *D'fld* —4G **27**
Quarry La. *Mexb* —4D **42**
Quarry La. *Roth* —1C **78**
Quarry La. *W'land* —3C **16**
Private Dri. *S13* —2G **101**
Quarry Rd. *S17* —4E **121**
Quarry Rd. *Bla H* —2H **37**
Quarry Rd. *Kil* —2A **126**
Quarry St. *B'ley* —1H **23**
(S70)
Quarry St. *B'ley* —2A **14**
(S71)

Quarry St. *Cud* —6B **10**
Quarry St. *Mexb* —1F **57**
Quarry St. *Rawm* —1F **69**
Quarry Va. *Cud* —1H **15**
Quarry Va. Gro. *S12* —3E **113**
Quarry Va. Rd. *S12* —3E **113**
Queen Av. *Maltby* —5G **83**
Queen Av. *New R* —4C **62**
Queen Mary Clo. *S2* —6C **100**
Queen Mary Cres. *S2* —5C **100**
Queen Mary Cres. *Kirk S* —3D **20**
Queen Mary Gro. *S2* —6B **100**
Queen Mary M. *S2* —6C **100**
Queen Mary Rd. *S2* —5B **100**
Queen Mary Rd. *Ches* —4D **136**
Queen Mary's Rd. *New R* —4C **62**
Queen Mary St. *Maltby* —6G **83**
Queens Acre. *Swint* —2B **56**
Queen's Av. *B'ley* —5F **13**
Queen's Av. *Kiv P* —5G **117**
Queen's Av. *L Hou* —2H **27**
Queen's Av. *Swint* —1B **56**
Queensberry Rd. *Donc* —4A **34**
Queen's Ct. *Donc* —3A **32**
Queen's Cres. *Edl'tn* —2B **60**
Queens Cres. *Hoy* —6E **37**
Queens Dri. *B'ley* —4E **13**
Queen's Dri. *Cud* —4C **10**
Queen's Dri. *Dod* —2B **22**
Queen's Dri. *Donc* —3A **32**
Queen's Dri. *Shaf* —2B **10**
Queens Gdns. *B'ley* —4E **13**
Queens Gdns. *Hoy* —6F **37**
Queens Gdns. *Womb* —1F **39**
Queensgate. *Donc* —6D **32**
Queensgate. *Gren* —1B **74**
Queens Retail Pk. *S2* —5F **99**
Queens Rd. *S2* —6E **99** (6G 5)
Queen's Rd. *B'ley* —6H **13**
Queens Rd. *Beig* —3F **115**
Queen's Rd. *Cud* —4C **10**
Queen's Rd. *Donc* —5E **33**
Queen's Rd. *Swal* —6A **104**
Queen's Row. *S3* —1D **98** (1C 4)
Queen's Ter. *Mexb* —6E **43**
Queen St. *S1* —1E **99** (2E 5)
Queen St. *B'ley* —6G **13**
Queen St. *Brim* —2F **133**
Queen St. *C'town* —2E **65**
Queen St. *Ches* —1H **137**
Queen St. *D'fld* —3F **27**
Queen St. *Dinn* —3F **107**
Queen St. *Donc* —3B **46**
(in two parts)
Queen St. *Eck* —6E **125**
Queen St. *Gold* —4G **29**
Queen St. *Hoy* —6E **37**
Queen St. *Mosb* —2C **124**
Queen St. *P'stne* —4E **143**
Queen St. *Rawm* —6G **55**
Queen St. *Roth* —2G **79**
Queen St. *Stav* —3B **134**
Queen St. *Swint* —2B **56**
Queen St. *Thurn* —2G **29**
Queen St. N. *Ches* —3A **132**
Queen St. S. *B'ley* —6H **13**
Queensway. *B'ley* —4E **13**
Queensway. *Hoy* —5B **38**
Queensway. *Roth* —1F **91**
Queensway. *Roy* —1E **9**
Queensway. *Wors* —4B **24**
Queen Victoria Rd. *S17* —5F **121**
Quern Way. *D'fld* —3E **27**
Quest Av. *H'fld* —3E **39**
Quiet La. *S10* —1B **108**
Quilter Rd. *Maltby* —5H **83**
Quintec Ct. *Roth* —6E **69**
Quoit Green. —2F 129
Quoit Grn. *Dron* —2F **129**
Quorn Clo. *Ches* —6C **130**

Raby Rd. *Donc* —4F **33**
Raby Rd. *S9* —6G **77**
Race Comn. Av. *P'stne* —6C **142**
Racecommon La. *B'ley* —2F **23**
(in two parts)
Racecommon Rd. *B'ley* —2F **23**
Racecourse Mt. *Ches* —3H **131**
Racecourse Rd. *Ches* —3H **131**
Racecourse Rd. *Swint* —2G **55**

Regent Sq. *Donc* —6E **33**
Regent St. *S1* —2D **98** (3B **4**)
Regent St. *B'ley* —5G **13**
Regent St. *Donc* —4A **46**
Regent St. *Hoy* —6E **37**
Regent St. *Roth* —3H **77**
Regent St. *S Hien* —1E **11**
Regent St. S. *B'ley* —5H **13**
Regents Way. *Ast* —6C **104**
Regent Ter. *S3* —2D **98** (3B **4**)
Regent Ter. *Donc* —6E **33**
Regina Cres. *Brie* —3E **11**
Reginald Rd. *B'ley* —2D **24**
Reginald Rd. *Womb* —1H **39**
Rembrandt Dri. *Dron* —2C **128**
Remington Av. *S5* —2D **74**
Remington Dri. *S5* —2D **74**
Remington Rd. *S5* —2D **74**
Remount Rd. *Roth* —5F **67**
Remount Way. *Roth* —5F **67**
Rempstone Dri. *Ches* —6C **138**
Renald La. *H'swne* —1E **143**
Renathorpe Rd. *S5* —3H **75**
Rencliffe Av. *Roth* —6F **79**
Reneville Clo. *Roth* —5E **79**
Reneville Ct. *S5* —1E **75**
Reneville Ct. *Roth* —5D **78**
Reneville Cres. *S5* —1E **75**
Reneville Dri. *S5* —1E **75**
Reneville Rd. *Roth* —5D **78**
Reney Av. *S8* —3B **122**
Reney Cres. *S8* —3B **122**
Reney Dri. *S8* —3B **122**
Reney Rd. *S8* —2C **122**
Reney Wlk. *S8* —3B **122**
Renishaw Av. *Roth* —1H **91**
Renshaw Clo. *High G* —5A **50**
Renshaw Rd. *S11* —1G **109**
Renville Clo. *Rawm* —6E **55**
Renway Rd. *Roth* —6G **79**
Repton Clo. *Ches* —6C **130**
Repton Pl. *Dron W* —2A **128**
Reresby Cres. *Whis* —1A **92**
Reresby Dri. *Whis* —1A **92**
Reresby Rd. *Thry* —5E **71**
Reresby Rd. *Whis* —1H **91**
Reresby Wlk. *Den M* —1B **58**
Reservoir Rd. *S10* —2A **98**
Reservoir Rd. *Ulley* —1A **104**
Reservoir Ter. *Ches* —1G **137**
Retail World. *P'gte* —5F **69**
Retford Rd. *S13* —4B **102**
Retford Wlk. *Ross* —4F **63**
Revell Clo. *Roth* —2B **80**
Revill Clo. *Maltby* —3F **83**
Revill La. *Woodh* —1C **114**
Revolution House. —1A **132**
Rex Av. *S7* —3H **109**
Reynard La. *S6* —6B **84**
Reynolds Clo. *Dron* —3C **128**
Reynolds Clo. *Flan* —3F **81**
Rhodes Av. *Ches* —6G **131**
Rhodes Av. *Roth* —5F **67**
Rhodes Dri. *Whis* —1A **92**
Rhodesia Rd. *Ches* —3E **137**
Rhodes St. *S2* —2G **99** (4H **5**)
Rhodes Ter. *B'ley* —1A **24**
Ribble Cft. *C'town* —1E **65**
Ribblesdale Dri. *S12* —6H **113**
Ribble Way. *S5* —6G **75**
Riber Av. *B'ley* —6C **8**
Riber Clo. *S6* —5D **84**
Riber Clo. *Ink* —6A **134**
Riber Ter. *Ches* —3G **137**
Ribston Ct. *S9* —6C **88**
Ribston M. *S9* —1D **100**
Ribston Pl. *S9* —1D **100**
Ribston Rd. *S9* —1C **100**
Ribston Wlk. *S9* —1D **100**
Richard Av. *B'ley* —1A **14**
Richard La. *New R* —4C **62**
Richard Rd. *B'ley* —1A **14**
Richard Rd. *Dart* —5B **6**
Richard Rd. *Roth* —4E **79**
Richards Ct. *S2* —1F **111**
Richardson Wlk. *Womb* —5H **25**
Richards Rd. *S2* —6E **99**
(in two parts)
Richard St. *B'ley* —6F **13**
Richards Way. *Rawm* —1G **69**

Rich Farm Clo. *Ark* —4D **18**
Richmond. —6F **101**
Richmond Av. *S13* —5G **101**
Richmond Av. *Dart* —6B **6**
Richmond Clo. *Ches* —5G **137**
Richmond Ct. *S13* —6F **101**
Richmond Farm M. *S13* —6F **101**
Richmond Gro. *S13* —5G **101**
Richmond Hall Av. *S13* —5F **101**
Richmond Hall Cres. *S13* —6F **101**
Richmond Hall Dri. *S13* —5F **101**
Richmond Hall Rd. *S13* —5F **101**
Richmond Hall Way. *S13* —6F **101**
Richmond Hill Ho. *S13* —6F **101**
Richmond Hill Rd. *S13* —6G **101**
Richmond Hill Rd. *Donc* —1G **45**
Richmond Park. —3F **77**
Richmond Pk. Av. *S13* —3G **101**
Richmond Pk. Av. *Roth* —3F **77**
Richmond Pk. Clo. *S13* —4G **101**
Richmond Pk. Cres. *S13* —3G **101**
Richmond Pk. Cft. *S13* —3G **101**
Richmond Pk. Dri. *S13* —4G **101**
Richmond Pk. Gro. *S13* —4G **101**
Richmond Pk. Ri. *S13* —3F **101**
Richmond Pk. Rd. *S13* —4G **101**
Richmond Pk. Vw. *S13* —4G **101**
Richmond Pk. Way. *S13* —4G **101**
Richmond Pl. *S13* —6F **101**
Richmond Rd. *S13* —1E **113**
Richmond Rd. *Donc* —2F **31**
Richmond Rd. *Roth* —3G **77**
Richmond Rd. *Thurn* —1E **29**
Richmond St. *S3* —5F **87**
Richmond St. *B'ley* —6F **13**
Richworth Rd. *S13* —5H **101**
Ricknald Clo. *Aug* —4B **104**
Ridal Av. *S'bri* —2C **140**
Ridal Clo. *S'bri* —2C **140**
Ridal Cft. *S'bri* —2C **140**
Riddings Clo. *S6* —6C **100**
Riddings Clo. *Thur* —5B **94**
Riddings Cft. *Ches* —5E **131**
Rider Rd. *S6* —3A **86**
Ridge Balk La. *W'land* —2B **16**
Ridge Ct. *S10* —3C **96**
Ridge Ct. *Roth* —2F **79**
Ridgehill Av. *S12* —1C **112**
Ridgehill Gro. *S12* —2D **112**
Ridge Rd. *High* —5D **16**
Ridge Rd. *Roth* —2E **79**
Ridge, The. *S10* —4C **96**
Ridge, The. *W'land* —3B **16**
Ridge Vw. Clo. *S9* —6C **76**
Ridge Vw. Dri. *S9* —6C **76**
Ridgewalk Way. *Wors* —3H **23**
Ridgeway. *Dron* —6H **123**
Ridgeway. *Roth* —2A **80**
Ridgeway Clo. *H'by* —4A **82**
Ridgeway Clo. *Roth* —2B **80**
Ridgeway Cres. *S12* —2C **112**
Ridgeway Cres. *B'ley* —4E **9**
Ridgeway Dri. *S12* —1C **112**
Ridgeway Rd. *S12* —1C **112**
Ridgeway Rd. *B'wth* —3C **90**
Ridgewood Av. *E'thpe* —6D **20**
Ridgway Av. *D'fld* —3E **27**
Riding Clo. *Donc* —5H **45**
Riding Clo. *Flan* —4E **81**
Ridings Av. *B'ley* —2B **14**
Ridings, The. *B'ley* —2B **14**
Rig Clo. *Roth* —6H **67**
Rig Dri. *Swint* —2G **55**
Riggotts La. *Walt* —6F **137**
Riggotts Way. *Cut* —3A **130**
Riggs High Rd. *S6* —6A **84**
Riggs Low Rd. *S6* —6A **84**
Rig La. *Rawm* —1C **68**
Riley Av. *Donc* —5H **45**
Riley Rd. *Wath D* —6F **41**
Rimington Rd. *Womb* —6B **26**
Rimini Ri. *D'fld* —4C **26**
Ringinglow. —3A **108**
Ringinglow Rd. *S11* —3A **108**
Ringstead Av. *S10* —3E **97**
Ringstead Cres. *S10* —3E **97**
Ringstone Gro. *Brie* —2G **11**
Ringway. *Bol D* —1H **41**
Ringwood Av. *Ches* —4G **131**
Ringwood Av. *Stav* —3A **134**
Ringwood Cres. *Soth* —5G **115**

Ringwood Dri. *Soth* —5G **115**
Ringwood Gro. *Soth* —5G **115**
Ringwood Rd. *Brim* —3F **133**
Ringwood Rd. *Soth* —5G **115**
Ringwood Vw. *Brim* —4F **133**
Ripley Gro. *B'ley* —3D **12**
Ripley St. *S6* —4A **86**
Ripon Av. *Donc* —3F **33**
Ripon St. *S9* —6B **88**
(in two parts)
Ripon Way. *Swal* —6A **104**
Rippon Ct. *Rawm* —6F **55**
Rippon Cres. *S6* —3H **85**
Rippon Rd. *S6* —3H **85**
Risedale Rd. *Gold* —5H **29**
Rise, The. *Ans* —2G **119**
Rise, The. *Swint* —3H **55**
Rising St. *S3* —5F **87**
Rivelin Bank. *S6* —4H **85**
Rivelin Ct. *S6* —2B **96**
Rivelin Glen. *S6* —1E **97**
Rivelin Glen Cotts. *S6* —1E **97**
Rivelin Nature Trail. —1F **97**
Rivelin Pk. Rd. *S6* —5G **85**
Rivelin Pk. Cres. *S6* —5G **85**
Rivelin Pk. Dri. *S6* —5F **85**
Rivelin Pk. Rd. *S6* —6G **85**
Rivelin Rd. *S6* —5G **85**
Rivelin St. *S6* —5H **85**
Rivelin Ter. *S6* —5G **85**
Rivelin Valley Rd. *S6* —2A **96**
River Ct. S17 —2G **121**
(off Ladies Spring Gro.)
Riverdale Av. *S10* —5G **97**
Riverdale Dri. *S10* —5G **97**
Riverdale M. *S10* —5F **97**
Riverdale Pk. Cvn. Site. *Stav* —1E **135**
Riverdale Rd. *S10* —4G **97**
Riverdale Rd. *Donc* —1G **31**
Riverhead. *Spro* —2D **44**
Riverside Av. *S10* —5G **97**
Riverside Clo. *D'fld* —4G **27**
Riverside Ct. *S9* —4B **88**
Riverside Ct. *Dinn* —2C **106**
Riverside Ct. *Mexb* —1G **57**
Riverside Cres. *Holy* —6A **136**
Riverside Dri. *Spro* —3E **45**
Riverside Gdns. *Bol D* —2B **42**
Riverside M. S6 —3A **86**
(off Langsett Rd.)
Riverside Pk. *S2* —4F **99**
Riverside Precinct. Roth —3D **78**
(off Corporation St.)
Riverside Way. *Roth* —4C **78**
River Ter. *S6* —3A **86**
River Vw. Rd. *O'bri* —2D **72**
Riviera M. *Donc* —4B **32**
Riviera Pde. *Donc* —4B **32**
Rix Rd. *Kiln* —5B **56**
Roache St. *S11* —6A **98**
Robert Av. *B'ley* —5D **14**
Robert Rd. *S8* —2D **122**
Roberts Av. *Con* —4F **59**
Robertshaw Cres. *Deep* —3F **141**
Robertson Dri. *S6* —5G **85**
Robertson Rd. *S6* —6G **85**
Roberts Rd. *Donc* —2B **46**
Roberts Rd. *Edl'tn* —4C **60**
Roberts St. *Cud* —6B **10**
Roberts St. *Womb* —1E **39**
Robert St. *Roth* —3B **78**
Robey St. *S4* —2H **87**
Robinbrook La. *S12* —6E **113**
Robincroft. *Ches* —6H **137**
Robinets Rd. *Roth* —4A **68**
Robin Hood Av. *Roy* —1F **9**
Robin Hood Chase. *S6* —4C **84**
Robin Hood Cres. *E'thpe* —6E **21**
Robin Hood Rd. *S9* —5C **76**
Robin Hood Rd. *E'thpe* —6E **21**
Robin La. *Beig* —2F **111**
Robin La. *Roy* —1F **9**
Robin Pl. *Ast* —1C **116**
Robins Clo. *Ast* —6C **104**
Robinson Rd. *S2* —3G **99**
Robinson's Sq. *Birdw* —4C **36**
Robinson St. *Roth* —5D **78**
Robinson Way. *Kil* —3A **126**
Rob Royd. *Dod* —3B **22**
Rob Royd. *Wors* —4E **23**

Rob Royd La. *B'ley* —4F **23**
(in two parts)
Roche. W'fld —1E **125**
(off Shortbrook Dri.)
Roche Clo. *B'ley* —4B **14**
Roche End. *Tod* —2A **118**
Rocher Av. *Gren* —2C **74**
Rocher Clo. *Gren* —2C **74**
Rocher Gro. *Gren* —2C **74**
Rochester Clo. *S10* —4A **96**
Rochester Dri. *S10* —4A **96**
Rochester Rd. *S10* —4A **96**
Rochester Rd. *Ans* —4F **119**
Rochester Rd. *B'ley* —3B **14**
Rochester Row. *Donc* —4F **31**
Rockcliffe Dri. *Wadw* —6H **61**
Rockcliffe Houses. Rawm —3F **69**
(off Rockcliffe Rd.)
Rockcliffe Rd. *Rawm* —3F **69**
Rockingham. —4H 67
Rockingham. W'fld —1E **125**
(off Shortbrook Dri.)
Rockingham Bus. Pk. *Birdw* —5D **36**
Rockingham Clo. *S1* —6D **4**
Rockingham Clo. *Birdw* —5D **36**
Rockingham Clo. *Ches* —2E **137**
Rockingham Clo. *Dron W* —2A **128**
Rockingham Ct. *Swint* —2H **55**
Rockingham Ga. *S1* —3E **99** (5D **4**)
Rockingham Ho. Donc —1C **46**
(off Elsworth Clo.)
Rockingham Ho. *Rawm* —1G **69**
Rockingham La. *S1* —2E **99** (4D **4**)
Rockingham Mausoleum, The.
—6A **54**
Rockingham M. *Birdw* —5C **36**
Rockingham Rd. *Dod* —3C **22**
Rockingham Rd. *Donc* —4E **33**
Rockingham Rd. *Rawm* —1G **69**
Rockingham Row. *Birdw* —5D **36**
Rockingham St. *S1* —2D **98** (3C **4**)
Rockingham St. *B'ley* —3G **13**
Rockingham St. *Birdw* —5D **36**
Rockingham St. *Hoy* —5F **37**
Rockingham Way. *S1* —3E **99** (5D **4**)
Rockingham Way. *Roth* —4H **67**
Rockland Dri. Thry —5C **70**
(off Doncaster Rd.)
Rockland Vs. *Thry* —5C **70**
Rocklea Clo. *Swint* —3A **56**
Rockley Av. *Birdw* —3C **36**
Rockley Av. *Womb* —2D **38**
Rockley Clo. *Ches* —6G **137**
Rockley Cres. *Birdw* —4C **36**
Rockley La. *Wors* —6E **23**
Rockley Meadows. *B'ley* —2E **23**
Rockley Nook. *Donc* —2H **53**
Rockley Rd. *S6* —1H **85**
Rockleys. *Dod* —3C **22**
Rockley Vw. *Tank* —5B **18**
Rockliffe Av. *Donc* —5G **45**
Rock Mt. *Hoy* —5B **38**
Rockmount Rd. *S9* —5D **76**
Rock Pl. *Deep* —3F **141**
Rockside Rd. *Thurls* —4A **142**
Rock St. *S3* —6E **87**
Rock St. *B'ley* —5F **13**
Rock Ter. *Con* —4D **58**
Rockwood Clo. *C'town* —2C **64**
Rockwood Clo. *Dart* —4D **6**
Roddis Clo. *Dinn* —4D **106**
Roden Way. *Rawm* —5C **54**
Rodger Rd. *S13* —6D **102**
Rodger St. *Roth* —2B **78**
Rodman Dri. *S13* —5D **102**
Rodman St. *S13* —5D **102**
Rod Moor Rd. *Dron W* —5H **121**
Rodney Hill. *S6* —3D **84**
Rodsley Clo. *Ches* —6D **138**
Rodwell Clo. *Tree* —1E **103**
Roebuck Hill. *Jump* —3B **38**
Roebuck Rd. *S6* —1B **98**
Roebuck St. *Womb* —1G **39**
Roeburn Clo. *M'well* —3E **7**
Roecar Clo. *Old W* —1B **132**
Roe Cft. Clo. *Spro* —1D **44**
Roehampton Ri. *B'ley* —1G **25**
Roehampton Ri. *B'wth* —2A **90**
Roehampton Ri. *Donc* —4F **31**
Roe La. *S3* —3F **87**

Roewood Ct. S3 —3F **87**
(off Orphanage Rd.)
Roger Rd. *B'ley* —5E **15**
Rojean Rd. *Gren* —1B **74**
Rokeby Dri. *S5* —3E **75**
Rokeby Rd. *S5* —3E **75**
Rolleston Av. *Maltby* —5E **83**
Rollestone. —3H 111
Rolleston Rd. *S5* —5G **75**
Rollin Dri. *S6* —2H **85**
Rolling Dales Clo. *Maltby* —3E **83**
Rolls Cres. *Rawm* —5C **54**
Roman Ct. *Roth* —2A **78**
Roman Cres. *B'wth* —1C **90**
Roman Cres. *Rawm* —1E **69**
Romandale Gdns. *S2* —4E **101**
Roman Ridge. *Donc* —2G **31**
Roman Ridge Rd. *S9* —6D **76**
Roman Rd. *Dart* —6B **6**
Roman Rd. *Donc* —1E **47**
Roman St. *Thurn* —1G **29**
Roman Terrace. —6C 42
Romney Clo. *Flan* —3F **81**
Romney Dri. *Dron* —2C **128**
Romney Gdns. *S2* —1F **111**
Romsdal Rd. *S10* —1H **97**
Romwood Av. *Swint* —2G **55**
Ronald Rd. *S9* —1E **101**
Ronald Rd. *Donc* —4A **46**
Ronksley Cres. *S5* —3H **75**
Ronksley Rd. *S5* —3H **75**
Rookdale Clo. *B'ley* —3D **12**
Rookery Bank. *Deep* —4H **141**
Rookery Chase. *Deep* —4H **141**
Rookery Clo. *Deep* —4H **141**
Rookery Clo. *Kiv P* —4G **117**
Rookery Dell. *Deep* —4H **141**
Rookery Ri. *Deep* —5H **141**
Rookery Rd. *Swint* —3H **55**
Rookery, The. *Deep* —4H **141**
Rookery Va. *Deep* —4H **141**
Rookhill. *Wors* —4C **24**
Rosamond Av. *S17* —3G **121**
Rosamond Clo. *S17* —3G **121**
Rosamond Ct. *S17* —3G **121**
Rosamond Dri. *S17* —3G **121**
Rosamond Glade. *S17* —3G **121**
Rosamond Pl. *S17* —3G **121**
Rosa Rd. *S10* —1A **98**
Roscoe Bank. *S6* —1D **96**
Roscoe Ct. *S6* —5F **85**
Roscoe Dri. *S6* —6F **85**
Roscoe Mt. *S6* —6F **85**
Roscoe Rd. *S3* —6D **86**
Roscoe Vw. *S6* —1D **96**
Rose Av. *Beig* —4F **115**
Rose Av. *Cal* —2G **139**
Rose Av. *D'fld* —2D **26**
Rose Av. *Donc* —3B **46**
Roseberry Clo. *Hoy* —1A **52**
Rosebery St. *B'ley* —1D **24**
Rosebery St. *Roth* —3A **78**
Rosebery Ter. *B'ley* —1H **23**
Rose Clo. *B'wth* —4D **90**
Rose Cottage. *Barn D* —1H **21**
Rose Cotts. *Ches* —3C **138**
Rose Ct. *Bal* —3A **46**
Rose Ct. *Wick* —5A **81**
Rose Cres. *Donc* —2G **31**
Rose Cres. *Rawm* —1H **69**
Rosedale Av. *Ches* —5B **138**
Rosedale Av. *Rawm* —1F **69**
Rosedale Clo. *Ast* —5C **104**
Rosedale Gdns. *S11* —5B **98**
Rosedale Gdns. *B'ley* —6E **13**
Rosedale Rd. *S11* —5B **98**
Rosedale Rd. *Ast* —5B **104**
Rosedale Rd. *Ben* —5A **18**
Rosedale Rd. *Donc* —2F **31**
Rosedale Vw. *Walt* —6D **136**
Rosedale Way. *S'side* —3G **81**
Rose Dri. *Wick* —4G **81**
Rose Gth. Av. *Ast* —5B **104**
Rosegarth Clo. *Ches* —4C **138**
Rosegarth Clo. *Donc* —2H **31**
Rose Greave. *Gold* —4F **29**
Rose Gro. *Arm* —3E **35**
Rose Gro. *Womb* —5H **25**
Rose Hill. *Ches* —2H **137**
Rose Hill. *Donc* —2A **48**
Rose Hill. *Mosb* —1B **124**

Rosehill. *Rawm* —6F **55**
Rosehill Av. *Mosb* —1B **124**
Rosehill Av. *Rawm* —6G **55**
Rose Hill Cemetery & Crematorium. *Donc*
—2C **48**
Rose Hill Clo. *Mosb* —1B **124**
Rose Hill Clo. *P'stne* —5D **142**
Rosehill Cotts. *Harl* —4A **52**
Rosehill Ct. *B'ley* —5G **13**
Rose Hill Ct. *Donc* —1A **48**
Rose Hill Dri. *Dod* —2B **22**
Rose Hill Dri. *Mosb* —1B **124**
Rose Hill E. *Ches* —2A **138**
Rose Hill M. *Mosb* —1B **124**
Rose Hill Ri. *Donc* —2A **48**
Rosehill Rd. *Rawm* —1F **69**
Rose Hill W. *Ches* —2H **137**
Rose Ho. *Arm* —3E **35**
Rose La. *Lghtn* —5D **94**
Roselle St. *S6* —3A **86**
Rosemary Ct. S10 —6A **86**
(off Bank Ho. Rd.)
Rosemary Ct. S10 —5A **86**
(off Heavygate Rd.)
Rosemary Rd. *Beig* —3F **115**
Rosemary Rd. *Wick* —4E **81**
Rosene Cotts. *Cut* —4A **130**
Rose Pl. *Womb* —5A **26**
Rose Tree Av. *Cud* —6B **10**
Rose Tree Ct. *Cud* —6B **10**
Rose Way. *Kil* —4B **126**
Rosewell Ct. *Roth* —1H **79**
Rose Wood Clo. *Deep* —3H **131**
Rosewood Dri. *Barn D* —2G **21**
Roslin Rd. *S10* —2A **98**
Rossendale Clo. *Ches* —5G **137**
Rosser Av. *S12* —5B **112**
Rossetti Mt. *Flan* —3F **81**
Rossington. —4E 63
Rossington Ho. Donc —2C **46**
(off Elsworth Clo.)
Rossington Rd. *S11* —5A **98**
Rossington St. *Den M* —1B **58**
Rossiter Rd. *Roth* —4C **68**
Rosslyn Av. *Ast* —5C **104**
Rosslyn Cres. *Ben* —5B **18**
Ross St. *S9* —1F **101**
Rosston Rd. *Maltby* —4H **83**
Rostholme. —5A 18
Rostholme Sq. *Ben* —5B **18**
Roston Clo. *Dron W* —2B **128**
Rothay Clo. *Dron W* —3C **128**
Rothay Rd. *S4* —2B **88**
Rothbury Clo. *Soth* —5G **115**
Rothbury Ct. *Soth* —5G **115**
Rothbury Way. *B'wth* —2C **90**
Rother Av. *Brim* —3D **132**
Rother Clo. *Ches* —5G **137**
Rother Ct. *P'gte* —5E **69**
Rother Cres. *Tree* —1E **103**
Rother Cft. *Hoy* —5A **38**
Rotherham. —3D 78
Rotherham Cemetery & Crematorium. *Roth*
—3B **80**
Rotherham Central Library & Arts Cen.
—2E **79**
Rotherham Clo. *Kil* —1D **126**
Rotherham Gateway. *Cat* —5B **90**
Rotherham Golf Course. —2D 70
Rotherham La. *Lghtn* —6E **95**
Rotherham Rd. *S13* —3B **102**
Rotherham Rd. *B'ley* —1A **14**
Rotherham Rd. *Beig* —3G **115**
Rotherham Rd. *Cat* —5D **90**
Rotherham Rd. *Dinn* —3C **106**
Rotherham Rd. *Eck* —5E **125**
Rotherham Rd. *Half* —2F **125**
Rotherham Rd. *Kil* —2D **126**
Rotherham Rd. *Kil & Blbgh* —5E **127**
Rotherham Rd. *L Hou & Gt Hou* —3A **28**
Rotherham Rd. *Maltby* —4C **82**
Rotherham Rd. *Roth & P'gte* —6E **69**
Rotherham Rd. *Swal* —6A **104**
Rotherham Rd. *Wath D* —5B **40**
Rotherham Rd. N. *Half* —2F **125**
Rotherham St. *S9* —4C **88**
Rotherham United F.C. —3B 78
Rotherhill Clo. *Roth* —2G **79**
Rothermoor Av. *Kiv P* —5G **117**
Rother Rd. *Roth* —6D **78**
Rotherside Rd. *Eck* —5F **125**

Snow Hill. *Dod* —3B **22**
Snow Hill Row. S2 —1G *99 (2H* **5***)*
(off Bernard St.)
Snow La. *S3* —1E **99** (1D **4**)
Snydale Rd. *Cud* —6B **10**
Soaper La. *Dron* —1E **129**
Soap Ho. La. *S13* —6E **103**
(in two parts)
Society St. *Donc* —6D **32**
Sokell Av. *Womb* —1E **39**
Solario Way. *New R* —6C **62**
Solferino St. *S11* —4D **98**
Solly St. *S1* —1D **98** (3B **4**)
Solway Ri. *Dron W* —1B **128**
Somercotes Rd. *S12* —2F **113**
Somersall Clo. *Ches* —4C **136**
Somersall Hall Dri. *Ches* —5C **136**
Somersall La. *Ches* —5C **136**
Somersall Pk. Rd. *Ches* —4C **136**
Somersall Willows. *Ches* —4C **136**
Somersby Av. *Donc* —5H **31**
Somersby Av. *Walt* —6D **136**
Somerset Ct. *Cud* —1H **15**
Somerset Dri. *Brim* —2F **133**
Somerset Rd. *S3* —5F **87**
Somerset Rd. *Donc* —1D **46**
Somerset St. *S3* —5F **87**
Somerset St. *B'ley* —5F **13**
Somerset St. *Cud* —1H **15**
Somerset St. *Maltby* —5H **83**
Somerton Dri. *Donc* —4C **48**
Somerville Ter. *S6* —5B **86**
Sopewell Rd. *Roth* —3F **77**
Sorby Hall. *S10* —4H **97**
Sorby Rd. *Swal* —6H **103**
Sorby St. *S4* —6G **87**
Sorby Way. *Wick* —6E **81**
Soresby St. *Ches* —2A **138**
Sorrel Rd. *S'side* —3G **81**
Sorrelsykes Clo. *Whis* —3H **91**
Sorrento Way. *D'fld* —2D **26**
Sothall. —5G 115
Sothall Clo. *Beig* —4F **115**
Sothall Ct. *Beig* —4F **115**
Sothall Grn. *Beig* —4F **115**
Sothall M. *Beig* —4F **115**
Sough Hall Av. *Thpe H* —2B **66**
Sough Hall Clo. *Thpe H* —2B **66**
Sough Hall Cres. *Thpe H* —2B **66**
Sough Hall Rd. *Thpe H* —3B **66**
Sousa St. *Maltby* —5H **83**
Southall St. *S8* —1E **111**
South Anston. —3F 119
South Av. *Swint* —3H **55**
Southbourne Ct. *S17* —3D **120**
Southbourne Hall. *S10* —3B **98**
Southbourne M. *S10* —4A **98**
Southbourne Rd. *S10* —3A **98**
South Clo. *Roy* —3E **9**
Southcote Dri. *Dron W* —2B **128**
South Ct. *S17* —2E **121**
South Cres. *Dod* —3B **22**
South Cres. *Duck* —6E **135**
South Cres. *Kil* —2C **126**
South Cres. *Roth* —2H **79**
South Cft. *Shaf* —2C **10**
Southcroft Gdns. *S7* —1D **110**
Southcroft Wlk. S7 —1D *110*
(off Southcroft Gdns.)
Southdown Av. *Ches* —1E **137**
South Dri. *Bol D* —2H **41**
South Dri. *Roy* —3E **9**
Southend Pl. *S2* —3A **100**
Southend Rd. *S2* —3A **100**
Southey Av. *S5* —6E **75**
Southey Clo. *S5* —6D **74**
(in two parts)
Southey Cres. *S5* —6D **74**
Southey Cres. *Maltby* —4G **83**
Southey Dri. *S5* —6E **75**
Southey Green. —5C 74
Southey Grn. Clo. *S5* —6D **74**
Southey Grn. Rd. *S5* —5B **74**
Southey Hall Dri. *S5* —6E **75**
Southey Hall Rd. *S5* —6D **74**
Southey Hill. *S5* —5C **74**
Southey Pl. *S5* —6D **74**
Southey Ri. *S5* —6D **74**
Southey Rd. *Maltby* —4G **83**
Southey Wlk. *S5* —6D **74**
Southfield Av. *Has* —6D **138**

Southfield Cotts. *B'ley* —4E **9**
Southfield Cres. *Thurn* —2D **28**
Southfield Dri. *Dron* —3G **129**
Southfield La. *Thurn* —3D **28**
(in two parts)
Southfield Mt. *Dron* —3G **129**
S. Field Rd. *Arm* —3E **35**
Southgate. *B'ley* —4E **13**
Southgate. *Eck* —6E **125**
Southgate. *Hoy* —5A **38**
Southgate. *P'stne* —5E **143**
Southgate Ct. *Eck* —6E **125**
S. Grove Dri. *Hoy* —6H **37**
Southgrove Rd. *S10* —4B **98**
Southlands Way. *Ast* —6C **104**
South La. *S1* —4D **98** (6C **4**)
Southlea Av. *Hoy* —6B **38**
Southlea Clo. *Hoy* —6B **38**
Southlea Dri. *Hoy* —6A **38**
Southlea Rd. *Hoy* —6B **38**
S. Lodge Ct. *Ches* —2D **136**
South Mall. Donc —6C 32
(off French Ga.)
Southmoor Av. *Arm* —3E **35**
Southmoor Clo. *Brim* —1F **139**
Southmoor La. *Arm* —4E **35**
South Pde. *S3* —6E **87** (1D **4**)
South Pde. *Donc* —6D **32**
South Pl. *B'ley* —4D **12**
South Pl. *Ches* —3F **137**
(Barker La.)
South Pl. *Ches* —3A **138**
(Beetwell St.)
South Pl. *Womb* —6H **25**
South Rd. *S6* —5A **86**
South Rd. *Dod* —2B **22**
South Rd. *High G* —6B **50**
South Rd. *Roth* —2D **79**
Southsea Rd. *S13* —1A **114**
South St. *S2* —2G **99** (3H **5**)
South St. *B'ley* —6F **13**
South St. *Ches* —3A **138**
South St. *D'fld* —4E **27**
South St. *Dinn* —4F **107**
South St. *Dod* —3B **22**
South St. *Donc* —6D **46**
South St. *Greasb* —4C **68**
South St. *High* —5D **16**
South St. *Mosb* —3D **124**
South St. *Rawm* —1G **69**
South St. *Roth & K'wth* —4G **77**
(in three parts)
South St. *Thur* —4B **94**
South St. N. *New W* —1D **132**
South Ter. *Kiv P* —4D **116**
South Ter. Roth —3D 78
(off Moorgate St.)
S. Vale Dri. *Thry* —5D **70**
South Vw. *D'fld* —4E **27**
South Vw. *Edl'tn* —4A **60**
South Vw. *Grim* —6F **11**
South Vw. *H'brk* —2G **125**
South Vw. *Kiv P* —5H **117**
S. View Clo. *S6* —2E **85**
S. View Cres. *S7* —6D **98**
S. View Rd. *S6* —2E **85**
S. View Rd. *S7* —5D **98**
S. View Rd. *Hoy* —6H **37**
S. View Ter. *Cat* —6C **90**
Southwell Ri. *Mexb* —5F **43**
Southwell Rd. *S4* —2B **88**
Southwell Rd. *Donc* —3F **33**
Southwell Rd. *Rawm* —1H **69**
Southwell St. *B'ley* —5F **13**
Southwood Av. *Dron* —4E **129**
South Yorkshire Mus. of Life. —5F 31
(Cusworth Hall)
South Yorkshire Railway. —5D 76
S. Yorkshire (Redbrook) Ind. Est. *B'ley*
—2C **12**

Sowters Row. Ches —2A 138
(off High St.)
Spa Brook Clo. *S12* —3H **113**
Spa Brook Dri. *S12* —2H **113**
(in two parts)
Spa Houses. —6G 91
Spa La. *S13* —2D **114**
Spa La. *Ches* —2B **138**
(in two parts)
Spa La. Cft. *S13* —1C **114**
Spalton Rd. *P'gte* —3F **69**

Spansyke St. *Donc* —1B **46**
Sparkfields. *M'well* —5F **7**
Spark La. *Bar G & M'well* —6E **7**
Spartan Vw. *Maltby* —2D **82**
Spa Vw. Av. *S12* —4H **113**
Spa Vw. Dri. *S12* —4H **113**
Spa Vw. Pl. *S12* —4H **113**
Spa Vw. Rd. *S12* —4H **113**
Spa Vw. Ter. *S12* —4H **113**
Spa Vw. Way. *S12* —4H **113**
Spa Well Cres. *Tree* —6E **91**
Spa Well Gro. *Brie* —2G **11**
Spa Well Ter. *B'ley* —5H **13**
Speedwell Ind. Est. *Stav* —2C **134**
Speeton Rd. *S6* —4A **86**
Spencer Av. *Donc* —5E **33**
Spencer Av. *Mas M* —1F **135**
Spencer Ct. *Whis* —2B **92**
Spencer Dri. *Rav* —2H **81**
Spencer Grn. *Whis* —2B **92**
Spencer Rd. *S2* —6E **99**
Spencer St. *B'ley* —1G **23**
Spencer St. *Ches* —1A **138**
Spencer St. *Mexb* —1C **56**
Spenser Rd. *Roth* —4H **79**
Spey Clo. *M'well* —6G **7**
Spilsby Rd. *Donc* —5E **49**
Spink Hall. —4D 140
Spink Hall Clo. *S'bri* —4E **141**
Spink Hall La. *S'bri* —4D **140**
Spinkhill Av. *S13* —5E **101**
Spinkhill Dri. *S13* —5F **101**
Spinkhill Rd. *S13* —6E **101**
Spinkhill Rd. *Kil* —6B **126**
Spinners Wlk. Roth —4E 79
(off Warwick St.)
Spinney Clo. *Roth* —6G **79**
Spinneyfield. *Roth* —1G **91**
Spinney Hill. *Spro* —3D **44**
Spinney, The. *Barn D* —1E **21**
Spinney, The. *Brim* —3D **132**
Spinney, The. *Donc* —6H **45**
Spire Lodge. *Ches* —6A **132**
Spital. —3C 138
Spital Brook Clo. *Ches* —4C **138**
Spitalfields. *S3* —6F **87**
Spital Gdns. *Ches* —4C **138**
Spital Gro. *Ross* —6E **63**
Spital Hill. *S4* —6G **87**
Spital La. *S3* —6G **87**
Spital La. *Ches* —3B **138**
Spital St. *S3 & S4* —6F **87**
Spofforth Rd. *S9* —6C **88**
Spooner Dri. *Kil* —3A **126**
Spooner Rd. *S10* —3A **98**
Spoon Glade. *S6* —5C **84**
Spoonhill Rd. *S6* —5F **85**
Spoon La. *S6* —5A **84**
Spoon M. *S6* —5C **84**
Spoon Oak Lea. *S6* —5C **84**
Spoon Way. *S6* —5C **84**
Spotswood Clo. *S14* —3A **112**
Spotswood Dri. *S14* —2A **112**
Spotswood Mt. *S14* —3H **111**
Spotswood Pl. *S14* —3H **111**
Spotswood Rd. *S14* —3H **111**
Spout Copse. *S6* —5B **84**
Spout La. *S6* —4B **84**
Spout Spinney. *S6* —5B **84**
Spreadeagle Yd. Ches —3A 138
(off Beetwell St.)
Springbank. *D'fld* —4F **27**
Springbank. *Uns* —3H **129**
Springbank Clo. *B'ley* —5E **9**
Spring Bank Rd. *Ches* —2H **137**
Spring Bank Rd. *Con* —5D **58**
Spring Clo. *Whis* —3A **92**
Spring Clo. Dell. *S14* —3B **112**
Spring Clo. Dri. *S14* —3B **112**
Spring Clo. Mt. *S14* —3B **112**
Spring Clo. Vw. *S14* —3A **112**
Spring Cres. *Spro* —2D **44**
Spring Cft. *Roth* —6H **67**
Springcroft Dri. *Donc* —1G **31**
Spring Dri. *Bram* —3A **40**
Springfield. *Bol D* —1G **41**
Springfield Av. *S7* —2A **110**
Springfield Av. *Ches* —2F **137**
Springfield Clo. *S7* —3A **110**
Springfield Clo. *Arm* —4G **35**
Springfield Clo. *D'fld* —4F **27**

Springfield Clo. *Eck* —6C **124**
Springfield Clo. *Roth* —6D **68**
Springfield Ct. *Donc* —4G **31**
Springfield Cres. *D'fld* —4F **27**
Springfield Cres. *Hoy* —6G **37**
Springfield Dri. *Thry* —5E **71**
Springfield Glen. *S7* —3H **109**
Springfield Path. *Mexb* —1E **57**
Springfield Pl. *B'ley* —6F **13**
Springfield Rd. *S7* —3H **109**
Springfield Rd. *Edl'tn* —3C **60**
Springfield Rd. *Grim* —6F **11**
Springfield Rd. *Hoy* —6F **37**
Springfield Rd. *Kiln* —6C **56**
Springfield Rd. *Wick* —4E **81**
Springfields. *B'ley* —3C **12**
Springfield St. *B'ley* —6E **13**
Springfield Ter. *Ans* —4D **106**
Springfield Ter. *B'ley* —6F **13**
Springfield Way. *Burn* —2B **64**
Spring Gdns. *B'ley* —3C **14**
Spring Gdns. *Cant* —2G **49**
Spring Gdns. *Donc* —6C **32**
Spring Gdns. *Hoy* —3A **38**
Spring Gro. *B'ley* —4F **9**
Spring Hill. *S10* —1A **98**
Springhill Av. *Bram* —3A **40**
Spring Hill Clo. *Spro* —2D **44**
Spring Hill Rd. *S10* —1A **98**
Spring Ho. Clo. *Ash* —6B **130**
Spring Ho. Rd. *S10* —1A **98**
Spring La. *S2* —5A **100**
Spring La. *B'ley* —5F **9**
Spring La. *New C* —1G **7**
Spring La. *Spro* —5D **30**
Spring Pl. *Ches* —2A **138**
Spring Ram Bus. Pk. *Dart* —3A **6**
Springs Leisure Cen., The. —1B **112**
Spring St. *S3* —1E **99** (1E 5)
Spring St. *B'ley* —1G **23**
Spring St. *Roth* —2E **79**
Spring Vale. —4E **143**
Spring Va. Av. *Wors* —5H **23**
Springvale Clo. *Maltby* —3F **83**
Springvale Clo. *Wick* —1G **93**
Springvale Gro. *P'stne* —4E **143**
Springvale Rd. *S6 & S10* —1H **97**
Spring Va. Rd. *Brim* —3D **132**
Springvale Wlk. *S6* —6B **86**
Spring Vw. Rd. *S10* —1A **98**
Spring Wlk. Roth —2E 79
(off Wharncliffe Hill)
Spring Wlk. *Womb* —5H **25**
Spring Water Av. *S12* —4A **114**
Spring Water Clo. *S12* —4H **113**
Spring Water Dri. *S12* —4A **114**
Spring Well. *Beig* —3E **115**
Springwell Av. *Beig* —3E **115**
Springwell Clo. *Maltby* —3H **83**
Springwell Cres. *Beig* —3E **115**
Springwell Dri. *Beig* —3E **115**
Springwell Gdns. *Bal* —5H **45**
Springwell Gro. *Beig* —3E **115**
Springwell La. *Donc* —5H **45**
(in two parts)
Springwell Pk. Dri. *Ink* —4A **134**
Springwood. *S5* —1C **86**
Springwood Av. *Aug* —4A **104**
Springwood Clo. *Bran* —4G **49**
Spring Wood Clo. *Ches* —3E **131**
Springwood Gro. *Thurn* —2E **29**
Springwood Ho. Donc —1C 46
(off Elsworth Clo.)
Springwood La. *High G* —6A **50**
Springwood Rd. *S8* —1E **111**
Springwood Rd. *Donc* —1G **31**
Springwood Rd. *Hoy* —6G **37**
Springwood Vw. *P'stne* —4F **143**
Sprotborough Flash Nature Reserve. —5C **44**
Sprotbrough. —2D **44**
Sprotbrough La. *Marr* —3A **30**
Sprotbrough Park. —2E **45**
Sprotbrough Rd. *Donc* —6H **31**
Spruce Av. *Roy* —2D **8**
Spruce Av. *Wick* —4G **81**
Spruce Ri. *Kil* —4A **126**
Spurley Hey Gro. *S'bri* —4E **141**
Spurr La. *S2* —1G **111**
Spurr St. *S2* —5F **99**
Square E., The. *S'side* —2G **81**
Square, The. *B'ley* —1F **23**

Square, The. *Cut* —4B **130**
Square, The. *Harl* —4H **51**
Square, The. *Wal* —5F **117**
Square W., The. *S'side* —2F **81**
Squirrel Cft. *Roth* —3H **67**
Stables, The. *Swint* —2H **55**
Stacey Bank. *S6* —1A **84**
Stacey Cres. *Grim* —6F **11**
Stacey Dri. *Thry* —4D **70**
Stackyard, The. *B'ley* —1H **25**
Stacye Av. *Woodh* —1D **114**
Stacye Ri. *Woodh* —1D **114**
Stadium Ct. *P'gte* —5E **69**
Stadium Way. *S9* —6B **88**
Stadium Way. *P'gte* —6F **69**
Stafford Clo. *Dron W* —1A **128**
Stafford Cres. *Roth* —2F **91**
Stafford Dri. *Roth* —2F **91**
Stafford La. *S2* —3H **99**
Stafford M. S2 —3H 99
(off Stafford La.)
Stafford Pl. *Den M* —2B **58**
Stafford Rd. *S2* —3H **99**
Stafford Rd. *W'land* —3E **17**
Staffordshire Clo. *Maltby* —4H **83**
Stafford St. *S2* —3G **99** (4H 5)
Stafford Way. *Burn* —2D **64**
Stag Clo. *Roth* —6A **80**
Stag Cres. *Roth* —6A **80**
Stag La. *Roth* —6H **79**
Stainborough. —5B **22**
Stainborough Clo. *Dod* —3B **22**
Stainborough La. *Hood G* —6A **22**
Stainborough Rd. *Dod* —3B **22**
Stainborough Vw. *Tank* —5B **36**
Stainborough Vw. *Wors* —4H **23**
Staincross. —3E **7**
Staincross Comn. *M'well* —3F **7**
Staindrop Clo. *C'town* —1D **64**
Staindrop Vw. *C'town* —1E **65**
Stainforth Rd. *Barn D* —2H **21**
Stainley Clo. *B'ley* —3D **12**
Stainmore Av. *Soth* —5G **115**
Stainton Clo. *B'ley* —1G **13**
Stainton La. *S'ton* —2H **83**
Stainton St. *Den M* —2B **58**
Stairfoot. —1E **25**
Stairfoot Ind. Est. *B'ley* —2E **25**
Stair Rd. *S4* —3G **87**
Staithes Wlk. *Den M* —1C **58**
Stalker Lees Rd. *S11* —5B **98**
Stalker Wlk. *S11* —4C **98**
Stamford St. *S9* —4B **88**
Stamford Way. *M'well* —3F **7**
Stanage Ri. *S12* —2G **113**
Stanage Way. *Ches* —6B **130**
Stanbury Clo. *B'ley* —3D **12**
Standhill Cres. *B'ley* —6A **8**
Standish Av. *S5* —3E **87**
Standish Bank. *S5* —3E **87**
Standish Clo. *S5* —2E **87**
Standish Dri. *S5* —2E **87**
Standish Gdns. *S5* —3E **87**
Standish Rd. *S5* —2E **87**
Standish Way. *S5* —3E **87**
Standon Cres. *S9* —4C **76**
Standon Dri. *S9* —4C **76**
Standon Rd. *S9* —4C **76**
Stand Pk. Ind. Est. *Ches* —4A **132**
Stand Rd. *Ches* —1B **136**
Staneford Ct. *Wat* —6D **114**
Stanford Clo. *Maltby* —5H **83**
Stanford Rd. *Dron W* —2A **128**
Stanford Way. *Walt* —5D **136**
Stanhope Gdns. *B'ley* —4E **13**
Stanhope Rd. *S12* —2E **113**
Stanhope Rd. *Donc* —4E **33**
Stanhope St. *B'ley* —6F **13**
Staniforth Av. *Eck* —6B **124**
Staniforth Cres. *Tod* —2A **118**
Staniforth Rd. *S9* —6B **88**
Stanley Av. *Ink* —5H **133**
Stanley Ct. Maltby —4D 82
(off Stanley Ter.)
Stanley Gdns. *Donc* —2B **46**
Stanley Gro. *Ast* —5C **104**
(in two parts)
Stanley La. *S3* —6F **87** (1G 5)
Stanley Rd. *S8* —2F **111**
Stanley Rd. *B'ley* —1E **25**

Stanley Rd. *C'town* —1B **64**
Stanley Rd. *Donc* —2F **31**
Stanley Rd. *S'bri* —4E **141**
Stanley Sq. *Kirk S* —3D **20**
Stanley St. *S3* —6F **87** (1F 5)
Stanley St. *B'ley* —6F **13**
Stanley St. *Ches* —3C **138**
Stanley St. *Kil* —2B **126**
Stanley St. *Roth* —3D **78**
Stanley Ter. *Maltby* —4D **82**
Stannington. —5C **84**
Stannington Glen. *S6* —5E **85**
Stannington Ri. *S6* —4G **85**
Stannington Rd. *S6 & Stann* —5B **84**
Stannington Vw. Rd. *S10* —1G **97**
Stanton Cres. *S12* —3F **113**
Stanwell Av. *S9* —5C **76**
Stanwell Clo. *S9* —5C **76**
Stanwell St. *S9* —5C **76**
Stanwell Wlk. *S9* —5C **76**
Stanwood Av. *S6* —5F **85**
Stanwood Cres. *S6* —5F **85**
Stanwood Dri. *Walt* —5D **136**
Stanwood M. *S6* —5F **85**
Stanwood Rd. *S6* —5F **85**
Staple Grn. *Thry* —5E **71**
Stapleton Rd. *Warm* —6F **45**
(in two parts)
Star La. *B'ley* —6G **13**
Star La. *Con* —3E **59**
Starling Mead. *S2* —3H **99**
Starnhill Clo. *E'fld* —6G **65**
Station App. Donc —6C 32
(off Factory La.)
Sta. Back La. *Ches* —2B **138**
Station Cotts. *Dart* —4C **6**
Station Ct. *Donc* —6C **32**
Station La. *S9* —1C **88**
Station La. *Old W & New W* —1B **132**
Station La. *O'bri* —2D **72**
Station La. Ind. Est. *Old W* —1B **132**
Station Rd. *S9* —1E **101**
Station Rd. *Ark* —6D **18**
Station Rd. *Barn D* —1D **20**
Station Rd. *B'ley* —5F **13**
Station Rd. *Bol D* —1A **42**
Station Rd. *Brim* —3C **132**
Station Rd. *Cat* —5C **90**
Station Rd. *C'town* —2F **65**
Station Rd. *Ches* —2B **138**
Station Rd. *Con* —2E **59**
Station Rd. *Dart* —4C **6**
Station Rd. *Deep* —3H **141**
Station Rd. *Dinn* —2C **106**
Station Rd. *Dod* —2A **22**
Station Rd. *E'fld* —6G **65**
Station Rd. *Eck* —6E **125**
Station Rd. *Holl* —2F **133**
Station Rd. *Kil* —3H **125**
Station Rd. *Kiv P* —5H **117**
Station Rd. *Lund* —2F **15**
Station Rd. *Mexb* —1E **57**
(in two parts)
Station Rd. *Mosb & Half* —2D **124**
Station Rd. *Ross* —4E **63**
Station Rd. *Roth* —3B **78**
Station Rd. *Roy* —1D **8**
Station Rd. *Spin* —6B **126**
Station Rd. *Thurn* —1F **29**
Station Rd. *Tree* —1E **103**
Station Rd. *Wath D* —4F **41**
Station Rd. *Whit M* —2A **132**
Station Rd. *Womb* —6C **26**
(in two parts)
Station Rd. *Woodh* —1C **114**
Station Rd. *Wors* —5C **24**
Station Rd. Ind. Est. *Womb* —5C **26**
Station St. *Swint* —2B **56**
Station Ter. *Brim* —3C **132**
Station Ter. *Roy* —1G **9**
Station Way. *Dinn* —2C **106**
Staton Av. *Beig* —3G **115**
Statutes, The. *Roth* —3D **78**
Staunton Rd. *Donc* —4E **49**
Staveley. —1C **134**
Staveley La. *Eck & Stav* —6E **125**
Staveley Rd. *S8* —6E **99**
Staveley Rd. *Ark T* —6C **134**
Staveley Rd. *New W* —1E **133**
Staveley Rd. *Pool* —3D **134**

Staveley St. *Edl'tn* —2B **60**
Steade Rd. *S7* —6D **98**
Steadfield Rd. *Hoy* —1F **51**
Steadfolds Clo. *Thur* —5C **94**
Steadfolds Gdns. *Thur* —5C **94**
Steadfolds La. *Thur* —4B **94**
Steadfolds Ri. *Thur* —5C **94**
Steadlands, The. *Rawm* —6D **54**
Stead La. *Hoy* —6F **37**
Stead St. *Eck* —6D **124**
Steel Bank. —6A 86
Steel City Plaza. *S1* —3D **4**
Steele Av. *Ink* —5H **133**
Steele St. *Hoy* —6C **37**
Steel Hill. *Gren* —2A **74**
Steelhouse La. *S3* —1E **99** (1E **5**)
Steel Rd. *S11* —5A **98**
Steel St. *Roth* —4A **78**
Steeping Clo. *Brim* —3E **133**
Steep La. *H'swne* —3F **143**
Steeplegate. *Ches* —2A **138**
Steeton Ct. *B'ley* —5C **38**
Stemp St. *S11* —5D **98**
Stenson Ct. *Donc* —3A **46**
Stenton Rd. *S8* —2D **122**
Stephen Dri. *S10* —2F **97**
Stephen Dri. *Gren* —1H **73**
Stephen Hill. —2F 97
Stephen Hill. *S10* —2F **97**
Stephen Hill Rd. *S10* —2F **97**
Stephen La. *Gren* —1H **73**
Stephenson Hall. *S10* —4A **98**
Stephenson Pl. *Ches* —2A **138**
Stephenson Pl. *Swint* —1B **56**
Stephenson Rd. *Stav* —2C **134**
Stepney Row. *S2* —2H **5**
Stepney St. *S2* —1G **99** (2H **5**)
Stepping La. *Gren* —6A **64**
Sterland St. *Ches* —2G **137**
Sterndale Rd. *S7* —4A **110**
Steven Clo. *C'town* —3D **64**
Steven Cres. *C'town* —2D **64**
Steven Pl. *C'town* —3D **64**
Stevenson Dri. *Hghm* —3A **12**
Stevenson Dri. *Roth* —4H **79**
Stevenson Rd. *S9* —5A **88**
Stevenson Rd. *Donc* —5B **46**
Stevenson Way. *S9* —5B **88**
Stevens Rd. *Donc* —2B **46**
Steventon Rd. *Thry* —5E **71**
Stewart Rd. *S11* —5B **98**
Stewarts Rd. *Rawm* —1H **69**
Stewart St. *Donc* —1C **46**
Sticking Hill. —4D 42
Sticking La. *Adw D* —4B **42**
Stillman Clo. *Has* —5C **138**
Stirling Clo. *Else* —5C **38**
Stirling Ct. *Ches* —1A **138**
Stirling St. *Donc* —1C **46**
Stirling Way. *S2* —5C **100**
Stockarth Clo. *O'bri* —5F **73**
Stockarth La. *O'bri* —4E **73**
Stockbridge. —5C 18
Stockbridge Av. *Donc* —2A **32**
Stockbridge Cvn. Site. *Ben* —6C **18**
Stockbridge La. *Ben* —6C **18**
Stockil Rd. *Donc* —1E **47**
Stock Rd. *S2* —4A **100**
Stocksbridge. —3E 141
Stocksbridge & District Golf Course.
  —5F **141**
Stocks Grn. Ct. *S17* —5D **120**
Stocks Grn. Dri. *S17* —5D **120**
Stocks Hill. *E'fld* —6E **65**
Stocks Hill Clo. *B'ley* —4E **9**
Stock's La. *B'ley* —5E **13**
Stock's La. *Rawm* —2F **69**
Stockton Clo. *S3* —6F **87**
Stockwell Av. *Kiv P* —6G **117**
Stockwell La. *Wal* —6H **81**
Stoddart Way. *P'gte* —5F **69**
Stoke St. *S9* —6A **88**
Stoket La. *Ulley* —6D **92**
Stokewell Rd. *Wath D* —4C **40**
Stoneacre Av. *S12* —4B **114**
Stoneacre Clo. *S12* —4B **114**
Stoneacre Dri. *S12* —5B **114**
Stoneacre Ri. *S12* —4B **114**
Stonecliffe Clo. *S2* —4C **100**
Stonecliffe Dri. *S'bri* —5D **140**

Stonecliffe Pl. *S2* —4C **100**
Stonecliffe Rd. *S2* —4C **100**
Stonecliffe Wlk. *S2* —4D **100**
Stonecliff Wlk. *Den M* —1C **58**
Stone Clo. *Coal A* —6G **123**
Stone Clo. *Kiv P* —5A **118**
Stone Clo. *Rav* —2H **81**
Stone Clo. *Donc* —1B **46**
Stone Cotts. *Toll B* —2H **17**
Stone Cres. *Wick* —4F **81**
Stonecroft Rd. *S17* —4F **121**
Stone Cross Dri. *Spro* —1D **44**
Stonecross Gdns. *Donc* —3E **49**
Stone Delf. *S10* —4C **96**
Stone Font Gro. *Donc* —4D **48**
Stonegarth Clo. *Cud* —1H **15**
Stonegravels. —5A 132
Stonegravels Cft. *Half* —3E **125**
Stonegravels La. *Ches* —6A **132**
Stonegravels Way. *Half* —3F **125**
Stone Gro. *S10* —2B **98**
Stonehill Clo. *Hoy* —4G **37**
Stone Hill Dri. *Swal* —6B **104**
Stonehill Ri. *Cud* —1H **15**
Stonehill Ri. *Donc* —1G **31**
Stonehill Ri. *P'stne* —6C **142**
Stone La. *S13* —2A **114**
Stone Leigh. *Tank* —6B **36**
Stoneleigh Clo. *Dinn* —6H **107**
Stoneleigh Cft. *B'ley* —2H **23**
Stoneley Clo. *S12* —6D **112**
Stoneley Cres. *S12* —6D **112**
Stoneley Dell. *S12* —6D **112**
Stoneley Dri. *S12* —6D **112**
Stonelow Ct. *Dron* —1F **129**
  (off Stonelow Rd.)
Stonelow Cres. *Dron* —1G **129**
Stonelow Grn. *Dron* —1F **129**
Stonelow Rd. *Dron* —1F **129**
Stonely Brook. *Rav* —3H **81**
Stone Moor Rd. *S'bri & Bols* —4C **140**
Stone Pk. Clo. *Maltby* —4H **83**
Stone Riding. *Edl'tn* —6D **60**
Stone Ridings. *Edl'tn* —4A **60**
Stone Rd. *Coal A* —5E **123**
Stone Row. *Ches* —3G **137**
Stone Row Ct. *Tank* —1B **50**
Stonerow Way. *P'gte* —6E **69**
Stonesdale Clo. *Mosb* —2D **124**
Stones Inge. *High G* —6B **50**
Stone St. *B'ley* —3G **13**
Stone St. *Mosb* —2D **124**
Stonewood Ct. *S10* —3D **96**
Stonewood Gro. *S10* —3D **96**
Stonewood Gro. *Hoy* —1A **52**
Stoney Bank Dri. *Kiv P* —5A **118**
Stoney Ga. *High G* —5B **50**
Stoney Rd. *B'ley* —4B **8**
Stoney Wlk. *S6* —4D **86**
Stonyford Rd. *Womb* —5D **26**
Stony La. *O'bri* —2B **72**
Stoops Clo. *S5* —5F **131**
Stoops La. *Donc* —4H **47**
  (in two parts)
Stoops Rd. *Donc* —4B **48**
Stopes Rd. *S6* —5A **84**
Stoppard Row. *Ches* —3E **137**
Store St. *S2* —4F **99**
Storey's Ga. *Womb* —6H **25**
Storey St. *Swint* —2A **56**
Storforth La. *Ches & Has* —6A **138**
Storforth La. Ter. *Has* —5C **138**
Storforth La. Trad. Est. *Has* —5B **138**
Storrs. —4A 84
Storrs Bri. La. *S6* —2A **84**
Storrs Grn. *S6* —3A **84**
Storrs Hall Rd. *S6* —5H **85**
Storrs La. *S6* —4A **84**
Storrs La. *Wort* —3A **50**
Storrs Rd. *Ches* —3D **136**
Storth Av. *S10* —4E **97**
Storth La. *S10* —4E **97**
Storth La. *Kiv P* —4F **117**
Stortholme M. *S10* —4E **97**
Storth Pk. *S10* —4E **97**
Storthwood Ct. *S10* —4E **97**
Stotfold Dri. *Thurn* —1E **29**
Stothard Ct. *S10* —1H **97**
Stothard Rd. *S10* —1H **97**
Stottercliffe Rd. *Thurls & P'stne* —4B **142**
  (in three parts)

Stour Clo. *Brim* —3E **133**
Stour La. *S6* —1F **85**
Stovin Dri. *S9* —5D **88**
Stovin Gdns. *S9* —5D **88**
  (in two parts)
Stovin Way. *S9* —4D **88**
Stow Bri. La. *Whis* —5C **92**
Stowe Av. *S7* —3A **110**
Stradbroke Av. *S13* —6F **101**
Stradbroke Clo. *S13* —6G **101**
Stradbroke Cres. *S13* —6G **101**
Stradbroke Dri. *S13* —6G **101**
Stradbroke Pl. *S13* —6G **101**
Stradbroke Ri. *Ches* —5E **137**
Stradbroke Rd. *S13* —6F **101**
Stradbroke Wlk. *S13* —6F **101**
Stradbroke Way. *S13* —6G **101**
Strafford Av. *Else* —5C **38**
Strafford Av. *Wors* —3H **23**
Strafford Gro. *Birdw* —5D **36**
Strafford Ind. Est. *Dod* —4C **22**
Strafford Pl. *Thpe H* —2A **66**
Strafford Rd. *Donc* —4E **33**
Strafford Rd. *Roth* —5G **67**
Strafford St. *Dart* —5A **6**
Strafford Wlk. *Dod* —3B **22**
Straffortn Ho. Den M —2A 58
  (off Ravenscar Clo.)
Straight La. *Gold* —4G **29**
Straight Riding. *Edl'tn* —5C **60**
Strait La. *Wath D* —5E **41**
Stratford Rd. *S10* —4D **96**
Stratford Way. *Braml* —2E **81**
Strathmore Gro. *Wath D* —5F **41**
Strathmore Rd. *Donc* —6G **33**
Strathtay Rd. *S11* —6H **97**
Strauss Cres. *Maltby* —5H **83**
Strawberry Av. *S5* —3F **75**
Strawberry Gdns. *Roy* —1E **9**
Strawberry Lee La. *S17* —4B **120**
Straw La. *S6* —6C **86**
Streatfield Cres. *New R* —5C **62**
Street. —3G 53
Streetfield Cres. *Mosb* —3D **124**
Streetfield La. *Half* —3E **125**
Streetfields. *Half* —3E **125**
Street La. *W'wth* —3F **53**
Strelley Av. *S8* —6C **110**
Strelley Rd. *S8* —6C **110**
Strelley Rd. *B'ley* —5A **8**
Stretton Clo. *Donc* —3E **49**
Stretton Rd. *S11* —6A **98**
Stretton Rd. *B'ley* —2A **14**
Stride, The. *Ches* —6H **137**
Stringers Cft. *Whis* —2B **92**
Stripe Rd. *Ross & New R* —4E **63**
Struan Rd. *S7* —2A **110**
Strutt Rd. *S3* —4E **87**
Stuart Clo. *Ches* —5C **132**
Stuart Gro. *C'town* —3F **65**
Stuart Rd. *C'town* —3F **65**
Stuart St. *Thurn* —1G **29**
Stubbin. —3G 141
Stubbin Clo. *Rawm* —6D **54**
Stubbing. —6C 72
Stubbing Ho. La. *S6* —2G **73**
Stubbing La. *Worr* —6C **72**
Stubbing Rd. *Ches* —6H **137**
Stubbin La. *S5* —5G **75**
Stubbin La. *Rawm* —5C **54**
  (in two parts)
Stubbin Rd. *Rawm* —6B **54**
Stubbins Hill. *Edl'tn* —3B **60**
Stubbins Riding. *Edl'tn* —4C **60**
Stubbs Cres. *Roth* —6H **67**
Stubbs Rd. *Womb* —1E **39**
Stubbs Wlk. *Roth* —6H **67**
Stubley Clo. *Dron W* —6C **122**
Stubley Cft. *Dron W* —1B **128**
Stubley Dri. *Dron W* —1C **128**
Stubley Hollow. *Dron* —6C **122**
Stubley La. *Dron* —1B **128**
Stubley Pl. *Dron* —1C **128**
Studfield Cres. *S6* —3F **85**
Studfield Dri. *S6* —2F **85**
Studfield Gro. *S6* —3F **85**
Studfield Hill. —3F 85
Studfield Ri. *S6* —3E **85**
Studfield Ri. *S6* —2F **85**
Studfield Rd. *S6* —2F **85**
Studley Ct. *S9* —1E **101**

Studmoor Rd. *Roth* —5F **67**
Studmoor Wlk. *Roth* —5F **67**
Stump Cross. —3F 53
Stump Cross Gdns. *Bol D* —1H **41**
Stump Cross Rd. *Wath D* —6E **41**
Stumperlowe. —5D 96
Stumperlowe. *S10* —6D **130**
Stumperlowe Av. *S10* —5E **97**
Stumperlowe Clo. *S10* —5E **97**
Stumperlowe Cres. Rd. *S10* —5D **96**
Stumperlowe Cft. *S10* —4D **96**
Stumperlowe Hall Chase. *S10* —4D **96**
Stumperlowe Hall Rd. *S10* —5D **96**
Stumperlowe La. *S10* —5D **96**
Stumperlowe Mans. *S10* —5D **96**
Stumperlowe Pk. Rd. *S10* —5D **96**
Stumperlowe Vw. *S10* —4D **96**
Stupton Rd. *S9* —1C **88**
Sturge Cft. *S2* —1F **111**
Sturton Clo. *Donc* —5A **48**
Sturton Cft. *Dalt* —5C **70**
Sturton Rd. *S4* —3G **87**
Sub-Station La. Ches —3A 132
  (off Queen St. N.)
Sudbury Clo. *Ches* —6D **130**
Sudbury Dri. *Ast* —6C **104**
Sudbury St. *S3* —6D **86** (1B **4**)
Sudhall Clo. *Ches* —3F **131**
Sudhall Ct. *Ches* —3F **131**
Suffolk Clo. *Ans* —1G **119**
Suffolk La. *S2* —3F **99** (6G **5**)
Suffolk Rd. *S2* —3F **99** (5F **5**)
Suffolk Rd. *Donc* —5B **46**
Suffolk Vw. *Den M* —3B **58**
Sulby Gro. *B'ley* —3D **24**
Summerdale Rd. *Cud* —1G **15
Summerfield. —3A 98
Summerfield. *S10* —3A **98**
Summerfield. *Roth* —3E **79**
Summerfield Cres. *Brim* —3D **132**
Summerfield Rd. *Ches* —4H **137**
Summerfield Rd. *Dron* —6F **123**
Summerfield St. *S11* —4C **98**
Summer La. *S17* —5D **120**
Summer La. *B'ley* —5E **13**
Summer La. *Roy* —1D **8**
Summer La. *Womb* —6H **25**
Summerley Wlk. *Ches* —6F **131**
Summer Rd. *Roy* —1D **8**
Summerskill Grn. *Ink* —4A **134**
Summer St. *S3* —1C **98** (2A **4**)
Summer St. *B'ley* —5F **13**
  (in two parts)
Summerwood La. *Dron* —6D **122**
Summerwood Pl. *Dron* —1D **128**
Sumner Rd. *Roth* —1F **79**
Sunbury Ct. *S10* —3A **98**
Sunderland St. *S11* —4C **98**
Sunderland Ter. *B'ley* —1A **24**
Sundew Cft. *High G* —5B **50**
Sundew Gdns. *High G* —5B **50**
Sundown Pl. *S13* —5H **101**
Sundown Rd. *S13* —5H **101**
Sunlea Flats. Roth —2F 79
  (off St Leonard's Rd.)
Sunningdale Av. *Dart* —4E **7**
Sunningdale Clo. *Ches* —5G **137**
Sunningdale Clo. *Donc* —5F **49**
Sunningdale Clo. *Swint* —4B **56**
Sunningdale Dri. *Cud* —5C **10**
Sunningdale Mt. *S11* —2H **109**
Sunningdale Ri. *Ches* —5E **137**
Sunningdale Rd. *Dinn* —5F **107**
Sunningdale Rd. *Donc* —4G **33**
Sunny Bank. *S10* —4C **98** (6A **4**)
Sunny Bank. *E'thpe* —6E **21**
Sunny Bank. *High G* —6B **50**
Sunny Bank. *Jump* —4B **38**
Sunnybank Cres. *B'wth* —3C **90**
Sunny Bank Dri. *Cud* —2H **15**
Sunny Bank Ri. *Else* —5C **38**
Sunny Bank Rd. *Bols* —6E **141**
Sunny Bar. *Donc* —6D **32**
Sunnybrook Clo. *Hoy* —1A **52**
Sunnyfields. —2F 31
Sunnyside. —5C 20
  (Kirk Sandall)
Sunnyside. —3G 81
  (Rotherham)
Sunnyside. *E'thpe* —4C **20**
Sunnyside Clo. *Ans* —1G **119**
Sunny Springs. *Ches* —1A **138**

Sunnyvale Av. *S17* —5D **120**
Sunnyvale Rd. *S17* —5D **120**
Sunny Vw. Cvn. Pk. *A'ley* —1F **61**
Sunrise Mnr. *Hoy* —4A **38**
Surbiton St. *S9* —3D **88**
Surrey Clo. *B'ley* —2H **23**
Surrey La. *S1* —3F **99** (4F **5**)
  (in two parts)
Surrey Pl. *S1* —2F **99** (4F **5**)
Surrey St. *S1* —2E **99** (4E **5**)
Surrey St. *Donc* —4B **46**
Surtees Clo. *Maltby* —2E **83**
Sussex Gdns. *Den M* —2B **58**
Sussex Rd. *S4* —6G **87**
Sussex Rd. *C'town* —2E **65**
Sussex St. *S4* —6G **87** (1H **5**)
Sussex St. *Donc* —4B **46**
Suthard Cross Rd. *S10* —1H **97**
Sutherland Ho. *Donc* —3G **33**
Sutherland Rd. *S4* —5H **87**
Sutherland St. *S4* —5H **87**
Sutton Av. *B'ley* —1A **24**
Sutton Cres. *Ink* —4A **134**
Sutton Rd. *Kirk S* —2E **21**
Sutton St. *S3* —2C **98** (3A **4**)
Sutton St. *Donc* —2A **46**
Swaddale Av. *Ches* —5B **132**
Swaddale Clo. *Ches* —5B **132**
Swaith Av. *Donc* —2H **31**
Swaithe. —4E 25
Swaithedale. *Wors* —4C **24**
Swaithe Vw. *Wors* —4D **24**
Swalebank Clo. *Ches* —5B **138**
Swale Clo. *Bol D* —1B **42**
Swale Ct. *Roth* —1F **91**
Swaledale Dri. *Womb* —6C **26**
Swaledale Rd. *S7* —2B **110**
Swale Dri. *C'town* —2C **64**
Swale Gdns. *S9* —1E **101**
Swale Rd. *Roth* —4A **68**
Swallow Clo. *Birdw* —3D **36**
Swallow Clo. *Dart* —5B **6**
Swallow Ct. *Ross* —4E **63**
Swallow Hill. —6E 7
Swallow Hill Rd. *Bar G* —6E **7**
Swallow La. *Ast* —1C **116**
Swallownest. —6A 104
Swallownest Ct. *Swal* —5A **104**
Swallowood Ct. *Bram* —5H **39**
Swallow's La. *Mosb* —1C **124**
Swallow Wood Clo. *Tree* —1E **103**
Swallow Wood Ct. *S13* —1A **114**
Swallow Wood Rd. *Swal* —1H **115**
  (Chesterfield Rd.)
Swallow Wood Rd. *Swal* —6G **103**
  (Sheffield Rd.)
Swamp Wlk. *S6* —4B **86**
Swanbourne Clo. *Has* —5C **138**
Swanbourne Pl. *S5* —5G **75**
Swanbourne Rd. *S5* —4G **75**
Swanee Rd. *B'ley* —2B **24**
Swannington Clo. *Donc* —4F **49**
Swan Rd. *Ast* —1C **116**
Swan St. *Ben* —6B **18**
Swan St. *Roth* —4D **78**
Swanwick St. *Old W* —1A **132**
Swarcliffe Rd. *S9* —6C **88**
Sweeney Ho. *S'bri* —3C **140**
Sweet La. *Wadw* —6H **61**
Sweyn Cft. *Wors* —4A **24**
Swifte Rd. *Roth* —6G **79**
Swift Rd. *Gren* —1B **74**
Swift St. *B'ley* —4F **13**
Swift Way. *S2* —4A **100**
Swinburne Av. *Adw S* —2C **16**
Swinburne Av. *Donc* —5B **46**
Swinburne Clo. *Barn D* —1H **21**
Swinburne Pl. *Roth* —4H **79**
Swinburne Rd. *Roth* —4H **79**
Swinscoe Way. *Ches* —6C **130**
Swinston Hill Gdns. *Dinn* —5G **107**
Swinston Hill Rd. *Dinn* —5F **107**
Swinton. —2B 56
Swinton Bridge. —2D 56
Swinton Meadows Bus. Pk. *Swint* —2D **56**
Swinton Meadows Ind. Est. *Swint* —2D **56**
Swinton Rd. *Mexb* —1D **56**
  (in two parts)
Swinton St. *S3* —6E **87**
Swithland Clo. *Ches* —6C **138**

Sycamore Av. *Arm* —2G **35**
Sycamore Av. *Ches* —4G **137**
Sycamore Av. *Cud & Grim* —6B **10**
Sycamore Av. *Dron* —6E **123**
Sycamore Av. *Kiv P* —5F **117**
Sycamore Av. *Wick* —4G **81**
Sycamore Cen. *E'wd T* —6H **69**
Sycamore Ct. *Mexb* —6C **42**
Sycamore Cres. *Wath D* —6G **41**
Sycamore Dri. *Cal* —2E **139**
Sycamore Dri. *Kil* —4A **126**
Sycamore Dri. *Roy* —2C **8**
Sycamore Dri. *Thur* —4B **94**
Sycamore Farm Clo. *Wick* —6F **81**
Sycamore Flats. Wath D —6F 41
  (off Burman Rd.)
Sycamore Gro. *Con* —4C **58**
Sycamore Gro. *Donc* —3D **48**
Sycamore Ho. Rd. *S5* —3A **76**
Sycamore La. *Holl* —2G **133**
Sycamore La. *H'swne* —1G **143**
Sycamore Rd. *Barn D* —2H **21**
Sycamore Rd. *E'wd T* —6H **69**
Sycamore Rd. *E'fld* —1F **75**
Sycamore Rd. *Holl* —2F **133**
Sycamore Rd. *Mexb* —6C **42**
Sycamore Rd. *S'bri* —4C **140**
Sycamores, The. *Scawt* —1F **31**
Sycamore St. *B'ley* —5E **13**
Sycamore St. *Beig* —3F **115**
Sycamore St. *Mosb* —1C **124**
Sycamore Vw. *Spro* —2F **45**
Sycamore Wlk. *P'stne* —4D **142**
Sycamore Wlk. *Thurn* —1F **29**
Sydney Rd. *S6* —1B **98**
Sydney St. *Ches* —2G **137**
Sydney Ter. *B'ley* —1H **23**
Sykes Av. *B'ley* —5F **13**
Sykes Ct. *Swint* —4B **56**
Sykes St. *King* —2F **23**
Sylvan Clo. *Ches* —4B **138**
Sylvan Clo. *Maltby* —3H **83**
Sylvester Av. *Donc* —2C **46**
Sylvester Gdns. *S1* —3E **99** (6E **5**)
Sylvester St. *S1* —3E **99** (6D **4**)
Sylvestria Ct. *Ross* —4E **63**
Sylvia Clo. *S13* —6D **102**
Sylvia Rd. *Uns* —5H **129**
Symes Gdns. *Donc* —2D **48**
Symonds Av. *Rawm* —5C **54**
Symons Cres. *S5* —5D **74**

Tadcaster Clo. *Den M* —3A **58**
Tadcaster Cres. *S8* —3D **110**
Tadcaster Rd. *S8* —3D **110**
Tadcaster Way. *S8* —3D **110**
Taddington Rd. *Ches* —6D **130**
Tait Av. *Edl'tn* —5B **60**
Talbot Av. *Barn D* —2H **21**
Talbot Circ. *Barn D* —2H **21**
Talbot Cres. *S2* —3G **99** (5H **5**)
Talbot Cres. *Has* —6D **138**
Talbot Gdns. *S2* —3G **99** (5H **5**)
Talbot Pl. *S2* —3G **99** (5H **5**)
Talbot Rd. *S2* —3G **99** (4H **5**)
Talbot Rd. *P'stne* —3C **142**
Talbot Rd. *Swint* —2D **56**
Talbot St. *S2* —3G **99** (5H **5**)
Talbot St. *Has* —6D **138**
Talmont Rd. *S11* —1H **109**
Tamar Clo. *Hghm* —4A **12**
Tanfield Clo. *Roy* —1C **8**
Tanfield Rd. *S6* —2B **86**
Tanfield Way. *Wick* —5F **81**
Tankersley. —1D 50
Tankersley La. *Hoy* —1D **50**
Tankersley Pk. Golf Course. —3C **50**
Tank Row. *B'ley* —6D **14**
Tannery Clo. *S13* —1B **114**
Tannery St. *S13* —1B **114**
Tan Pit La. *Gold* —6F **29**
Tansley Dri. *S9* —5D **76**
Tansley Dri. *Ches* —6C **130**
Tansley St. *S9* —5D **76**
Tansley Way. *Ink* —5A **134**
Tanyard. *Donc* —3A **22**
Tanyard Cft. *Brie* —2G **11**
Tap La. *Ches* —2G **137**
Taplin Rd. *S6* —3H **85**
Tapton. —5C 132

Tapton—Tideswell Rd.

Tapton. *S10* —2A **98**
Tapton Bank. *S10* —3G **97**
Tapton Ct. *S10* —3H **97**
Tapton Cres. Rd. *S10* —3G **97**
Tapton Gro. *Brim* —6E **133**
Tapton Hill. —3G 97
Tapton Hill Rd. *S10* —2G **97**
Tapton Ho. Rd. *S10* —3H **97**
Tapton La. *Ches* —2B **138**
Tapton Lock Hill. *Ches* —5B **132**
Tapton Lock Vis. Cen. —5B **132**
Tapton M. *S10* —2H **97**
Tapton Mt. Clo. *S10* —3H **97**
Tapton Pk. Gdns. *S10* —4G **97**
Tapton Pk. Mt. *S10* —4G **97**
Tapton Pk. Municipal Golf Course.
　　　　　　　　　　　　—1C **138**
Tapton Pk. Rd. *S10* —4F **97**
Tapton Ter. *Ches* —1B **138**
Tapton Va. *Ches* —6C **132**
Tapton Vw. Rd. *Ches* —6H **131**
Taptonville Cres. *S10* —3A **98**
Taptonville Rd. *S10* —2A **98**
Tapton Wlk. *S10* —3H **97**
Tapton Way. *Cal* —2F **139**
Tarleton Clo. *Kirk S* —3E **21**
Tasker Rd. *S10* —1H **97**
Tasman Gro. *Maltby* —3E **83**
Tatenhill Gdns. *Donc* —4E **49**
Taunton Av. *S9* —6D **76**
Taunton Gdns. *Mexb* —5G **43**
Taunton Gro. *S9* —5D **76**
Taverner Clo. *High G* —4B **50**
Taverner Cft. *High G* —5C **50**
Taverner Way. *High G* —5B **50**
Tavistock Rd. *S7* —1D **110**
Tavy Clo. *Bar G* —2A **12**
Tay Clo. *Dron W* —1B **128**
Taylor Cres. *Ches* —4D **138**
Taylor Row. *B'ley* —1H **23**
Taylor Row. *Wath D* —1D **54**
Taylor's Clo. *P'gte* —5E **69**
Taylor's Ct. *P'gte* —5F **69**
Taylor's La. *P'gte* —5E **69**
Taylor St. *Con* —3F **59**
Tay St. *S6* —1B **98**
Teesdale Rd. *S12* —6H **113**
Teesdale Rd. *Roth* —4H **67**
Teeside Clo. *Donc* —4F **31**
Telford Cres. *Stav* —1D **134**
Telford Rd. *Donc* —4A **32**
Telson Clo. *Swint* —2G **55**
Temperance St. *Swint* —2B **56**
Tempest Av. *D'fld* —2E **27**
Templar Clo. *Thur* —5H **93**
Templeborough. —6H 77
Templeborough Enterprise Pk. *Roth*
　　　　　　　　　　　　—5C **78**
Temple Cres. *Braml* —5H **81**
Temple Gdns. *Donc* —4E **49**
Templestowe Ga. *Con* —3G **59**
Temple Way. *B'ley* —4D **14**
Ten Acre Rd. *Roth* —1H **77**
Tenby Gdns. *Donc* —4A **46**
Tennyson Av. *Arm* —3F **35**
Tennyson Av. *Ches* —2H **137**
Tennyson Av. *Donc* —5H **31**
Tennyson Av. *Mexb* —5F **43**
Tennyson Clo. *Dinn* —5G **107**
Tennyson Clo. *P'stne* —3D **142**
Tennyson Ri. *Wath D* —3C **40**
Tennyson Rd. *S6* —5B **86**
Tennyson Rd. *B'ley* —3B **14**
Tennyson Rd. *Ben* —6B **18**
Tennyson Rd. *Maltby* —5G **83**
Tennyson Rd. *Roth* —4G **79**
Ten Pound Wlk. *Donc* —3C **46**
Tenter Balk La. *Adw S* —2C **16**
Tenterden Rd. *S5* —5B **76**
Tenter Hill. *Thurls* —3A **142**
Tenter La. *Warm* —5E **45**
Tenter Rd. *Warm* —5E **45**
Tenters Grn. *Wors* —5H **23**
Tenter St. *S1* —1E **99** (2D **4**)
Tenter St. *Roth* —2C **78**
Terminus Rd. *S12* —4A **110**
Terrace Rd. *P'gte* —3F **69**
Terrace, The. *S6* —6A **8**
Terrace Wlk. *S11* —5A **98**
Terrey Rd. *S17* —4E **121**

Terry St. *S9* —3D **88**
Tetney Rd. *S13* —3F **97**
Tewitt Rd. *Toll B* —3A **18**
Teynham Dri. *S5* —1D **86**
Teynham Rd. *S5* —1C **86**
Thackeray Av. *Rawm* —6H **55**
Thames St. *Roth* —2C **78**
Thatch Pl. *Roth* —4A **68**
Thealby Gdns. *Donc* —4A **48**
　(in three parts)
Theatre La. *Ches* —2B **138**
Theatre Yd. *Ches* —2A **138**
　(off Low Pavement)
Thellusson Av. *Donc* —3E **31**
Theobald Av. *Donc* —2F **47**
Theobald Clo. *Donc* —2E **47**
Thicket Dri. *Maltby* —3H **83**
Thicket La. *P'stne* —6E **143**
Thicket La. *Wors* —5C **24**
Third Av. *W'land* —3E **17**
Thirlmere Ct. *Mexb* —5H **43**
Thirlmere Dri. *Ans* —1H **119**
Thirlmere Dri. *Dron* —1E **129**
Thirlmere Gdns. *Kirk S* —4D **20**
Thirlmere Rd. *S8* —2C **110**
Thirlmere Rd. *B'ley* —6A **14**
Thirlmere Rd. *Ches* —4E **131**
Thirlwall Av. *Con* —3C **58**
Thirlwell Rd. *S8* —1E **111**
Thirsk St. *Con* —3A **58**
Thomas St. *S1* —3D **98** (5C **4**)
　(in two parts)
Thomas St. *B'ley* —1H **23**
Thomas St. *D'fld* —4F **27**
Thomas St. *Edl'tn* —4B **60**
Thomas St. *Kiln* —6D **56**
Thomas St. *Kiv P* —5H **117**
Thomas St. *Swint* —1B **56**
Thomas St. *Wors* —4A **24**
Thompson Av. *Edl'tn* —3B **60**
Thompson Clo. *S3* —3A **132**
Thompson Clo. *Maltby* —2E **83**
Thompson Clo. *Rawm* —5C **54**
Thompson Clo. *Wath D* —5F **41**
Thompson Dri. *Swint* —4A **56**
Thompson Gdns. *High G* —5A **50**
Thompson Hill. *High G* —6A **50**
Thompson Rd. *S11* —4B **98**
Thompson Rd. *Womb* —1F **39**
Thompson Rd. *Ches* —3A **132**
　(Brimington Rd.)
Thompson St. *Ches* —4A **132**
　(King St. N.)
Thomson Av. *Donc* —4H **45**
Thoresby Av. *B'ley* —4D **14**
Thoresby Av. *Donc* —2F **47**
Thoresby Clo. *Ast* —6D **104**
Thoresby Pl. *Ink* —5A **134**
Thoresby Rd. *S6* —4A **86**
Thornborough Clo. *S2* —6G **99**
Thornborough Pl. *S2* —6G **99**
Thornborough Rd. *S2* —6F **99**
Thornbridge Av. *S12* —4F **113**
Thornbridge Clo. *S12* —4F **113**
Thornbridge Cres. *S12* —4G **113**
Thornbridge Ct. *Ches* —6H **137**
Thornbridge Dri. *S12* —4F **113**
Thornbridge Gro. *S12* —4F **113**
Thornbridge La. *S12* —4G **113**
Thornbridge Pl. *S12* —4F **113**
Thornbridge Ri. *S12* —4G **113**
Thornbridge Rd. *S12* —4G **113**
Thornbridge Way. *S12* —4G **113**
Thornbrook Clo. *C'town* —1F **65**
Thornbrook Gdns. *C'town* —1F **65**
Thornbrook M. *C'town* —1E **65**
Thorncliffe Clo. *Swal* —4H **115**
Thorncliffe Ind. Est. *C'town* —5D **50**
Thorncliffe La. *C'town* —6D **50**
Thorncliffe Pk. Est. *C'town* —6E **51**
Thorncliffe Rd. *C'town* —5E **51**
Thorncliffe Vw. *C'town* —6D **50**
Thorncliffe Vs. *C'town* —6D **50**
Thorncliffe Way. *Tank* —6C **36**
Thorndale Ri. *B'wth* —3D **90**
Thorndene Clo. *Ches* —5A **132**
Thorndon Way. *Ches* —5E **137**
Thorne Clo. *Ash* —1B **136**
Thorne Clo. *B'ley* —6A **8**
Thorne End Rd. *M'well* —3F **7**
Thornely Av. *Dod* —1B **22**

Thorne Rd. *S7* —2C **110**
Thorne Rd. *Donc* —6D **32**
Thorne Rd. *E'thpe* —6C **20**
Thornfield Av. *Ches* —4D **136**
Thornfield Ct. *Ches* —6A **132**
Thorn Gth. *Donc* —3A **32**
Thornham Clo. *Arm* —4F **35**
Thorn Hill. —2C 78
Thornhill Av. *B'wth* —4B **90**
Thornhill Av. *Donc* —3H **33**
Thornhill Edge. *Roth* —2C **78**
Thornhill Pl. *Wath D* —5E **41**
Thorn La. *Donc* —5B **20**
Thornlea Ct. *Edl'tn* —4A **60**
Thornley Cotts. *Dod* —2B **22**
Thornley Sq. *Dod* —2B **22**
Thornley Sq. *Thurn* —1D **28**
Thornley Vs. *Birdw* —4C **36**
Thorn Rd. *Kiln* —4B **56**
Thornsett Ct. *S11* —5C **98**
Thornsett Gdns. *S17* —2F **121**
Thornsett Rd. *S7* —5C **98**
Thorntondale Rd. *Donc* —2F **31**
Thornton Pl. *Dron W* —2A **128**
Thornton Rd. *B'ley* —2C **24**
Thornton St. *Roth* —4G **77**
Thornton Ter. *B'ley* —2C **24**
Thornton Ter. *Roth* —4G **77**
Thorntree Clo. *Thpe H* —3B **66**
Thorntree Ct. *Ches* —6H **137**
Thorntree La. *B'ley* —4F **13**
Thorntree Rd. *Thpe H* —4B **66**
Thornwell Gro. *Cud* —1G **15**
Thornwell La. *Thpe H* —1B **66**
Thorogate. *Rawm* —6E **55**
Thorold Pl. *Kirk S* —2D **20**
Thorp Clo. *S2* —5E **99**
Thorpe Av. *Coal A* —5G **123**
Thorpe Bridle Rd. *Kiv S* —6F **119**
Thorpe Clo. *Ches* —3H **131**
Thorpe Common. —4B 66
Thorpe Dri. *Wat* —6E **115**
Thorpefield Clo. *Thpe H* —2B **66**
Thorpefield Dri. *Thpe H* —2B **66**
Thorpe Grn. *Wat* —6D **114**
Thorpehall Rd. *Kirk S & E'thpe* —4E **21**
　(in two parts)
Thorpe Hesley. —2B 66
Thorpe Ho. Av. *S8* —3F **111**
Thorpe Ho. Ri. *S8* —3E **111**
Thorpe Ho. Rd. *S8* —3E **111**
Thorpe La. *Spro* —2D **44**
Thorpe St. *Thpe H* —2A **66**
Thorpleigh Rd. *Mas M* —1F **135**
Three Hills Clo. *Thry* —4D **70**
Three Nooks La. *Cud* —4B **10**
Threshfield Way. *S12* —4B **114**
Throapham. —2F 107
Thrush Av. *B'wth* —3D **90**
Thrush St. *S6* —5H **85**
Thruxton Clo. *Cud* —6C **10**
Thrybergh. —4D 70
Thrybergh Country Pk. & Reservoir.
　　　　　　　　　　　　—2F 71
Thrybergh Country Pk. Vis. Cen. —2E 71
Thrybergh Ct. *Den M* —2D **58**
Thrybergh Hall Rd. *Rawm* —1H **69**
Thrybergh La. *Thry* —4E **71**
Thundercliffe Rd. *Roth* —2D **76**
Thurcroft. —4A 94
Thurcroft Ho. Donc —1C 46
　(off St James St.)
Thurcroft Ind. Est. *Thur* —3A **94**
Thurlstone. —3A 142
Thurlstone Rd. *P'stne* —4B **142**
Thurnscoe. —1E 29
Thurnscoe Bri. La. *Thurn* —3F **29**
Thurnscoe East. —1G 29
Thurnscoe La. *Gt Hou* —1B **28**
Thurnscoe La. Bus. Pk. *Thurn* —2G **29**
Thurnscoe Rd. *Bol D* —1A **42**
Thurstan Av. *S8* —1C **122**
Tiber Vw. *B'wth* —2C **90**
Tickhill Rd. *Donc* —4A **46**
　(in two parts)
Tickhill Rd. *Maltby* —4H **83**
Tickhill Sq. *Den M* —2B **58**
Tickhill St. *Den M* —1B **58**
Tickhill Way. *Ross* —5F **63**
Tideswell Clo. *Stav* —3H **133**
Tideswell Rd. *S5* —6G **75**

Tiercel M. *Dinn* —4E **107**
Tilford Rd. *S13* —1C **114**
Tillotson Clo. *S8* —1E **111**
Tillotson Ri. *S8* —1E **111**
Tillotson Rd. *S8* —1E **111**
Tiltshills. —1B 18
Tiltshills La. *Ben* —1A **18**
Tilts La. *Ben* —1D **18**
Timothy Wood Av. *Birdw* —3D **36**
Tingle Bri. Av. *H'fld* —4E **39**
Tingle Bri. Cres. *H'fld* —4E **39**
Tingle Bri. La. *H'fld* —4E **39**
Tingle Clo. *H'fld* —4E **39**
Tinker La. *S6 & S10* —6H **85**
Tinker La. *Hoy* —5E **37**
Tinker Rd. *Rawm* —1G **69**
Tinsley. —1G 89
Tinsley Ind. Est. *S9* —5E **89**
Tinsley Pk. Clo. *S9* —4E **89**
Tinsley Pk. Golf Course. —6H 89
Tinsley Pk. Rd. *S9* —5D **88**
(in two parts)
Tinsley Rd. *Hoy* —4H **37**
Tippit La. *Cud* —2H **15**
Tipsey Ct. *M'well* —4H **7**
Tipsey Hill. *M'well* —4H **7**
Tipton St. *S9* —6C **76**
Tissington Clo. *Ches* —6D **130**
Tithe Barn Av. *S13* —6B **102**
Tithe Barn Clo. *S13* —6C **102**
Tithe Barn Ct. *Adw D* —3D **42**
Tithe Barn La. *S13* —1B **114**
Tithe Barn Way. *S13* —6B **102**
Tithe Laithe. *Hoy* —5A **38**
Titterton Clo. *S9* —5C **88**
Titterton St. *S9* —5C **88**
Tiverton Clo. *Swint* —3B **56**
Tivydale Dri. *Dart* —6C **6**
Toad Holes La. *Ross* —2D **62**
Toad La. *Bram M* —6H **93**
Tockwith Rd. *S9* —6D **88**
Todmorden Clo. *Den M* —2A **58**
Todwick. —2A 118
Todwick Grange. *Tod* —6H **105**
Todwick Ho. Gdns. *Tod* —1A **118**
Todwick Rd. *S8* —4C **110**
Todwick Rd. *Ast* —5A **106**
Todwick Rd. Ind. Est. *Dinn* —4B **106**
Toecroft La. *Spro* —2B **44**
Tofield Rd. *Wadw* —5G **61**
Tofts. —1C 96
Tofts La. *S6* —1C **96**
Toftstead. *Arm* —4F **35**
Toftwood Av. *S10* —1G **97**
Toftwood Rd. *S10* —1H **97**
Togo Bldgs. *Thurn* —2E **29**
Togo St. *Thurn* —2E **29**
Toll Bar. —3A 18
Toll Bar Av. *S12* —2A **112**
Toll Bar Clo. *S12* —2A **112**
Tollbar Clo. *Oxs* —6H **143**
Toll Bar Dri. *S12* —2B **112**
Toll Bar Rd. *S12* —2A **112**
Toll Bar Rd. *Roth* —4C **80**
Toll Bar Rd. *Swint* —3H **55**
Tollbridge Rd. *Mas M* —1F **135**
Tollgate Ct. *S3* —4F **87**
Toll Ho. Mead. *Mosb* —2D **124**
Tom La. *S10* —4D **96**
Tom La. *Duck* —6C **134**
Tomlinson Rd. *Else* —5B **38**
Tontine Rd. *Ches* —3A **138**
Tooker Rd. *Roth* —4E **79**
Topcliffe Rd. *B'ley* —2A **14**
Top Fld. *Ard* —1G **25**
Top Fold Cotts. *Old De* —3G **57**
Top Hall Rd. *Donc* —5D **48**
Top La. *Donc* —4H **47**
Top La. *S'ton* —1H **83**
Toppham Dri. *S8* —3D **122**
Toppham Rd. *S8* —3D **122**
Toppham Way. *S8* —3D **122**
Top Pingle Clo. *Brim* —4E **133**
Top Rd. *Barn D* —2H **21**
Top Rd. *Cal* —3F **139**
Top Rd. *Worr* —4D **72**
Top Row. *Dart* —2A **6**
Top Side. *Gren* —6A **64**
Tops, The. *Rawm & P'gte* —1C **68**
(in two parts)

Top Ter. *S10* —2A **98**
(off Parker's La.)
Top Tree Way. *Thry* —4D **70**
Top Vw. Cres. *Edl'tn* —5B **60**
Top Warren. *C'town* —5F **51**
Torbay Rd. *S4* —4H **87**
Tor Clo. *B'ley* —2B **14**
Torksey Clo. *Donc* —6C **48**
Torksey Rd. *S5* —5H **75**
Torksey Rd. W. *S5* —5H **75**
Torne Clo. *Donc* —5E **49**
Torrington Clo. *Adw S* —1C **16**
Torry Ct. *S13* —1C **114**
Tortmayns. *Tod* —2A **118**
Torver Dri. *Bol D* —2A **42**
Tor Way. *B'wth* —3D **90**
Tor Wood Dri. *S8* —2C **122**
Totley. —5D 120
Totley Brook. —4E 121
Totley Brook Clo. *S17* —4D **120**
Totley Brook Cft. *S17* —4D **120**
Totley Brook Glen. *S17* —3D **120**
Totley Brook Gro. *S17* —4D **120**
Totley Brook Rd. *S17* —4D **120**
Totley Brook Way. *S17* —4D **120**
Totley Clo. *B'ley* —6D **8**
Totley Grange Clo. *S17* —5D **120**
Totley Grange Dri. *S17* —5D **120**
Totley Grange Rd. *S17* —5D **120**
Totley Hall Cft. *S17* —6D **120**
Totley Hall Dri. *S17* —6D **120**
Totley Hall La. *S17* —5D **120**
Totley Hall Mead. *S17* —6D **120**
Totley La. *S17* —5G **121**
(Longford La.)
Totley La. *S17* —5F **121**
(Mickley La., in two parts)
Totley Mt. *Brim* —3D **132**
Totley Rise. —4F 121
Tourist Info. Cen. —6H 13
(Barnsley)
Tourist Info. Cen. —2A **138**
(Chesterfield)
Tourist Info. Cen. —6D **32**
(Doncaster)
Tourist Info. Cen. —2E **79**
(Rotherham)
Tourist Info. Cen. —2E **99** (4E **5**)
(Sheffield)
Towcester Way. *Mexb* —5G **43**
Tower Clo. *S2* —5G **99**
Tower Clo. *Scawt* —6F **17**
Tower Dri. *S2* —5G **99**
Tower St. *B'ley* —2G **23**
Town End. —6E 85
(Stannington)
Town End. —4H 141
(Stocksbridge)
Town End. *Donc* —5B **32**
Town End Av. *Ast* —5C **104**
Townend Av. *Dalt* —6C **70**
Townend Clo. *Tree* —1E **103**
Town End Ind. Est. *Donc* —5A **32**
Town End Rd. *E'fld* —1D **74**
Townend St. *S10* —6A **86**
Town Fields Vs. *E'fld* —1G **75**
Town Fld. Vs. *Donc* —6E **33**
Towngate. *M'well* —4F **7**
Towngate. *Thurls* —3A **142**
Towngate Gro. *Worr* —4D **72**
Towngate Rd. *Worr* —4C **72**
Town Head. —2C 120
(Dore)
Town Head. —6F 73
(Worrall)
Townhead Rd. *S17* —2C **120**
Townhead St. *S1* —2E **99** (3D **4**)
Town La. *Roth* —5F **67**
Town Moor Av. *Donc* —5F **33**
Town St. *S9* —6F **77**
Town St. *Roth* —6D **78**
Town Vw. Av. *Scaw* —1D **30**
Town Wells Ct. *Ans* —2F **119**
Toyne St. *S10* —1H **97**
Traditional Heritage Mus. —5A 98
Trafalgar Ct. *S1* —3D **98** (5C **4**)
Trafalgar Rd. *S6* —5A **74**
Trafalgar St. *S1* —2D **98** (4C **4**)
Traffic Ter. *Has* —6B **138**
Trafford Ct. *Donc* —6C **32**

Trafford Way. *Donc* —6C **32**
Tranmoor Av. *Donc* —4C **48**
Tranmoor Ct. *Hoy* —6F **37**
Tranmoor La. *Arm* —4F **35**
(in two parts)
Tranquil Wlk. *New R* —5B **62**
Trap La. *S11* —1E **109**
Travey Rd. *S2* —6C **100**
Travis Gdns. *Donc* —2H **45**
(in three parts)
Travis Pl. *S10* —3C **98** (6A **4**)
Tredis Clo. *B'ley* —4B **14**
Treecrest Ri. *B'ley* —3G **13**
Treefield Clo. *Roth* —4A **68**
Treelands. *B'ley* —4D **12**
Tree Neuk Clo. *Ches* —2D **136**
Tree Root Wlk. *S10* —2B **98**
Treeton. —1E 103
Treeton Enterprise Cen. *Tree* —2F **103**
Treeton Ho. *Donc* —1C **46**
(off St James St.)
Treeton La. *Aug* —2A **104**
Treeton La. *Cat* —6D **90**
Treetown Cres. *Tree* —6E **91**
Treherne Rd. *Roth* —4F **79**
Trelawney Wlk. *Wors* —4H **23**
Trent Clo. *Edl'tn* —2C **60**
Trent Gdns. *Kirk S* —2D **20**
Trent Gro. *Dron* —6F **123**
Trentham Clo. *B'wth* —3D **90**
Trenton Clo. *Woodh* —1D **114**
Trenton Ri. *Woodh* —1D **114**
Trent St. *S9* —5A **88**
Trent Ter. *Con* —2E **59**
Trent Vs. *Kiv P* —5H **117**
Treswell Cres. *S6* —3A **86**
Trevose Clo. *Ches* —6E **137**
Trewan Ct. *B'ley* —4B **14**
Trickett Rd. *S6* —4A **86**
Trickett Rd. *High G* —5A **50**
Trinity Clo. *Ches* —1H **137**
Trinity Rd. *Kiv P* —5B **118**
Trinity St. *S3* —1E **99** (1D **4**)
Trippet Clo. *S10* —5F **97**
Trippet La. *S1* —2D **98** (3C **4**)
Tristford Clo. *Cat* —5D **90**
Troon Clo. *Ches* —5E **137**
Troon Wlk. *Dinn* —5F **107**
Troughbrook Hill. *Stav* —3A **134**
Troughbrook Rd. *Holl* —2H **133**
Trough Dri. *Thry* —5E **71**
Troutbeck Clo. *Thurn* —2E **29**
Troutbeck Rd. *S7* —3C **110**
Troutbeck Way. *New R* —6C **62**
Trowell Way. *B'ley* —5B **8**
Trueman Grn. *Maltby* —3E **83**
Trueman Ter. *B'ley* —5E **15**
Truman Gro. *Deep* —3H **141**
Truman St. *Ben* —6A **18**
Truro Av. *Donc* —1H **33**
Truro Ct. *B'ley* —4B **14**
Truswell Av. *S10* —1G **97**
Truswell Rd. *S10* —2G **97**
Tudor Ct. *Barn D* —1D **20**
Tudor Rd. *Donc* —5G **33**
Tudor Rd. *W'land* —4E **17**
Tudor Sq. *S1* —2F **99** (4F **5**)
Tudor St. *New R* —5D **62**
Tudor St. *Stav* —1D **134**
Tudor St. *Thurn* —1G **29**
Tudor Way. *Wors* —4A **24**
Tuffolds Clo. *S2* —6C **100**
Tulip Tree Clo. *Beig* —2G **115**
Tullibardine Rd. *S11* —1H **109**
Tulyar Clo. *New R* —6D **62**
Tumbling La. *B'ley* —1F **15**
Tummon Rd. *S2* —3A **100**
Tummon St. *Roth* —3B **78**
Tune St. *B'ley* —1A **24**
Tune St. *Womb* —1E **39**
Tunstall Grn. *Ches* —4F **137**
Tunstall Way. *Ches* —4F **137**
Tunwell Av. *S5* —2F **75**
Tunwell Dri. *S5* —2F **75**
Tunwell Greave. *S5* —2F **75**
Tunwell Rd. *Maltby* —2E **95**
Turie Av. *S5* —3E **75**
Turie Cres. *S5* —3E **75**
Turnberry Clo. *Ches* —5E **137**
Turnberry Ct. *Ben* —1A **32**
Turnberry Gro. *Cud* —5C **10**

Turnberry Way. *Dinn* —6F **107**
Turnbull Clo. *Ches* —4H **137**
Turner Av. *Womb* —6H **25**
Turner Bus. Pk. *S13* —3G **101**
Turner Clo. *Dron* —2D **128**
Turner Clo. *P'gte* —3G **69**
Turner Dri. *Ink* —3H **133**
Turner La. *Whis* —2H **91**
Turner Mus. of Glass. —2D 98 (3B 4)
Turner's Clo. *Jump* —4B **38**
Turners La. *S10* —3A **98**
Turner St. *S2* —3F **99** (5F 5)
Turner St. *Gt Hou* —1A **28**
Turnesc Gro. *Thurn* —2F **29**
Turnoaks Bus. Pk. *Ches* —6B **138**
Turnoaks La. *Ches* —6A **138**
(in three parts)
Turnpike Cft. *Gren* —6A **64**
Turnshaw Av. *Aug* —4A **104**
Turnshaw Rd. *Ulley* —4C **104**
Tutbury Gdns. *Donc* —4E **49**
Tuxford Cres. *B'ley* —5D **14**
Tween Woods La. *Wadw* —4F **61**
Twelve Lands Clo. *Tank* —6C **36**
Twelve O'Clock Ct. *S4* —6G **87**
Twenty Lands, The. *Tree* —2E **103**
Twentywell Ct. S17 —2G **121**
(off Ladies Spring Ct.)
Twentywell Dri. *S17* —3H **121**
Twentywell La. *S17* —2G **121**
Twentywell Ri. *S17* —3H **121**
Twentywell Rd. *S17* —4H **121**
Twentywell Vw. *S17* —4H **121**
Twibell St. *B'ley* —4A **14**
Twickenham Clo. *Half* —3E **125**
Twickenham Ct. *Half* —3E **125**
Twickenham Cres. *Half* —3E **125**
Twickenham Glade. *Half* —3E **125**
Twickenham Gen. *Half* —4F **125**
Twickenham Gro. *Half* —3E **125**
Twitchill Dri. *S13* —1B **114**
Two Gates Way. *Shaf* —3C **10**
Twyford Clo. *Swint* —2G **55**
Tyas Pl. *Mexb* —6G **43**
Tyas Rd. *S5* —2E **75**
Tye Rd. *Beig* —4G **115**
Tyers Hill. —1B 26
Tyler St. *S9* —1D **88**
Tyler Way. *S9* —6D **76**
Tilney Rd. *S2* —3H **99**
Tilney Rd. *Ches* —5D **136**
Tynedale Ct. *Kirk S* —3E **21**
Tynker Av. *Beig* —4G **115**
Tyzack Rd. *S8* —5C **110**

Ulley. —1C 104

Ulley Beeches. *Thur* —2F **105**
Ulley Country Pk. —2A 104
Ulley Cres. *S13* —6D **100**
Ulley La. *Ast* —4C **104**
Ulley La. *Aug* —3B **104**
Ulley Rd. *S13* —6D **100**
Ulley Vw. *Aug* —3B **104**
Ulley Water Activities Cen. —1A 104
Ullswater Av. *Half* —3E **125**
Ullswater Clo. *Ans* —6E **107**
Ullswater Clo. *Bol D* —2A **42**
Ullswater Clo. *Dron W* —1C **128**
Ullswater Clo. *Half* —3E **125**
Ullswater Dri. *Dron W* —2C **128**
Ullswater Pk. *Dron W* —1C **128**
Ullswater Pl. *Dron W* —1C **128**
Ullswater Rd. *B'ley* —1H **25**
Ullswater Rd. *Mexb* —5H **43**
Ullswater Wlk. *Donc* —2E **31**
Ulrica Dri. *Thur* —5A **94**
Ulverston Rd. *S8* —5C **110**
Ulverston Rd. *Ches* —4F **131**
Underbank. —5B 84
Underbank La. *S'bri* —1A **140**
Undercliffe Rd. *S6* —6F **85**
Undergate Rd. *Dinn* —3E **107**
Underhill. *Wors* —5B **24**
Underhill La. *S6* —4H **73**
Under Tofts. —1D 96
Underwood Av. *Wors* —3B **24**
Underwood Rd. *S8* —3D **110**
Union Ct. *B'ley* —1H **23**
Union La. *S1* —3E **99** (6D 4)
(in two parts)

Union Rd. *S11* —1B **110**
Union St. *S1* —3E **99** (5E 5)
Union St. *B'ley* —1H **23**
Union St. *Donc* —1C **46**
Union St. *Roth* —3B **78**
Union Wlk. *Ches* —2A **138**
Unity Pl. *Roth* —3D **78**
Universal Clo. *N Ans* —5B **106**
Universal Cres. *N Ans* —5B **106**
Unsliven Rd. *S'bri* —1A **140**
Unstone. —4H 129
Unstone Dronfield By-Pass. *Dron* —2D **128**
Unstone Hill. *Uns* —3H **129**
Unstone St. *S2* —4E **99**
Unwin Cres. *P'stne* —5D **142**
Unwin St. *P'stne* —5D **142**
Upland Ri. *Ches* —4F **137**
Uplands Av. *Dart* —5A **6**
Uplands Rd. *Arm* —3G **35**
Uplands Way. *Rawm* —1E **69**
Up. Albert Rd. *S8* —3E **111**
Up. Allen St. *S3* —1D 98 (2B 4)
Upper Bradway. —4H 121
Up. Castle Folds. *S1* —2G **5**
Up. Clara St. *Roth* —3H **77**
Up. Cliffe Rd. *Dod* —1A **22**
Upper Crabtree. —2G 87
Up. Croft Clo. *Brim* —4E **133**
Upper Cudworth. —4C 10
Upperfield Clo. *Maltby* —3F **83**
Up. Field La. *H Hoy* —5A **6**
Upperfield Rd. *Maltby* —3E **83**
Upper Folderings. *Dod* —2B **22**
Up. Forest Rd. *B'ley* —5B **8**
Upper Gate. —6B 84
Uppergate Rd. *S6* —6B **84**
Up. Hanover St. *S3* —3C 98 (5A 4)
(in two parts)
Upper Haugh. —6D 54
Up. High Royds. *Dart* —5E **7**
Upper Hoyland. —4G 37
Up. Hoyland Rd. *Hoy* —3F **37**
Up. King St. *Brim* —2F **133**
Up. Ley Ct. *C'town* —3E **65**
Up. Ley Dell. *C'town* —2E **65**
Up. Lum Clo. *Ches* —3D **138**
Up. Lunns Clo. *Roy* —2G **9**
Upper Millgate. *Roth* —3D **78**
Up. Moor St. *Ches* —3D **136**
Upper Newbold. —3C 130
Up. Newbold Clo. *Ches* —4D **130**
Up. New St. *B'ley* —1H **23**
Up. Rye Clo. *Whis* —2B **92**
Up. School La. *Dron* —3F **129**
Upper Swithen. —2A 6
Upper Tankersley. —2C 50
Upperthorpe. —4B 126
(Killamarsh)
Upperthorpe. —6C 86
(Sheffield)
Upperthorpe. *S6* —6B **86**
(in two parts)
Upperthorpe Glen. *S6* —6B **86**
Upperthorpe Rd. *S6* —6C 86 (1B 4)
Upperthorpe Rd. *Kil* —4B **126**
Upperthorpe Vs. *Kil* —4B **126**
Up. Valley Rd. *S8* —2E **111**
Upper Whiston. —5B 92
Up. Whiston La. *Whis* —4A **92**
Upperwood Rd. *D'fld* —3C **26**
Up. Wortley Rd. *Thpe H & Scho* —3A **66**
Upton Clo. *Maltby* —2E **83**
Upton Clo. *Womb* —5H **25**
Upwell Hill. *S4* —2A **88**
Upwell La. *S4* —2A **88**
Upwell St. *S4* —2A **88**
Upwood Clo. *Ches* —6C **130**
Upwood Rd. *S6* —2H **85**
Urban Rd. *Donc* —2A **46**
Urch Clo. *Con* —4E **59**
Utah Ter. *S12* —4C **114**
Uttley Clo. *S9* —5D **88**
Uttley Cft. *S9* —5D **88**
Uttley Dri. *S9* —5D **88**
Uttoxeter Av. *Mexb* —5G **43**

Vaal St. *B'ley* —1B **24**
Vainor Rd. *S6* —1G **85**
Vale Av. *Thry* —5D **70**

Vale Clo. *Dron* —2F **129**
Vale Cres. *Thry* —5D **70**
Vale Gro. *S6* —3E **85**
Valentine Clo. *S5* —4G **75**
Valentine Cres. *S5* —4G **75**
(in two parts)
Valentine Rd. *S5* —4G **75**
Vale Rd. *S3* —4D **86**
Vale Rd. *Thry* —5D **70**
Valetta Ho. P'gte —3F 69
(off Netherfield La.)
Vale Vw. *Oxs* —6H **143**
Valiant Gdns. *Spro* —6G **31**
Valley Cres. *Ches* —3C **138**
Valley Dri. *Bran* —3H **49**
Valley Dri. *Kil* —2B **126**
Valley Dri. *Wath D* —5E **41**
Valley Pk. Ind. Est. *Womb* —2A **40**
Valley Rd. *S8* —1E **111**
Valley Rd. *S12* —4C **114**
Valley Rd. *Ches* —3C **138**
Valley Rd. *High G* —1C **64**
Valley Rd. *Kil* —2B **126**
Valley Rd. *M'well* —4E **7**
Valley Rd. *Swint* —3H **55**
Valley Rd. *Womb* —5C **26**
Valley Vw. Clo. *Eck* —6H **127**
Valley Vw. Clo. *Has* —6E **139**
Valley Way. *Hoy* —5A **38**
Valley Way. *Womb* —1G **39**
Vancouver Dri. *Bol D* —1H **41**
Vanguard Trad. Est. *Ches* —6B **138**
Varley Gdns. *Flan* —3F **81**
Varney Rd. *Wath D* —6E **41**
Vaughan Av. *Donc* —5D **32**
Vaughan Rd. *B'ley* —4D **12**
Vaughton Hill. *Deep* —4H **141**
Vauxhall Clo. *S9* —5D **76**
Vauxhall Rd. *S9* —5D **76**
Velvet Wood Clo. *B'ley* —4C **12**
Venetian Cres. *D'fld* —4D **26**
Ventnor Clo. *Donc* —4H **45**
Ventnor Ct. *S7* —5D **98**
Ventnor Pl. *S7* —5D **98**
Venture Way. *Ches* —2H **131**
Venus Ct. *B'wth* —1C **90**
Verdant Way. *S5* —4H **75**
Verdon St. *S3* —5F **87**
Verelst Av. *Ast* —4B **104**
Vere Rd. *S6* —1A **86**
Verger Clo. *Ross* —4E **63**
Vernon Clo. *B'ley* —2H **23**
Vernon Cres. *Wors* —4H **23**
Vernon Delph. *S10* —2F **97**
Vernon Dri. *C'town* —2E **65**
Vernon Rd. *S17* —3E **121**
Vernon Rd. *Ches* —2F **137**
Vernon Rd. *Roth* —6H **79**
Vernon Rd. *Wors* —4H **23**
Vernon St. *B'ley* —5H **13**
Vernon St. *Birdw* —5D **36**
Vernon St. *Hoy* —6G **37**
Vernon St. N. *B'ley* —5H **13**
Vernon Ter. *S10* —3G **97**
Vernon Way. *B'ley* —4D **12**
Vernon Way. *Maltby* —3E **83**
Verona Ri. *D'fld* —4E **27**
Vesey St. *Rawm* —3F **69**
Vicarage Clo. *Donc* —4E **49**
Vicarage Clo. *Gren* —1A **74**
Vicarage Clo. *Hoy* —5A **38**
Vicarage Clo. *Mexb* —1G **57**
Vicarage Clo. *Roth* —1B **80**
Vicarage Cres. *Gren* —1A **74**
Vicarage Dri. *Wadw* —6H **61**
Vicarage La. *S17* —2D **120**
Vicarage La. *Roth* —3D **78**
Vicarage La. *Roy* —2E **9**
Vicarage Rd. *S9* —4B **88**
Vicarage Rd. *Gren* —1A **74**
Vicarage Wlk. *P'stne* —4D **142**
Vicarage Way. *Ark* —5E **19**
Vicar Cres. *D'fld* —4F **27**
Vicar La. *S1* —2E 99 (3E 5)
Vicar La. *Ches* —2A **138**
Vicar La. *Woodh* —6B **102**
Vicar Rd. *D'fld* —4F **27**
Vicar Rd. *Wath D* —4E **41**
Vickers Dri. *S5* —6H **75**
Vickers Rd. *S5* —1H **87**
Vickers Rd. *High G* —6B **50**

Victoria Av. *B'ley* —5G **13**
Victoria Av. *Roth* —3F **79**
Victoria Av. *Stav* —1D **134**
Victoria Clo. *Kiv P* —5A **118**
Victoria Clo. *S'bri* —3D **140**
Victoria Ct. *S11* —1B **110**
Victoria Ct. *Ben* —4B **18**
Victoria Ct. *Kiv P* —5A **118**
Victoria Cres. *B'ley* —5F **13**
Victoria Cres. *Birdw* —4C **36**
Victoria Cres. W. *B'ley* —5F **13**
Victoria Gro. *Brim* —6F **133**
Victoria Hall. *S1* —2D **98** (4C **4**)
Victoria Ho. *S3* —4B **4**
Victoria La. *New R* —4C **62**
Victoria M. *Kiln* —6C **56**
Victorian Cres. *Donc* —5F **33**
Victoria Pk. Rd. *Brim* —6F **133**
Victoria Quays. *S2* —1G **99** (2H **5**)
Victoria Rd. *S10* —4C **98**
Victoria Rd. *Adw S* —1F **17**
Victoria Rd. *B'ley* —5G **13**
Victoria Rd. *Beig* —3F **115**
Victoria Rd. *Ben* —5B **18**
Victoria Rd. *Donc* —3B **46**
Victoria Rd. *Edl'tn* —2B **60**
Victoria Rd. *Mexb* —6E **43**
Victoria Rd. *P'gte* —3F **69**
(in two parts)
Victoria Rd. *Roy* —1F **9**
Victoria Rd. *S'bri* —3D **140**
Victoria Rd. *Wath D* —4D **40**
Victoria Rd. *Womb* —6B **26**
Victoria Sta. Rd. *S4* —1F **99** (2G **5**)
Victoria St. *S3* —2D **98** (4B **4**)
Victoria St. *B'ley* —5G **13**
Victoria St. *Brim* —2F **133**
Victoria St. *Cat* —5D **90**
Victoria St. *Ches* —1A **138**
Victoria St. *Cud* —6B **10**
Victoria St. *D'fld* —3F **27**
Victoria St. *Dinn* —4G **107**
Victoria St. *Dron* —1D **128**
Victoria St. *Gold* —4G **29**
Victoria St. *Hoy* —5B **38**
Victoria St. *Kiln* —6C **56**
Victoria St. *Maltby* —6G **83**
Victoria St. *Mexb* —6C **42**
Victoria St. *P'stne* —4D **142**
Victoria St. *Roth* —3B **78**
(in two parts)
Victoria St. *S'foot* —1D **24**
Victoria St. *S'bri* —3D **140**
Victoria St. N. *Old W* —1H **131**
Victoria St. W. *Ches* —3E **137**
Victoria Ter. *B'ley* —1A **24**
Victoria Vs. S6 —6C **86**
(off Blake Gro. Rd.)
Victoria Way. *Maltby* —3D **82**
Victor Rd. *S17* —2F **121**
Victor St. *S6* —4B **86**
Victor Ter. *B'ley* —1A **24**
Viewland Clo. *Cud* —2H **15**
Viewlands Clo. *Braml* —2E **81**
Viewlands Clo. *P'stne* —2D **142**
View Rd. *S2* —6E **99**
View Rd. *Roth* —1G **79**
View Rd. *Thurls* —3A **142**
Viewtree Clo. *Harl* —4H **51**
Vikinglea Clo. *S2* —5D **100**
Vikinglea Dri. *S2* —5D **100**
(in two parts)
Vikinglea Glade. *S2* —4D **100**
Vikinglea Rd. *S2* —4D **100**
Viking Way. *Kiv P* —4B **118**
Villa Gdns. *Toll B* —2A **18**
Village St. *Adw S* —1D **16**
Village St. *Donc* —4F **31**
Villa Pk. Rd. *Donc* —3C **48**
Villa Rd. *W'land* —2D **16**
Villiers Clo. *S2* —1A **112**
Villiers Dri. *S2* —1A **112**
Vincent Cres. *Ches* —3D **136**
Vincent Ho. *S1* —1H **98** (2C **4**)
Vincent La. *Ches* —3D **136**
Vincent Rd. *Rav* —2H **81**
Vincent Rd. *B'ley* —4F **15**
Vincent Ter. *Thurn* —2H **29**
Vine Clo. *B'ley* —3C **14**
Vine Clo. *Roth* —3C **78**

Viola Bank. *S'bri* —3D **140**
Violet Av. *Beig* —4E **115**
Violet Av. *Edl'tn* —4B **60**
Violet Bank Rd. *S7* —1C **110**
Violet Farm Ct. *Brie* —3G **11**
Vivian Rd. *S5* —1H **87**
Vizard Rd. *Hoy* —5C **38**
Vulcan Ho. *Roth* —2G **79**
Vulcan Rd. *S9* —1D **88**
(Meadowhall Dri.)
Vulcan Rd. *S9* —1E **89**
(Meadowhall Way)

Wadbrough Rd. *S11* —4B **98**
Waddington Rd. *B'ley* —5D **12**
Waddington Ter. *Mexb* —1F **57**
Waddington Way. *Roth* —6G **69**
Wade Clo. *Roth* —5F **79**
Wade Mdw. *S6* —2G **85**
Wade St. *S4* —2A **88**
Wade St. *B'ley* —5D **12**
Wadsley. —1F **85**
Wadsley La. *S6* —1G **85**
Wadsley Pk. Cres. *S6* —2G **85**
Wadsworth Av. *S12* —2E **113**
Wadsworth Clo. *S12* —1F **113**
Wadsworth Dri. *S12* —2F **113**
(in two parts)
Wadsworth Dri. *Rawm* —5C **54**
Wadsworth Rd. *S12* —2E **113**
Wadsworth Rd. *Braml* —5H **81**
Wadworth. —6H **61**
Wadworth Av. *Ross* —4F **63**
Wadworth Hall. *Wadw* —6H **61**
Wadworth Hall La. *Wadw* —6G **61**
Wadworth Hill. *Wadw* —6H **61**
Wadworth Riding. *Edl'tn* —3D **60**
Wadworth Ri. *Dalt* —6C **70**
Wadworth St. *Den M* —2C **58**
Wager La. *Brie* —2G **11**
Wagon Rd. *Roth* —5B **68**
Waingate. *S3* —1F **99** (2F **5**)
Wainscott Clo. *B'ley* —2C **14**
Wainwright Av. *S13* —5F **101**
Wainwright Cres. *S13* —5E **101**
Wainwright Pl. *Womb* —6H **25**
Wainwright Rd. *Donc* —1E **47**
Wainwright Rd. *Roth* —6H **67**
Wakefield Rd. *M'well* —2G **7**
Wake Rd. *S7* —6C **98**
Walbank Rd. *Arm* —3G **35**
Walbert Av. *Thurn* —2E **29**
Walbrook. *Wors* —5B **26**
Walden Av. *Donc* —6G **17**
Walden Rd. *S2* —6F **99**
Walders Av. *S6* —1G **85**
Walders La. *Bols* —6E **141**
Wales. —5F **117**
Wales Bar. —4D **116**
Wales Ct. *Wal* —3F **117**
Walesmoor Av. *Kiv P* —5F **117**
Wales Pl. *S6* —5B **86**
Wales Rd. *Kiv P* —5F **117**
Waleswood. —4B **116**
Waleswood Ind. Est. *Wal B* —3D **116**
Waleswood Rd. *Swal* —2A **116**
Waleswood Rd. *Wal B* —3D **116**
Waleswood Vw. *Ast* —1B **116**
Waleswood Vs. *Kiv P* —4D **116**
Walford Rd. *Kil* —3A **126**
Walgrove Av. *Ches* —4G **137**
Walgrove Rd. *Ches* —4F **137**
Walker Clo. *Gren* —1A **74**
Walker La. *Roth* —2E **79**
Walker Pl. Roth —2E **79**
(off Drummond St.)
Walker Rd. *Roth* —6H **67**
Walker Rd. *Tank* —6D **16**
Walker's La. *Kil* —3B **126**
Walkers Ter. *B'ley* —2C **14**
Walker St. *S3* —6F **87** (1G **5**)
Walker St. *Rawm* —1H **69**
Walker St. *Swint* —2C **56**
Walker Vw. *Rawm* —1H **69**
Walkley. —5A **86**
Walkley Bank. —6H **85**
Walkley Bank Clo. *S6* —4A **86**
Walkley Bank Rd. *S6* —5G **85**
Walkley Cres. Rd. *S6* —5H **85**

Walkley La. *S6* —3A **86**
Walkley Rd. *S6* —5A **86**
Walkley St. *S6* —5A **86**
Walkley Ter. *S6* —5A **85**
Walk, The. *Birdw* —5C **36**
Walk, The. *Roth* —2H **79**
Wallace Rd. *S3* —4D **86**
Wallace Rd. *Donc* —5G **45**
Waller Rd. *S6* —5G **85**
Walling Clo. *S9* —1D **88**
Walling Rd. *S9* —1D **88**
Wallsend Cotts. *Ches* —6G **131**
Wall St. *B'ley* —1G **23**
Walney Fold. *B'ley* —1D **14**
Walnut Clo. *B'ley* —2H **23**
Walnut Dri. *Dinn* —5F **107**
Walnut Dri. *Kil* —4A **126**
Walnut Gro. *Mexb* —5D **42**
Walnut Pl. *C'town* —3D **64**
(in two parts)
Walnut Tree Hill. *Wadw* —6H **61**
Walpole Clo. *Donc* —6H **45**
Walpole Gro. *Swal* —4B **104**
Walseker La. *H'hill* —1G **127**
Walsham Dro. *Donc* —4G **31**
Walshaw Gro. *Worr* —4C **72**
Walshaw Rd. *Worr* —4D **72**
Walters Rd. *Maltby* —4H **83**
Walter St. *S6* —4B **86**
Walter St. *Roth* —2C **78**
Waltham Gdns. *Soth* —5G **115**
Waltham St. *B'ley* —1H **23**
Waltheof Rd. *S2* —5C **100**
Walton. —5D **136**
Walton Bk. La. *Walt* —6A **136**
Walton Clo. *Ches* —5D **136**
Walton Clo. *Dron W* —1A **128**
Walton Clo. *High G* —5A **50**
Walton Ct. *S8* —1C **122**
Walton Cres. *Ches* —4G **137**
Walton Dri. *Ches* —4G **137**
Walton Dri. Ct. *Ches* —4G **137**
Waltonfields Rd. *Ches* —3F **137**
Walton Ho. Donc —1C **46**
(off St James St.)
Walton Rd. *S11* —4B **98**
Walton Rd. *Ches* —3F **137**
Walton St. *B'ley* —4E **13**
Walton St. N. *B'ley* —4E **13**
Walton Wlk. *Ches* —3G **137**
Walton Works. *Ches* —3F **137**
Wannop St. *P'gte* —4F **69**
Wansfell Rd. *S4* —2B **88**
Wansfell Ter. *B'ley* —6A **14**
Wapping, The. *Hoot R* —6H **57**
Warburton Clo. *S2* —6G **99**
Warburton Gdns. *S2* —6G **99**
Warburton Rd. *S2* —6G **99**
Ward Clo. *P'stne* —5D **142**
Warde Aldam Cres. *Wick* —4E **81**
Warde Av. *Donc* —5H **45**
Warden Clo. *Donc* —3E **49**
Warden St. *Roth* —6D **78**
Wardgate Way. *Ches* —6C **130**
Ward Green. —4H **23**
Wardlow Clo. *Ches* —5H **137**
Wardlow Rd. *S12* —2F **113**
Ward Pl. *S7* —5D **98**
Wardsend Rd. *S6* —1B **86**
Wardsend Rd. N. *S6* —6A **74**
Ward St. *S3* —6E **87** (1D **4**)
Ward St. *P'stne* —5D **142**
Ward's Yd. Ches —3A **138**
(off Beetwell St.)
Wards Yd. *Dron* —2E **129**
Wareham Ct. *Soth* —5G **115**
Wareham Gro. *Dod* —1C **22**
Warehouse La. *Wath D* —5E **41**
Warminster Clo. *S8* —3E **111**
Warminster Cres. *S8* —3F **111**
Warminster Dri. *S8* —4F **111**
Warminster Gdns. *S8* —4E **111**
Warminster Pl. *S8* —5F **111**
Warminster Rd. *S8* —3E **111**
Warmsworth. —6E **45**
Warmsworth Ct. *Warm* —5F **45**
Warmsworth Halt. *Warm* —1B **60**
Warmsworth Halt Ind. Est. *Warm* —1C **60**
Warmsworth Rd. *Donc* —5G **45**
Warner Av. *B'ley* —5D **12**
Warner Pl. *B'ley* —5E **13**

Well St. *B'ley* —6F **13**
Well Vw. Rd. *Roth* —1F **77**
Wellway, The. *S'side* —2F **89**
Wellwyn Ct. *S12* —3D **112**
Welney Pl. *S6* —5A **74**
Welshpool Pl. *Ches* —2F **137**
Welshpool Yd. *Ches* —3F **137**
Welton Clo. *Donc* —5A **48**
Welwyn Clo. *S12* —3D **112**
Welwyn Clo. *Ches* —2F **137**
Welwyn Rd. *S12* —3D **112**
Wembley Av. *Con* —3C **58**
Wembley Clo. *Donc* —4A **34**
Wendel Gro. *Else* —5D **38**
Wenlock Clo. *Ches* —1F **137**
Wenlock Cres. *Ches* —1E **137**
Wenlock St. *S13* —4H **101**
Wensley Clo. *S4* —2A **88**
Wensley Ct. *S4* —1A **88**
Wensley Ct. *B'ley* —6A **8**
Wensley Ct. *Roth* —1F **91**
Wensley Cres. *Donc* —4D **48**
Wensley Cft. *S4* —1A **88**
Wentworth. —4C 52
Wentworth Av. *S11* —5F **109**
Wentworth Av. *Ast* —1D **116**
Wentworth Av. *Ches* —5G **137**
Wentworth Castle. —6B 22
Wentworth Clo. *Thpe H* —2A **66**
Wentworth Ct. *Roth* —3B **68**
Wentworth Cres. *M'well* —5H **7**
Wentworth Cres. *P'stne* —4D **142**
Wentworth Dri. *M'well* —5G **7**
Wentworth Dri. *Rawm* —3F **69**
Wentworth Gdns. *Swint* —4A **56**
Wentworth Ho. Donc —1C 46
(off St James St.)
Wentworth Ind. Pk. *Tank* —1B **50**
Wentworth Meadows. *P'stne* —3D **142**
Wentworth M. *P'stne* —4D **142**
Wentworth Pl. *Scho* —5E **67**
Wentworth Rd. *Bla H* —2H **37**
Wentworth Rd. *Dart* —5B **6**
Wentworth Rd. *Donc* —4E **33**
Wentworth Rd. *Dron W* —2A **128**
Wentworth Rd. *Else* —1C **52**
Wentworth Rd. *Jump* —4C **38**
Wentworth Rd. *M'well* —5G **7**
Wentworth Rd. *P'stne* —3C **142**
(in two parts)
Wentworth Rd. *Rawm & Swint* —4C **54**
Wentworth Rd. *Thpe H* —2B **66**
Wentworth St. *B'ley* —4G **13**
Wentworth St. *Birdw* —4C **36**
Wentworth Vw. *Hoy* —6A **38**
(Millhouses St.)
Wentworth Vw. *Hoy* —6G **37**
(Willow Clo.)
Wentworth Vw. *Womb* —2F **39**
Wentworth Way. *Dinn* —6F **107**
Wentworth Way. *Dod* —3B **22**
Wentworth Way. *Tank* —1B **50**
Wentworth Woodhouse. —5E 53
Wescoe Av. *St Hou* —1A **28**
Wesley Av. *Swal* —5B **104**
Wesley Ct. *Thpe H* —2B **66**
Wesley La. *S10* —2H **97**
Wesley Pl. *Ans* —3F **119**
Wesley Rd. *High G* —6A **50**
(in two parts)
Wesley Rd. *Kiv P* —4H **117**
Wesley St. *B'ley* —6H **13**
Wessenden Clo. *B'ley* —6C **12**
Wessex Gdns. *S17* —4D **120**
Wessington Dri. *Stav* —3A **134**
West Av. *Bal* —4A **46**
West Av. *Bol D* —2H **41**
West Av. *Rawm* —1F **69**
West Av. *Roy* —1F **9**
West Av. *Womb* —6H **25**
West Av. *W'land* —2B **16**

Westbank Clo. *Coal A* —5F **123**
Westbank Ct. *Coal A* —5G **123**
Westbank Dri. *Ans* —3E **119**
W. Bank La. *S1* —2E **99** (3D **4**)
W. Bank Ri. *Ans* —3F **119**
West Bar. *S1* —1E **99** (1E **5**)
West Bars. *Ches* —2H **137**
W. Bawtry Rd. *B'wth & Roth* —2D **90**
Westbourne Gdns. *Donc* —6H **45**
Westbourne Gro. *B'ley* —4F **13**
Westbourne Gro. *Ches* —2D **136**
Westbourne Rd. *S10* —4A **98**
Westbourne Ter. *B'ley* —6E **13**
Westbrook Bank. *S11* —5B **98**
Westbrook Clo. *Ches* —3B **136**
Westbrook Dri. *Ches* —3B **136**
Westbrook Rd. *C'town* —2E **65**
Westbury Av. *C'town* —3F **65**
Westbury Clo. *B'ley* —3D **12**
Westbury St. *S9* —6B **88**
Westby Cres. *Whis* —2H **91**
Westby Wlk. *Bram* —1E **81**
W. Carr Rd. *Dinn* —4D **106**
West Clo. *Roth* —1G **77**
West Cres. *Duck* —6E **135**
West Cres. *Oxs* —5G **143**
West Cres. *S'bri* —3C **140**
W. Croft Ct. *Ink* —6H **133**
Westcroft Cres. *W'fld* —1E **125**
W. Croft Dri. *Ink* —6H **133**
Westcroft Dri. *W'fld* —2E **125**
Westcroft Gdns. *W'fld* —1E **125**
Westcroft Glen. *W'fld* —2E **125**
Westcroft Gro. *W'fld* —2E **125**
W. Don St. *S6* —5C **86**
W. End Av. *Donc* —2A **32**
W. End Av. *Roy* —2C **8**
W. End Ct. *Ross* —5H **63**
W. End Cres. *Roy* —2C **8**
W. End La. *New R* —4A **62**
W. End Rd. *Wath D* —4B **40**
W. End Vw. *Eck* —6H **5**
Westerdale Rd. *Donc* —2F **31**
Western Av. *Dinn* —5F **107**
Western Bank. *S10* —2B **98** (3A **4**)
Western Clo. *Dinn* —5F **107**
Western Rd. *S10* —1H **97**
Western Rd. *Roth* —2G **79**
Western St. *B'ley* —5F **13**
Western Ter. *Womb* —6A **26**
Westfield. —5A 40
(Brampton)
Westfield. —1E 125
(Mosborough)
Westfield Av. *S12* —4C **114**
Westfield Av. *Aug* —4A **104**
Westfield Av. *Ches* —4D **136**
Westfield Av. *Thurls* —3A **142**
Westfield Cen. *W'fld* —1E **125**
Westfield Clo. *Ches* —3D **136**
Westfield Craft Pk. *P'gte* —3E **69**
Westfield Cres. *Mosb* —1C **124**
Westfield Cres. *Thurn* —1D **28**
Westfield Gdns. *Ches* —3D **136**
Westfield Gro. *S12* —4B **114**
Westfield Ho. *S1* —1C **4**
Westfield La. *Barn* —1F **43**
Westfield La. *B'ley* —2A **12**
Westfield Northway. *W'fld* —1E **125**
(in two parts)
Westfield Rd. *Arm* —3E **35**
Westfield Rd. *Braml* —4H **81**
Westfield Rd. *Bram & Bram B* —5A **40**
Westfield Rd. *Donc* —3B **46**
Westfield Rd. *Dron* —3G **129**
Westfield Rd. *Kil* —4A **126**
Westfield Rd. *P'gte* —4E **69**
Westfields. *Roy* —1C **8**
Westfields. *Wors* —5A **24**
Westfield Southway. *W'fld* —1E **125**
Westfield St. *B'ley* —6F **13**
Westfield Ter. *S1* —2D **98** (4C **4**)
Westgarth Clo. *Dinn* —4F **107**
Westgate. *B'ley* —6G **13**
West Ga. *Mexb* —6D **43**
Westgate. *Monk B* —3B **14**
Westgate. *P'stne* —5D **142**
Westgate. *Roth* —3D **78**
West Green. —1F 15
W. Green Dri. *Kirk S* —3C **20**

West Gro. *Donc* —4G **33**
West Gro. *Roy* —1C **8**
W. Hall Fold. *W'wth* —4C **52**
West Haven. *Cud* —2H **15**
West Hill. *Roth* —3E **77**
Westhill La. *S3* —2D **98** (4B **4**)
Westholme Rd. *Donc* —2B **46**
West Ho. *S8* —3E **111**
W. Kirk La. *L Hou* —2A **28**
W. Laith Ga. *Donc* —6C **32**
Westland Clo. *W'fld* —6E **115**
Westland Gdns. *W'fld* —6D **114**
Westland Gro. *W'fld* —1E **125**
Westland Rd. *W'fld* —1E **125**
West La. *S6* —1A **84**
West La. *Aug* —4H **103**
West La. *Maltby* —2D **94**
West Lea. *Ches* —3D **136**
Westleigh Ct. *Ches* —6G **131**
West Mall. *Cry P* —5E **115**
West Mall. Donc —6C 32
(off French Ga.)
West Melton. —4D 40
Westminster Av. *S10* —4B **96**
Westminster Clo. *S10* —4B **96**
Westminster Clo. *Braml* —2E **81**
Westminster Cres. *S10* —4B **96**
Westminster Cres. *Donc* —4H **33**
Westminster Dri. *D'ville* —3H **21**
Westminster Ho. *Donc* —4A **34**
Westmoor Clo. *Gold* —4E **29**
W. Moor Cres. *B'ley* —6C **12**
W. Moor La. *Arm* —2H **35**
(in two parts)
W. Moor La. *Bol D & H'ton* —1D **42**
W. Moor Link. *E'thpe* —6C **20**
W. Moor Pk. *Arm* —2H **35**
Westmoor Rd. *Brim* —1F **139**
Westmoreland St. *S6* —6C **86**
Westmorland La. *Den M* —2B **58**
Westmorland St. *Donc* —5H **45**
Westmorland Way. *Spro* —2C **44**
W. Mount Av. *Wath D* —3C **40**
Westnall Ho. O'bri —2D 72
(off Glossop Row)
Westnall Rd. *S5* —2H **75**
Westnall Ter. *S5* —2H **75**
Weston Clo. *Ches* —5C **130**
Westongales Way. *Ben* —1A **32**
Weston Rd. *Donc* —5A **46**
Weston St. *S3* —1C **98** (2A **4**)
Westover Rd. *S10* —3E **97**
W. Park Dri. *Swal* —6H **103**
West Pinfold. *Roy* —2E **9**
Westpit Hill. *Bram B* —4A **40**
West Pl. *Ben* —6B **18**
West Quadrant. *S5* —5H **75**
West Rd. *B'ley* —5D **12**
West Rd. *Mexb* —6D **42**
Westside Grange. *Bal* —3H **45**
West St. *S1* —2D **98** (4B **4**)
West St. *Ans* —3F **119**
West St. *Beig* —4F **115**
West St. *Ches* —1H **137**
West St. *Con* —3E **59**
West St. *D'fld* —4E **27**
West St. *Donc* —6C **32**
West St. *Dron* —1D **128**
West St. *Eck* —6H **125**
West St. *Gold* —3G **29**
West St. *Hoy* —5G **37**
West St. *Mexb* —1E **57**
West St. *Roy* —1F **9**
West St. *Thur* —4B **94**
West St. *Wath D* —5E **41**
(in two parts)
West St. *Womb* —6A **26**
West St. *Wors* —5A **24**
West St. La. *S1* —2E **99** (3D **4**)
Westthorpe. —4B 126
Westthorpe Fields Rd. *Kil* —5A **126**
Westthorpe Grn. *Kil* —5B **126**
Westthorpe Rd. *Kil* —4B **126**
W. Vale Gro. *Thry* —5D **70**
West Vw. *B'ley* —2G **23**
West Vw. *Stav* —2B **134**
West Vw. *Wors* —5B **24**
W. View Clo. *S17* —3F **121**
W. View Cres. *Gold* —5E **29**
W. View La. *S17* —3F **121**
W. View Rd. *Ches* —5G **131**

W. View Rd. *Mexb* —1E **57**
W. View Rd. *Roth* —3E **17**
W. View Ter. Wors —5B **24**
(off Ashwood Clo.)
Westville Rd. *B'ley* —4F **13**
West Way. *B'ley* —6G **13**
Westwell Pl. *Mosb* —3D **124**
Westwick Cres. *S8* —2B **122**
Westwick Gro. *S8* —2C **122**
Westwick La. *Holy* —3A **136**
Westwick Rd. *S8* —3B **122**
Westwood. —5B 50
Westwood. *High G* —4B **50**
Westwood Av. *Stav* —3A **134**
Westwood Clo. *Ink* —6A **134**
Westwood Country Pk. —4B 50
Westwood Ct. *B'ley* —5G **13**
Westwood Ct. *High G* —5B **50**
Westwood Dri. *Ink* —6A **134**
Westwood Dri. Gdns. *Ink* —6H **133**
Westwood Ind. Est. *Arm* —4G **35**
Westwood La. *Brim* —1F **139**
Westwood La. *Wort* —1A **50**
Westwood New Rd. *High G & Tank* —6A **50**
Westwood Rd. *S11* —5F **97**
Westwood Rd. *Cal* —1G **139**
Westwood Rd. *High G* —5B **50**
Wetherby Clo. *Donc* —4F **31**
Wetherby Ct. *S9* —1E **101**
Wetherby Dri. *Mexb* —5F **43**
Wetherby Dri. *Swal* —6A **104**
Wetlands La. *Ches* —1E **139**
Wet Moor La. *Wath D* —4D **40**
(in two parts)
Whaley Rd. *B'ley* —2B **12**
Wharf Clo. *Swint* —2C **56**
Wharfedale Dri. *C'town* —2C **64**
Wharfedale Rd. *B'ley* —5D **12**
Wharf La. *Ches* —1A **138**
Wharf La. *Stav* —1D **134**
Wharf Rd. *S9* —6F **77**
Wharf Rd. *Donc* —4D **32**
Wharf Rd. *Kiln* —6C **56**
Wharf St. *S2* —1G **99** (2G **5**)
Wharf St. *B'ley* —4A **14**
Wharf St. *Swint* —2C **56**
Wharncliffe. *Dod* —3C **22**
Wharncliffe Av. *Ast* —5C **104**
Wharncliffe Av. *Wath D* —5F **41**
Wharncliffe Clo. *Hoy* —1H **51**
Wharncliffe Clo. *Rawm* —5D **54**
Wharncliffe Ct. *Tank* —6A **36**
Wharncliffe Hill. *Roth* —2E **79**
Wharncliffe Ind. Complex. *Deep* —3H **141**
Wharncliffe Rd. *S10* —3C **98** (6A **4**)
Wharncliffe Rd. *High G* —6B **50**
Wharncliffe St. *B'ley* —6F **13**
Wharncliffe St. *Car* —5F **9**
Wharncliffe St. *Donc* —1A **46**
Wharncliffe St. *Roth* —2E **79**
Wharton Av. *Swal* —4B **104**
Wheatacre Rd. *S'bri* —3E **141**
Wheata Dri. *S5* —2F **75**
Wheata Pl. *S5* —2E **75**
Wheata Rd. *S5* —3E **75**
Wheatbridge Retail Pk. *Ches* —3H **137**
Wheatbridge Rd. *Ches* —2G **137**
Wheat Cft. *Con* —3G **59**
Wheatcroft Rd. *Rawm* —1H **69**
(in two parts)
Wheatfield Clo. *Barn D* —1E **21**
Wheatfield Cres. *S5* —3H **75**
Wheatfield Dri. *Thurn* —2F **29**
Wheatfield Way. *Ash* —6B **130**
Wheathill Clo. *Ash* —1B **136**
Wheathill La. *Brim* —1F **139**
Wheathill La. *Ches* —1D **138**
Wheathill St. *Roth* —4D **78**
Wheatley. —3F 33
Wheatley Cen., The. *Donc* —1H **33**
Wheatley Clo. *B'ley* —3H **13**
Wheatley Golf Course. —3B 34
Wheatley Gro. *S13* —4G **101**
Wheatley Hall Rd. *Donc* —3E **33**
Wheatley Hills. —3B 34
Wheatley La. *Donc* —5E **33**
Wheatley Park. —2H 33
Wheatley Pk. Rd. *Ben* —5A **18**
Wheatley Pl. *Den M* —2B **58**
Wheatley Ri. *M'well* —3F **7**
Wheatley Rd. *B'ley* —2E **25**

Wheatley Rd. *Kiln* —6C **56**
Wheatley Rd. *Roth* —6G **67**
Wheatley St. *Den M* —2B **58**
Wheats La. *S1* —2E **5**
Wheeldon Cres. *Brim* —3D **132**
Wheeldon St. *S1* —2D **98** (3B **4**)
Wheel La. *Gren* —1B **74**
Wheel La. *O'bri* —2B **72**
Wheel, The. *E'fld* —1C **65**
Wheldrake Rd. *S5* —1H **87**
Whernside Av. *C'town* —1D **64**
Whinacre Clo. *S8* —3F **123**
Whinacre Pl. *S8* —3E **123**
Whinacre Wlk. *S8* —3E **123**
Whinby Cft. *Dod* —2B **22**
Whinby Rd. *Dod* —1A **22**
Whinfell Clo. *Adw S* —1D **16**
Whinfell Ct. *S11* —5E **109**
(in three parts)
Whin Hill Rd. *Donc* —3B **48**
Whinmoor Rd. *S5* —6B **76**
Whinmoor Rd. *High G* —6A **50**
Whinney Hill. —5C 70
Whins, The. *Rawm* —1C **68**
Whiphill Clo. *Donc* —4C **48**
Whiphill La. *Arm* —4G **35**
(in two parts)
Whiphill Top La. *Bran* —2H **49**
Whirlow. —5E 109
Whirlow Ct. Rd. *S11* —5F **109**
Whirlowdale Clo. *S11* —5E **109**
Whirlowdale Cres. *S7* —4H **109**
Whirlowdale Ri. *S11* —5F **109**
Whirlowdale Rd. *S11 & S7* —5E **109**
Whirlow Farm M. *S11* —4E **109**
Whirlow Grange Av. *S11* —5E **109**
Whirlow Grange Dri. *S11* —5E **109**
Whirlow Grn. *S11* —5E **109**
Whirlow Gro. *S11* —5F **109**
Whirlow La. *S11* —4E **109**
Whirlow M. *S11* —4F **109**
Whirlow Pk. Rd. *S11* —5F **109**
Whisperwood Dri. *Bal* —1H **61**
Whiston. —2H 91
Whiston Brook Vw. *Whis* —2A **92**
Whiston Grange. *Roth* —2G **91**
Whiston Grn. *Whis* —3H **91**
Whiston Gro. *Roth* —5F **79**
Whiston Va. *Whis* —3H **91**
Whitaker Clo. *Ross* —6D **62**
Whitaker Sq. *New R* —5C **62**
Whitbeck Clo. *Wadw* —6H **61**
Whitbourne Clo. *B'ley* —2H **13**
Whitburn Rd. *Donc* —1E **47**
Whitby Rd. *S9* —6E **89**
Whitby Rd. *New R* —5C **62**
Whitcomb Dri. *New R* —6D **62**
Whitebank Clo. *S4* —3H **99**
Whitecotes Clo. *Ches* —5G **137**
Whitecotes La. *Ches* —5G **137**
Whitecotes Pk. *Ches* —5H **137**
White Cft. *S1* —1E **99** (2C **4**)
Whitecroft Cres. *B'wth* —3C **90**
White Cross Av. *Cud* —2H **15**
White Cross Ct. *Cud* —2H **15**
White Cross La. *Wadw* —4G **61**
(in two parts)
White Cross La. *Wors* —4D **24**
White Cross Mt. *Cud* —2H **15**
White Cross Ri. *Wors* —4D **24**
White Cross Rd. *Cud* —2H **15**
White Edge Clo. *Ches* —6F **131**
White Ga. *Ans* —1H **119**
Whitegate Wlk. *Roth* —4G **67**
Whitehall Rd. *Roth* —3H **67**
Whitehall Way. *Roth* —4A **68**
Whitehead Av. *Deep* —3F **141**
Whitehead Clo. *Dinn* —4E **107**
Whitehead St. *Stav* —1D **134**
White Hill Av. *B'ley* —4A **14**
Whitehill Av. *B'wth* —3C **90**
Whitehill Dri. *B'wth* —4C **90**
White Hill Gro. *B'ley* —6D **12**
Whitehill La. *B'wth* —2C **90**
Whitehill Rd. *B'wth* —3B **90**
White Hill Ter. *B'ley* —6C **12**
Whitehouse La. *S6* —5C **86**
Whitehouse Rd. *S6* —5B **86**
Whitehouses. *Ches* —4B **138**
White Ho. Vw. *Barn D* —1G **21**
White La. *S12* —4C **112**

White La. *C'town* —6F **51**
Whitelea Gro. *Mexb* —1D **56**
Whitelea Gro. Trad. Est. *Mexb* —1D **56**
White Leas. *Ches* —1D **136**
Whitelee Rd. *Swint & Mexb* —2C **56**
Whiteley La. *S10* —6C **96**
Whiteleys Av. *Rawm* —6E **55**
Whiteley Wood Clo. *S11* —6F **97**
Whiteley Wood Green. —1B 108
Whiteley Wood Rd. *S11* —1D **108**
Whiteley Woods. —6F 97
Whitelow La. *S17* —1A **120**
White Rd. *Stav* —1E **135**
White Rose Ct. *Ben* —6C **18**
White Rose Ho. *Roth* —4D **78**
White Rose Way. *Donc* —2D **46**
White's La. *S2* —2H **99**
White Thorns Clo. *S8* —3F **123**
White Thorns Dri. *S8* —4F **123**
White Thorns Vw. *S8* —3F **123**
White Towers Cvn. Site. *Donc* —3C **34**
Whiteways Clo. *S4* —3H **87**
Whiteways Dri. *S4* —3H **87**
Whiteways Gro. *S4* —3H **87**
Whiteways Rd. *S4* —3H **87**
Whitewood Clo. *Roy* —3D **8**
Whitfield Rd. *S10* —6C **96**
Whitfield Rd. *Rawm* —6D **54**
Whitham Rd. *S10* —3A **98**
Whiting St. *S8* —1E **111**
Whitley. —5D 64
Whitley Carr. *Gren* —5C **64**
Whitley La. *Gren & E'fld* —6B **64**
Whitley Vw. *E'fld* —5F **65**
Whitley Vw. Rd. *Roth* —4D **76**
Whitney Clo. *Donc* —6G **45**
Whittier Rd. *Donc* —5A **46**
Whittington Hill. *Old W* —2A **132**
Whittington Moor. —3A 132
Whittington St. *Donc* —4D **32**
Whittington Way. *Whit M* —2A **132**
Whitting Valley Rd. *Old W* —2A **132**
Whitton Clo. *Donc* —5A **48**
(in three parts)
Whitton Pl. *Duck* —5E **135**
Whitwell Cres. *S'bri* —3D **140**
Whitwell La. *S'bri* —4C **140**
Whitwell St. *S9* —1F **101**
Whitwell Vw. *Ross* —4F **63**
Whitworth Cft. *S10* —3F **97**
Whitworth La. *S9* —4C **88**
Whitworth Rd. *S10* —4E **97**
Whitworth Rd. *Ches* —5H **131**
Whitworth's Ter. Thurn —1G **29**
(off Clarke St.)
Whitworth St. *Gold* —4G **29**
Whitworth Way. *Wath D* —4E **41**
Whybourne Gro. *Roth* —4E **79**
Whybourne Ter. *Roth* —3E **79**
Whyn Vw. *Thurn* —1E **29**
Wicker. *S3* —1F **99** (1G **5**)
Wicker La. *S3* —1F **99** (1F **5**)
Wickersley. —5F 81
Wickersley Rd. *Roth* —5G **79**
Wickett Hern Rd. *Arm* —3G **35**
(in two parts)
Wicket Way. *Edl'tn* —2C **60**
Wickfield Clo. *S12* —2H **113**
Wickfield Dri. *S12* —2H **113**
Wickfield Gro. *S12* —3G **113**
Wickfield Pl. *S12* —2G **113**
Wickfield Rd. *S12* —3H **113**
Wicklow Rd. *Donc* —4G **33**
Widdop Clo. *S13* —5F **101**
Widdop Cft. *S13* —5F **101**
Wigfield Dri. *Wors* —4H **23**
Wigfield Farm. —5G 23
Wigfull Rd. *S11* —4A **98**
Wigley Rd. *Ink* —5A **134**
Wignall Av. *Wick* —5D **80**
Wikeley Way. *Brim* —3D **132**
Wike Rd. *B'ley* —5E **15**
Wilberforce Rd. *Ans* —2F **119**
Wilberforce Rd. *Donc* —6B **20**
Wilbrook Ri. *B'ley* —3C **12**
Wilby La. *B'ley* —1A **24**
Wilcox Clo. *S6* —4B **74**
Wilcox Grn. *Roth* —3A **68**
Wilcox Rd. *S6* —4A **74**
Wild Av. *Rawm* —6C **54**
Wildene Dri. *Mexb* —5E **43**

HOSPITALS and HOSPICES
covered by this atlas
with their map square reference

N.B. Where Hospitals and Hospices are not named on the map, the reference given is for the road in which they are situated.

ASHGATE HOSPICE —1B **136**
Ashgate Rd.
CHESTERFIELD
Derbyshire
S42 7JD
Tel: 01246 568801

ASH GREEN —2B **136**
Ashgate Rd.
Ashgate
CHESTERFIELD
Derbyshire
S42 7JE
Tel: 01246 565000

BARNSLEY DISTRICT GENERAL HOSPITAL —4E **13**
Pogmoor Rd.
BARNSLEY
South Yorkshire
S75 2EP
Tel: 01226 730000

BARNSLEY HOSPICE —4C **12**
104 Church St.
Gawber
BARNSLEY
South Yorkshire
S75 2RL
Tel: 01226 244244

BEIGHTON HOSPITAL —4E **115**
Seveairs Rd.
Beighton
SHEFFIELD
S20 1NZ
Tel: 0114 2716500

BIRKDALE CLINIC —3F **79**
Clifton La.
ROTHERHAM
South Yorkshire
S65 2AJ
Tel: 01709 828928

CHARLES CLIFFORD DENTAL HOSPITAL —2B **98**
76 Wellesley Rd.
SHEFFIELD
S10 2SZ
Tel: 0114 2717800

CHATSWORTH SUITE (BMI) HOSPITAL —2E **139**
Chesterfield & North Derbyshire Royal Hospital
Chesterfield Rd., Calow
CHESTERFIELD
Derbyshire
S44 5BL
Tel: 01246 544400

CHESTERFIELD & NORTH DERBYSHIRE ROYAL HOSPITAL
—2E **139**
Chesterfield Rd., Calow
CHESTERFIELD
Derbyshire
S44 5BL
Tel: 01246 277271

CLAREMONT HOSPITAL —3D **96**
401 Sandygate Rd.
SHEFFIELD
S10 5UB
Tel: 0114 2630330

DONCASTER GATE HOSPITAL —3E **79**
Doncaster Ga.
ROTHERHAM
South Yorkshire
S65 1DW
Tel: 01709 820000

DONCASTER ROYAL INFIRMARY —4F **33**
Thorne Rd.
DONCASTER
South Yorkshire
DN2 5LT
Tel: 01302 366666

KENDRAY HOSPITAL —1C **24**
Doncaster Rd.
BARNSLEY
South Yorkshire
S70 3RD
Tel: 01226 777811

KERESFORTH CENTRE —1E **23**
Keresforth Clo.
BARNSLEY
South Yorkshire
S70 6RS
Tel: 01226 777865

LOVERSALL HOSPITAL —6C **46**
Weston Rd.
DONCASTER
South Yorkshire
DN4 8NX
Tel: 01302 796000

MALTBY HOSTEL —3F **83**
130 Braithwell Rd.
Maltby
ROTHERHAM
South Yorkshire
S65 4LP
Tel: 01709 790097

MICHAEL CARLISLE CENTRE —6B **98**
Osborne Rd., SHEFFIELD
S11 9BF
Tel: 0114 2716310

MONTAGU HOSPITAL —5E **43**
Adwick Rd., MEXBOROUGH
South Yorkshire
S64 0AZ
Tel: 01709 585171

MOUNT VERNON HOSPITAL —3H **23**
Mt. Vernon Rd., BARNSLEY
South Yorkshire
S70 4DP
Tel: 01226 777835

NORTHERN GENERAL HOSPITAL —2G **87**
Herries Rd.
SHEFFIELD
S5 7AU
Tel: 0114 2434343

ROTHERHAM DISTRICT GENERAL HOSPITAL —1F **91**
Moorgate Rd.
ROTHERHAM
South Yorkshire
S60 2UD
Tel: 01709 820000

ROTHERHAM HOSPICE, THE —4G **79**
Broom Rd.
ROTHERHAM
South Yorkshire
S60 2SW
Tel: 01709 829900

ROYAL HALLAMSHIRE HOSPITAL —3B **98**
Glossop Rd.
SHEFFIELD
S10 2JF
Tel: 0114 2711900

ST CATHERINE'S HOSPITAL —6B **46**
Tickhill Rd.
DONCASTER
South Yorkshire
DN4 8QN
Tel: 01302 796000

ST JOHN'S HOSPICE —5A **46**
Weston Rd.
DONCASTER
South Yorkshire
DN4 8JS
Tel: 01302 311611

ST LUKE'S DAY HOSPICE —4E **115**
Beighton Hospital, Sevenairs Rd.
Beighton, SHEFFIELD
S20 1NZ
Tel: 0114 2716524

ST LUKE'S HOSPICE —4F **109**
Lit. Common La.
SHEFFIELD
S11 9NE
Tel: 0114 2369911

SHEFFIELD CHILDREN'S HOSPITAL —2B **98**
Western Bank
SHEFFIELD
S10 2TH
Tel: 014 2717000

SHIRLE HILL HOSPITAL —6B **98**
6A Cherry Tree Rd.
SHEFFIELD
S11 9AA
Tel: 0114 2716860

THORNBURY BMI HOSPITAL —4G **97**
312 Fulwood Rd.
SHEFFIELD
S10 3BR
Tel: 0114 2661133

TICKHILL ROAD HOSPITAL —6B **46**
Tickhill Rd.
DONCASTER
South Yorkshire
DN4 8QL
Tel: 01302 796000

WALTON HOSPITAL —6G **137**
Whitecotes La.
CHESTERFIELD
Derbyshire
S40 3HW
Tel: 01246 277271

WATHWOOD HOSPITAL —2F **55**
Gipsy Grn. La.
Wath-Upon-Dearne
ROTHERHAM
South Yorkshire
S63 7TQ
Tel: 01709 873106

WESTON PARK HOSPITAL —2B **98**
Whitham Rd.
SHEFFIELD
S10 2SJ
Tel: 0114 2265000

WHEATA DAY HOSPICE —2E **75**
Wheata Pl.
SHEFFIELD
S5 9DZ
Tel: 0114 2571744

RAIL, ELSECAR STEAM RAILWAY AND SUPERTRAM

with their map square reference

Adwick Station. Rail —1E **17**
Arbourthorne Road Stop. ST —6H **99**
Arena Stop. ST —4D **88**
Attercliffe Stop. ST —5B **88**

Bamforth Street Stop. ST —4B **86**
Barnsley Station. Rail —5H **13**
Beighton Stop. ST —5F **115**
Bentley Station. Rail —1A **32**
Birley Lane Stop. ST —5G **113**
Birley Moor Stop. ST —5H **113**
Bolton-on-Dearne Station. Rail —1B **42**

Carbrook Stop. ST —2E **89**
Castle Square Stop. ST —2F **99** (3F **5**)
Cathedral Stop. ST —2E **99** (3E **5**)
Chapeltown Station. Rail —2E **65**
Chesterfield Station. Rail —2B **138**
City Hall Stop. ST —2E **99** (3D **4**)
Conisbrough Station. Rail —2D **58**
Cortonwood Halt Station. ESR —3G **39**
Cricket Inn Road Stop. ST —1H **99**
Crystal Peaks Stop. ST —5D **114**

Darnall Station. Rail —1E **101**
Darton Station. Rail —4C **6**
Dodworth Station. Rail —2A **22**
Doncaster Station. Rail —6C **32**
Donetsk Way Stop. ST —5C **114**
Don Valley Stop. ST —4D **88**
Dore Station. Rail —2G **121**
Drake House Lane Stop. ST —5F **115**
Dronfield Station. Rail —2E **129**

Elm Tree Stop. ST —1C **112**
Elsecar Station. Rail —6C **38**

Fitzalan Square Stop. ST —2F **99** (3G **5**)

Gleadless Townend Stop. ST
—4C **112**
Goldthorpe Station. Rail —4F **29**
Granville Road Stop. ST
—3F **99** (6G **5**)

Hackenthorpe Stop. ST —4A **114**
Halfway Stop. ST —2F **125**
Hemingfield Halt Station. ESR —5E **39**
Herdings Park Stop. ST —5A **112**
Herdings Stop. ST —4B **112**
Hillsborough Park Stop. ST —3A **86**
Hillsborough Stop. ST —3A **86**
Hollinsend Stop. ST —2C **112**
Hyde Park Stop. ST —1H **99**

Infirmary Road Stop. ST —6D **86**

Kirk Sandall Station. Rail —3C **20**
Kiveton Bridge Station. Rail —5H **117**
Kiveton Park Station. Rail —6D **118**

Langsett Stop. ST —5C **86**
Leighton Road Stop. ST —4B **112**
Leppings Lane Stop. ST —2A **86**

Malin Bridge Stop. ST —4H **85**
Manor Top Stop. ST —1C **112**
Meadowhall South Stop. ST —1F **89**
Meadowhall Station. Rail —6D **76**
Mexborough Station. Rail —1E **57**
Middlewood Stop. ST —6H **73**
Moss Way Stop. ST —4D **114**

Netherthorpe Road Stop. ST
—2D **98** (2B **4**)
Nunnery Square Stop. ST —1A **100**

Park Grange Stop. ST —5G **99**
Penistone Station. Rail —4E **143**
Ponds Forge Stop. ST —2F **99** (3G **5**)
Primrose View Stop. ST —5C **86**

Rockingham Station. ESR —1D **52**
Rotherham Central Station. Rail —3D **78**

Shalesmoor Stop. ST —6D **86**
Sheffield College, The Stop. ST
—3F **99** (6G **5**)
Sheffield Hallam University Stop. ST
—2F **99** (4G **5**)
Sheffield Station. Rail —3F **99** (5G **5**)
Sheffield Station Stop. ST —2F **99** (4G **5**)
Spring Lane Stop. ST —5A **100**
Swallownest Station. Rail —1H **115**
Swinton Station. Rail —2C **56**

Thurnscoe Station. Rail —1F **29**
Tinsley Stop. ST —1F **89**

University of Sheffield Stop. ST
—2C **98** (4A **4**)

Valley Centretainment Stop. ST —3E **89**

Waterthorpe Stop. ST —6F **115**
Westfield Stop. ST —1F **125**
West Street Stop. ST —2D **98** (4C **4**)
White Lane Stop. ST —4D **112**
Wombwell Station. Rail —1D **38**
Woodbourn Road Stop. ST —6B **88**
Woodhouse Station. Rail —6D **102**